# APPELEZ-MOI KATE

# A. SCOTT BERG

# APPELEZ-MOI KATE

## Confidences de Katharine Hepburn

*Traduit de l'américain par Bella Arman*

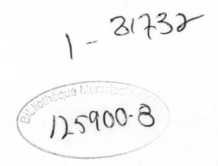

## ROBERT LAFFONT

Titre original : KATE REMEMBERED
© A. Scott Berg. 2003
Traduction française : Éditions Robert Laffont, S.A., Susanna Lea Associates,
Paris, 2004

ISBN 2-221-10147-2
(édition originale : ISBN 0-399-15164-8 Putnam's Sons, New York)

# Note de l'auteur

J'ai écrit trois biographies au cours des trente dernières années. Elles appartiennent à un ensemble plus vaste auquel j'ai longuement réfléchi – une série de récits consacrés aux grandes figures de la civilisation américaine du XX$^e$ siècle, dont chacune représente une facette de notre culture. À ce jour, je me suis intéressé à un éditeur originaire de Nouvelle-Angleterre, à un grand producteur de cinéma venu de Pologne et à un aviateur né dans le Midwest. Le présent livre n'entre pas dans ce plan.

Son héroïne a certes marqué son époque, et sa vie fut passionnante. Elle mériterait, pour le moins, une biographie exhaustive. Malheureusement, je suis mal placé pour écrire un tel ouvrage – je suis incapable de la moindre objectivité à son égard. Primo, parce que je suis persuadé, avec l'aplomb de l'incompétence, que Katharine Hepburn a connu la plus grande carrière de comédienne du XX$^e$ siècle, sinon de tous les temps. Ensuite, parce que Katharine Hepburn a été une amie très proche pendant vingt ans. Pour être franc, je suis entré dans sa vie en amoureux transi et mon sentiment n'a cessé de croître durant les deux décennies qui ont suivi.

Ce livre n'est donc pas une étude critique sur la vie de Katharine Hepburn. Il s'agit plutôt, avec toute la fidélité dont je suis capable, d'un récit inspiré par nos longues conversations. En fait, lorsque nous étions ensemble, Miss Hepburn cherchait moins à raconter le passé qu'à réfléchir sur lui, un exercice auquel elle ne se livrait avec personne d'autre, je crois. Je n'ai pas évoqué ici mes propres souvenirs d'elle mais me suis plutôt efforcé de transmettre les siens.

Comme notre conversation s'orientait invariablement sur ce qu'elle avait vécu, j'eus vite le sentiment d'être une enclume sur laquelle elle martelait ses émotions et ses convictions, bien plus qu'une caisse de résonance. C'est ainsi que ce livre trahit une curieuse relation au sein d'une existence unique, généreuse – menée selon des règles qui n'appartenaient qu'à elle. Plus important, la plupart des épisodes de sa vie y sont transcrits tels qu'elle les voyait, empreints de sentiments qu'elle n'aurait pas aimé rendre publics avant sa mort. Enfin, il ne s'agit pas du récit poignant des dernières années de sa vie, celles où je l'ai connue ; c'est l'histoire d'une grande comédienne et de la meilleure part d'un siècle qui lui servit de scène.

# 1

## Une entrevue particulière

Je ne me suis jamais senti aussi intimidé en appuyant sur une sonnette.

Pourtant, nos conversations au téléphone avaient été amicales, et c'était à son invitation que je me retrouvais devant sa porte. Il n'empêche. Cette première rencontre me rendait très nerveux, alors que je n'avais pas une passion particulière pour les stars. Là, c'était différent. Katharine Hepburn était la première que j'aie jamais remarquée, celle que, depuis, je préférais à toute autre – la seule dont j'allais voir les films ou les pièces pour l'unique raison qu'elle était à l'affiche.

En ce mardi 5 avril 1983, j'atteignis la Troisième Avenue et la Quarante-Cinquième Rue avec un quart d'heure à tuer. Je fis les cent pas autour des immeubles voisins jusqu'à 17 h 55, puis remontai lentement vers la Quarante-Cinquième Rue Est jusqu'à quelques portes du 244 de la Deuxième Avenue. J'attendis sur le trottoir une minute et demie jusqu'à ce que la grande aiguille de ma montre approche le chiffre 12. J'ouvris la petite grille noire, descendis quelques marches jusqu'à la porte d'entrée garnie d'un rideau et appuyai sur le bouton. Le coup de sonnette fut si strident que je sentis presque trembler les quatre étages de grès brun.

Personne ne répondit. Après un long moment, le visage poupin d'une petite femme brune apparut à une porte voisine, l'entrée de service.

— Oui ?

J'avais rendez-vous à 18 heures avec Miss Hepburn, expliquai-je. M'étais-je trompé de porte ?

— Non, non, je vais vous faire entrer.

Elle disparut puis j'entendis tourner deux lourds verrous. C'était Norah Considine, la cuisinière et femme de ménage. Miss Hepburn m'attendait, m'assura-t-elle.

Je pénétrai dans le vestibule et laissai mon imperméable sur un banc au bas d'un escalier raide à rampe métallique. Une autre femme sortit de la cuisine – cheveux gris, anguleuse, le cou pris dans une minerve ; nous nous présentâmes. Je l'avais deviné, il s'agissait de Phyllis Wilbourn, qui faisait office de dame de compagnie et de majordome.

— Ah, oui. Montez tout de suite, fit-elle avec un accent anglais rocailleux. Miss Hepburn vous attend.

Je pus entrevoir du palier le salon donnant sur le jardin, d'où pénétraient les dernières lueurs du jour.

J'entendis la voix inimitable.

— Êtes-vous allé aux toilettes ?

— Pardon ?

Je voyais Katharine Hepburn pour la première fois. Elle était assise sur une chaise d'apparence confortable, chaussée de tennis blanches en appui sur un repose-pied, l'air incroyablement en forme pour une personne de soixante-quinze ans à peine remise d'un grave accident de voiture. Elle semblait reposée et détendue, ses légendaires pommettes bien lisses, l'œil clair, d'un bleu pâle très doux, les cheveux gris tirant sur le roux dégageant parfaitement le visage en une manière de chignon qui n'appartenait qu'à elle. Sans maquillage, elle offrait son magnifique sourire de star, plein de charme et d'énergie. Elle portait un pantalon kaki, un col roulé blanc sous une chemise de chambray bleue, un pull rouge noué négligemment autour du cou. J'observais les détails de la pièce en m'approchant d'elle – le haut plafond, les tableaux, le feu de bois, rien d'ostentatoire sinon d'énormes bouquets de fleurs un peu partout.

— Êtes-vous allé aux toilettes ? redemanda-t-elle avant que j'aie eu le temps de m'approcher.

— Non.

— Enfin, ne croyez-vous pas que ce serait mieux ?

— Non, merci. Je ne crois pas que ce soit nécessaire.

— Bon. Je crois que vous feriez mieux de redescendre et de commencer par y faire un tour.

Je répétai que je ne croyais pas cela indispensable, mais que je ferais de mon mieux. Deux minutes plus tard, j'entendis du haut des escaliers :

— Êtes-vous allé aux toilettes ?

— Oui, je vous remercie.

— Bien. Vous savez, mon père était urologue et disait qu'il fallait aller aux toilettes dès que c'était nécessaire... et vous voyez, c'était votre cas. Bon, comment allez-vous ? Je suis Katharine Hepburn.

— Je sais.

Après notre poignée de main, elle me détailla de haut en bas et sourit.

— Vous être grand.

— Un peu plus de six pieds[1], répondis-je.

— Tennis ?

— Non, mais je nage régulièrement et je fais un peu de gym en soulevant des poids.

— Bouh !

— C'est un peu ennuyeux, opinai-je, en ajoutant que c'était la forme d'exercice physique qui me prenait le moins de temps.

— Fumez-vous ?

Je me mis à rire avec le sentiment de jouer dans une représentation de *Il importe d'être constant*[2].

— Non, Lady Bracknell[3], répondis-je.

— Je fumais, reprit-elle en riant à son tour. J'ai arrêté. Une sale habitude. Bon, j'espère que vous buvez.

— Oui, heureusement.

---

1. Un peu plus d'un mètre quatre-vingts. *(N.d.T.)*

2. *The Importance of being Earnest*, d'Oscar Wilde.

3. Lady Bracknell bombarde de questions incongrues le prétendant de sa fille. *(N.d.T.)*

Elle m'envoya vers la table située derrière elle, sur laquelle était juché un masque africain représentant une femme aux curieux grands yeux farouches et aux pommettes très saillantes.

— Quelqu'un m'a envoyé ça, expliqua-t-elle. Cela me ressemble, non ?

En faisant abstraction des peintures tribales, c'était vrai. Juste à côté, sur un grand plateau de bois, plusieurs bouteilles d'alcool et trois verres.

— Trouvez-vous quelque chose à votre goût ?

Je choisis une bouteille de scotch King William IV. Elle me demanda d'en préparer deux, selon ses instructions – il fallait remplir le verre de glaçons, verser lentement par-dessus un filet de whisky puis compléter par du soda. Elle m'invita à m'asseoir à sa droite, sur un canapé de toile blanche recouvert d'un châle de tricot rouge.

Elle avala une petite gorgée, puis une plus grande et conclut :

— Trop léger. – Je corsai un peu son verre : – Le vôtre me paraît trop léger, reprit-elle.

Craignant une réédition de l'épisode des toilettes, je maintins ma position en répliquant :

— J'ai besoin de rester un doigt plus sobre que vous.

Nous en étions à discuter de l'interview quand Phyllis Wilbourn monta nous voir. Je fis mine de me lever en voyant apparaître la vacillante septuagénaire à la minerve ; mon hôtesse m'assura qu'elle allait bien.

— Avez-vous fait la connaissance de Phyllis Wilbourn ? s'enquit Miss Hepburn au moment où la vieille femme nous présentait un plateau de petits pâtés au fromage passés au four. C'est mon Alice B. Toklas.

— Ne dites pas une chose pareille, rétorqua fermement Phyllis. Cela me fait passer pour une vieille lesbienne, ce que je ne suis pas.

— Vous n'êtes pas quoi, ma petite chérie, vieille ou lesbienne ?

— Ni l'une ni l'autre.

Sur ce, Phyllis se prépara un *ginger ale* et prit place sur une chaise en face de nous ; je m'imprégnais toujours de l'atmosphère de la pièce. Katharine Hepburn surprit mon regard vers une oie de bois sculpté suspendue par une chaîne au plafond.

— C'est de Spencer, dit-elle.

Puis je remarquai un tableau représentant deux mouettes sur des rochers.

— Que pensez-vous de ce tableau ? Exceptionnel ou pas ? demanda-t-elle.

— Il amusant, très gai.

— C'est moi, répondit-elle en parlant de l'artiste.

Le feu se mourait et Miss Hepburn me demanda si je m'y connaissais en feux de bois. Je lui répondis que je n'étais pas boy-scout mais que je pourrais sans doute tenter l'aventure.

— Voyons cela, dit-elle, prête à m'adjuger une note.

Je me saisis de la paire de pincettes en fer forgé pour retourner quelques bûches qui se mirent à flamboyer. Cela lui fit manifestement plaisir.

— Que pensez-vous de ça, sur la cheminée ? demanda-t-elle en désignant une paire de figurines, deux nus de jeune femme. C'est moi, précisa-t-elle.

— Vous les avez sculptées ?

— Non, j'ai posé pour elles.

En les examinant de plus près je pus constater que c'était le cas. Elle en fut charmée.

Nous échangeâmes ensuite quelques propos – sur Los Angeles, ma ville de résidence, notre ami commun le réalisateur George Cukor, qui venait de mourir quelques mois auparavant, et notre interview imminente. Elle me demanda combien de temps il me faudrait, ce à quoi je répliquai :

— De combien de temps disposez-vous ?

— Oh, je suis inlassablement fascinante, répondit-elle en souriant à nouveau. Je dirais qu'il vous faudra me consacrer au moins deux jours entiers.

Grâce à mes soins, le feu avait réchauffé la pièce et je voulus me délester de mon blazer bleu en le déposant sur le canapé.

— Non, je ne crois pas, fit Katharine gentiment mais impérativement. Cela dit, je tiens à ce que vous soyez à l'aise. Mais regardez où vous avez déposé cette veste. Elle se trouve juste dans ma ligne de mire et, bon, disons qu'elle m'offense la vue.

— Oui, je vois, répondis-je.

13

Au moment où j'allais la revêtir, elle m'assura que ce n'était pas nécessaire, qu'il y avait une chaise sur le palier et que je n'avais « qu'à la jeter là ». Je m'exécutai. En rentrant dans la pièce je rajustai instinctivement un tableau représentant des fleurs, qui était légèrement de guingois.

— Oh, je *vois*, déclara Miss Hepburn avec insistance, vous faites partie de *ces gens-là*. – Elle ajouta avec un sourire approbateur : – Moi aussi. Mais le pire, c'était Cole Porter. Quand il venait ici, il mettait cinq minutes à remettre les tableaux d'aplomb avant de s'asseoir. Tenez, pendant que vous êtes debout, je prendrais bien un autre verre. Et vous ?

Une fois de plus, je dosais le mien plus légèrement. Non que j'aie craint de tomber face contre terre. J'avais plutôt le sentiment de déambuler dans un film de la RKO où se produisait Katharine Hepburn et je ne voulais pas manquer le moindre plan.

Quand l'horloge du manteau de la cheminée sonna les sept heures, Miss Hepburn déclara :

— Tenez, je ne vous ai invité ce soir qu'à prendre quelques verres car je ne savais pas trop ce que nous allions faire, mais je serais vraiment ravie que vous restiez dîner : il y a largement de quoi manger pour tout le monde. Mais je vois à votre façon d'être habillé, et je dois dire que j'aime bien cette cravate, que vous avez un autre rendez-vous. Mieux vaut sans doute que vous partiez, sinon nous allons bavarder trop longtemps et nous ne serons pas frais pour la séance de demain. Disons onze heures ?

J'expliquai qu'en effet j'avais rendez-vous pour un dîner, mais que je l'annulerais volontiers pour elle.

— Non, répondit-elle. Nous ne tenons pas à épuiser tout ce que nous avons à nous dire.

Nous nous serrâmes la main et je sortis de la pièce sans oublier ma veste sur la chaise du palier.

À mi-chemin dans l'escalier, je l'entendis crier :

— Allez aux toilettes avant de partir !

# 2

## Ce qui fait la différence

La première fois que je n'ai pas fait la connaissance de Katharine Hepburn, c'était en avril 1972.

J'avais obtenu mon doctorat de l'université de Princeton l'année précédente en présentant une thèse sur Maxwell Perkins, l'éditeur légendaire de la maison Charles Scribner's Sons. Perkins avait lancé F. Scott Fitzgerald, Ernest Hemingway, Thomas Wolfe et une bonne vingtaine d'écrivains américains notoires entre les deux guerres. Ma thèse avait été soutenue, mais je ne la considérais pas comme un travail achevé, plutôt comme le premier jet de la biographie exhaustive du personnage selon moi le plus important et le moins bien connu de la littérature américaine – un homme de Harvard dont les ancêtres remontent à la Nouvelle-Angleterre du XVII$^e$ siècle, un éditeur new-yorkais qui avait pressenti ce que serait la littérature américaine comme aucun de ses contemporains. C'était un authentique américain de Manhattan. Il avait passé le plus clair de sa vie adulte comme banlieusard du Connecticut jusqu'à ce que son épouse Louise, femme de lettres très en vue, insistât pour que le couple et leurs cinq filles s'installent en ville, dans la demeure qu'elle avait héritée de son père, au 246 de la Quarante-Neuvième Rue Est, une maison de grès du quartier de Turtle Bay[1] mitoyenne de celle de Katharine Hepburn.

---

1. La baie de la tortue.

Les Perkins se sentirent chez eux à New York pendant quelques années. Mis à part les heures supplémentaires qu'il consacrait à son auteur fétiche, Thomas Wolfe – lequel travaillait à son roman *Au fil du temps*[1] selon un plan de son éditeur –, Max Perkins goûtait peu la vie urbaine. Louise, de son côté, jubilait. Douée d'un véritable talent d'écrivain et de comédienne, mais n'ayant ni l'énergie ni la discipline nécessaires à une carrière artistique, elle prenait plaisir à remplir ses journées d'une existence toute citadine. Elle était enchantée de vivre juste à côté de sa vedette favorite. Au point qu'elle avait écrit une pièce pour Miss Hepburn, dont le sujet était une sœur de Napoléon, Pauline, travail qu'elle s'empressa de soumettre à sa voisine. Les deux femmes entretinrent de bonnes relations, bien que Louise souffrît secrètement de côtoyer de si près l'idéal inaccessible auquel elle aspirait.

Katharine Hepburn et Max Perkins ne firent jamais connaissance. Toute forme de cabotinage mettait ce dernier mal à l'aise et il ne s'intéressait pas au monde du spectacle. Les stars de Perkins se produisaient sur le papier. Il appréciait néanmoins d'être dans les parages d'une célébrité et l'animation permanente qui sévissait au 244 le réjouissait. L'enthousiasme de sa femme pour leur illustre voisine l'amusait et les anecdotes qui couraient sur elle éveillaient en lui un soupçon de voyeurisme. Sa curiosité ne s'aventura toutefois guère au-delà de furtifs coups d'œil sur un buste de Katharine placé près d'une des fenêtres de son salon.

En ce printemps de 1972, donc, où j'approchais consciencieusement quiconque connaissait Max Perkins, je jugeais utile d'interviewer Katharine Hepburn. Pour être honnête, je n'attendais rien d'essentiel de son témoignage. Mais je tenais là un bon prétexte pour faire sa connaissance.

Dans ma jeunesse, j'adorais la télévision et le cinéma sans pour autant avoir jamais cherché à rencontrer leurs acteurs. Qu'ils aient incarné des camionneurs ou des chefs d'État, les chances étaient trop grandes d'être déçu. Je faisais une exception pour Katharine Hepburn. Depuis les toutes premières fois que je l'avais

---

1. *Of Time and the River*, 1935.

admirée, dans ses vieux films diffusés à la télévision ou dans les salles d'art et d'essai, j'avais rêvé de la rencontrer. Et j'en rêvais encore à la sortie de ses derniers longs métrages. Pendant mes études, j'avais vu l'intégrale de son œuvre, ce qui n'était pas une mince affaire en ces temps où la vidéo n'existait pas.

Le problème du fan, la plupart du temps, c'est le fossé entre l'idée qu'il se fait de son idole et la réalité. Katharine Hepburn, en dépit du culte universel dont elle a été l'objet, n'avait rien à craindre de ce côté-là. Sa beauté naturelle était tout aussi saisissante sans maquillage et loin des spots de Hollywood, ses reparties pétillaient d'humour et d'intelligence, même quand personne ne les avait rédigées pour elle, et sa seule présence éclipsait toute pose suggérée par un metteur en scène. Les plus grands acteurs de cinéma, les quelques stars authentiques, ne deviennent ce qu'ils sont que dans la mesure où ils nous font croire qu'ils laissent sur l'écran une part d'eux-mêmes, une illusion dont leurs admirateurs nourrissent leurs fantasmes. Chez Hepburn, il n'y avait pas de trompe-l'œil.

À Los Angeles, chez moi, où je travaillais à mon livre sur Perkins, j'avais appris que Katharine Hepburn était toujours en transit. Le plus simple semblait de prendre contact avec elle à son adresse californienne, là où son mode de vie était le moins mouvementé. Je me doutais qu'elle recevait une centaine de lettres et des dizaines de demandes d'interview chaque semaine, mais j'espérais que la mienne trancherait par son motif inédit. Mon père, scénariste et producteur de films pour la télévision, me procura son adresse à Los Angeles et j'envoyai une brève mais pressante sollicitation au 9191 de la rue St. Ives, à la limite de Beverly Hills et à quelques rues de Sunset Boulevard. Les mois passèrent, pendant lesquels j'interviewais des dizaines de témoins plus indispensables à mon ouvrage – des écrivains comme James Jones, Alan Paton, Taylor Caldwell, Marcia Davenport, Erskine Caldwell et Martha Gellhorn. Ma lettre à mon actrice préférée m'était sortie de la tête.

Puis m'arriva un jour une enveloppe arborant une écriture vigoureuse et irrégulière. J'y trouvai ma lettre, les marges remplies du même graphisme flamboyant. La réponse manuscrite exprimait ses excuses d'avoir tant tardé. Elle était débordée de courrier et ne

17

voyait pas l'intérêt d'une rencontre, n'ayant jamais fait la connaissance de Max Perkins. Certes, elle apercevait souvent ses filles de sa fenêtre – très jolies – et Louise Perkins était une « adorable créature » vivant dans l'ombre d'un homme remarquable. Quant à Perkins lui-même, elle l'avait souvent vu « aller et venir dans la Quarante-Neuvième Rue ou même bavarder gaiement avec mon chauffeur… que l'on a baptisé "le seigneur de la Quarante-Neuvième". J'ai toujours espéré qu'il s'adresse un jour à moi, concluait-elle, mais il ne l'a jamais fait ». La lettre se terminait sans formule de politesse ni signature – simplement ses initiales : K.H.

Je lui répondis pour la remercier, en ajoutant que ses quelques confidences étaient prometteuses, et laissaient augurer qu'une bonne interview libérerait d'autres souvenirs. Elle ne répondit jamais. Pour tout dire, elle m'avait déjà livré plus que je n'espérais et je voyais mal comment me faire plus insistant. Je terminai ma biographie six ans plus tard et lui envoyai un exemplaire, sans attendre une quelconque réponse.

L'année suivante, au printemps 1979, je m'attaquai à mon deuxième ouvrage, une biographie de Samuel Goldwyn, la grande figure des producteurs hollywoodiens « indépendants ». Il avait contribué au lancement de quatre sociétés de production cinématographiques qui avaient résisté à cinquante ans de séismes économiques – Paramount, MGM, United Artists et la Samuel Goldwyn Company. Sa seconde femme, Frances Howard, était une ancienne starlette introduite dans le show business à la faveur d'une saison d'été à Rochester, dans l'État de New York. Elle y avait rencontré un réalisateur corpulent plein d'avenir et de talent (et en était tombée amoureuse), George Cukor. Curieusement, l'homosexualité de Cukor contribua à transformer leur amitié en un lien intime sous tous rapports, sauf un. Quand le divorcé qu'était Sam Goldwyn – il avait vingt et un ans de plus qu'elle, rien d'un jeune premier et des colères légendaires – lui proposa le mariage, Frances courut voir George, qui évalua rapidement les espoirs professionnels de son amie : « Accepte, Frances. Tu ne trouveras jamais de meilleur rôle. »

George Cukor et Frances Goldwyn restèrent très proches toute leur vie – et au-delà, comme vous le verrez ; le fils des Goldwyn,

Sam Junior (« Sammy » pour ceux qui l'avaient connu enfant), m'arrangea immédiatement un rendez-vous avec ce témoin de première main. Au-delà de sa carrière remarquable, Cukor était également connu pour son autre « amie intime » – Katharine Hepburn. Il l'avait dirigée dans dix films dont certains sont de ce qu'elle et lui ont fait de mieux. La rencontre d'un réalisateur et d'un acteur tous deux de grand talent et de fort tempérament – par exemple D. W. Griffith et Lillian Gish, John Ford et John Wayne, William Wyler et Bette Davis – donne souvent des résultats étonnants. À mon avis, le tandem Hepburn-Cukor n'a jamais été égalé dans l'histoire du cinéma – en particulier dans la comédie romantique. Toujours est-il que la petite maison de Katharine Hepburn, rue St. Ives, était le bungalow d'une propriété appartenant à Cukor. Quand il s'était séparé de sa femme, Spencer Tracy avait loué ce pied-à-terre, qu'il partagea avec Katharine Hepburn.

Je me présentai pour la première fois au 9166 avenue Cordell (au coin de la rue St. Ives) le matin du 11 septembre 1979, jour de canicule. Il faisait 38 degrés. Un mur d'enceinte protégeait la maison de Cukor. Le porche central était muni d'une niche de bois abritant un téléphone. Je décrochai l'écouteur et me présentai avant d'être admis à pénétrer dans la cour. Une allée descendait sur la droite vers une piscine où Cukor se tenait en compagnie, semblait-il, d'une équipe de domestiques, de jardiniers et de maîtres nageurs. Il proposa d'aller s'installer dans une chambre d'amis du rez-de-chaussée, où nous pourrions nous entretenir au frais. Nous avons traversé une bonne partie de sa grande maison blanche, remplie de portraits de Katharine Hepburn – tableaux, photographies, et même deux marionnettes les représentant, elle et Spencer Tracy.

Cukor était loquace, le débit rapide avec force gestes. La conversation dura des heures. Je prenais des notes sur un bloc tandis qu'on nous apportait des plateaux chargés de salades et de thé glacé. Peu avant trois heures, un jeune assistant, très beau, vint vérifier si Cukor tenait le coup. Je me levai pour me présenter.

— Oh, je sais qui vous êtes, fit-il, Miss Hepburn ne parle que de votre livre quand elle vient nous voir.

Cela rappela à Cukor que Kate tenait à me rencontrer. Il se proposa d'arranger quelque chose quand elle repasserait par la Californie. Puis il insista pour me montrer avant mon départ le reste de sa maison – une belle salle de séjour à grande baie vitrée, aux meubles élégants de style Chippendale et Régence ; un salon ovale – parquet, âtre de cuivre – avec des tableaux de Georges Braque et Juan Gris ; enfin, le bureau de son secrétaire, dont les murs étaient entièrement tapissés, semblait-il, de photos dédicacées par les plus grands acteurs du siècle. « Curieux, cette manie de dire que je ne dirige que des femmes », dit-il avec une certaine irritation en me désignant des portraits de John Barrymore, W.C. Fields, Leslie Howard, Jack Lemmon dans son premier film, Ronald Colman dans la prestation qui lui avait valu un oscar pour *Othello*[1], et Rex Harrison dans son *My Fair Lady*[2]. Cukor et moi aurions souvent l'occasion de nous revoir les années suivantes et nous devînmes amis.

Je manquai Katharine Hepburn une seconde fois en 1981, quand elle vint à Los Angeles pour jouer dans la pièce d'Ernest Thompson, *The West Side Waltz*. Cukor nous avait prévu un dîner après une représentation, mais l'invitation m'était parvenue au moment où j'étais à New York, occupé à faire le tour des actrices de la génération de Hepburn – des stars de l'âge d'or de Hollywood, pour la plupart, dont la carrière avait décliné quand la sienne tournait à plein régime. C'est ainsi que je ne rencontrai pas celle dont je voulais tant faire la connaissance.

Fin 1982, je reçus un appel téléphonique de Rust Hills, le responsable des pages littéraires de la revue *Esquire*. Le cinquantième anniversaire du magazine, m'expliqua-t-il, serait célébré par la publication du « numéro le plus exceptionnel de son histoire ». À cette occasion, *Esquire* avait demandé à cinquante écrivains un papier sur une personnalité des cinquante dernières années ayant influé sur le mode de vie américain, autrement dit, sur quelqu'un qui « avait fait la différence ». Sachant que je travaillais sur

---

1. *A Double Life*, 1947.
2. Même titre pour la version française, 1964.

Goldwyn, Hills avait pensé à moi pour un article sur un ponte du cinéma, Goldwyn par exemple – dont la carrière pourrait illustrer ce en quoi il avait « fait la différence ». J'hésitais, surtout parce que je n'étais pas au bout de mes investigations et ne me sentais pas prêt à rédiger des conclusions, même pour un simple article de magazine. « Ne laissez pas passer une telle chance », insista Rust Hills en me rappelant que je serais en compagnie de Norman Mailer, John Cheever et John Updike.

— D'accord pour apporter ma contribution, dis-je, mais je ne suis pas en mesure d'écrire sur un grand réalisateur de cinéma. – Après un instant de réflexion, j'eus une meilleure idée : – Que diriez-vous de Katharine Hepburn ?

— Ah non, nous avons décidé de ne pas parler des actrices de cinéma. Et puis, nous ne voulons écrire que sur des hommes.

— Bon, écoutez, répondis-je. Il faut que j'y réfléchisse sérieusement… mais je peux déjà vous assurer que Katharine Hepburn est beaucoup plus qu'une actrice. Et puis, autre chose… – Il me revenait à l'esprit la réponse de Cary Grant à Jack Warner qui lui offrait le rôle de Henry Higgins dans *My Fair Lady* : non seulement il ne voulait pas le rôle mais il refuserait de voir le film si ce n'était pas Rex Harrison qui l'avait : – Si le numéro ne consacre pas d'article à une femme, ajoutai-je, non seulement je n'écrirai rien mais je ne prendrai même pas la peine de le lire. Je crois que vous aurez des pépins si Eleanor Roosevelt ne figure pas parmi les cinquante personnes qui « ont fait la différence ». Le mieux est que nous réfléchissions tous deux à la question.

Mon choix était fait et j'avais peaufiné mes arguments lorsque Rust Hills me rappela une semaine plus tard. Je lui expliquai la singularité de la carrière de Katharine Hepburn, « la plus considérable de l'histoire de Hollywood ». Qui plus est, heureuse coïncidence, elle avait obtenu sa première récompense officielle pour un premier rôle féminin précisément l'année du lancement d'*Esquire*. C'était la seule femme de l'histoire du cinéma à avoir mené une carrière de premier plan pendant cinq décennies – et elle était toujours en vogue. Elle était aussi une des rares vedettes de cinéma à s'être régulièrement produite au théâtre. Et, plus important encore, selon moi, elle avait joué hors écran pour trois générations de femmes le rôle de modèle, de véritable héroïne. Hills me répéta que son rédacteur en chef, Lee Eisenberg, ne voulait tout simplement pas de femmes dans le numéro, et surtout pas d'actrices.

Et si on prenait le problème par un autre bout ? lui proposai-je. Pourquoi ne pas présenter quarante-neuf hommes et une femme ? Hepburn serait présentée comme étant celle qui a le plus stimulé le jeu des acteurs masculins de ces cinquante dernières années : n'avait-elle pas contraint les acteurs à donner le meilleur d'eux-mêmes juste pour rester à la hauteur ? N'était-elle pas la personnalité qui illustrait le mieux le changement de la condition féminine depuis les années 1930 ? N'était-elle pas le symbole de la femme moderne ?

Je plaidais ma cause en évoquant la poignée d'acteurs qui, à n'en pas douter, étaient les idoles des lecteurs d'*Esquire* : Cary Grant avait-il jamais été aussi désinvolte et séduisant que lorsqu'il tenait tête à Katharine Hepburn dans *Vacances, L'Impossible Monsieur Bébé* et *Indiscrétions*[1] ? Spencer Tracy aussi magnifique et courageux que dans *La Femme de l'année, Madame porte la culotte* et *Mademoiselle Gagne-tout*[2] ? James Stewart aussi étourdissant de fanfaronnades que dans *Indiscrétions* ? Henry Fonda aussi sensible que dans le rôle qui lui valut son seul oscar ? Et Humphrey Bogart aussi fougueux qu'en incarnant un Charlie Allnut face à la Rosie Sayer de Hepburn, pour le rôle qui lui valut, à lui aussi, son seul oscar ?

Histoire de faire un sort à part au papier consacré à Hepburn, je suggérai, plutôt que d'écrire sur elle, de la laisser parler librement sur le dernier demi-siècle et de sélectionner pour *Esquire* les extraits les plus piquants de l'interview. À ce point de mon boniment, je fis machine arrière :

— Je me demande pourquoi je me passionne autant pour cette cause alors que je ne connais pas personnellement Miss Hepburn. Je ne sais même pas si elle aura la moindre envie de coopérer.

---

1. *Holiday*, 1938 ; *Bringing Up Baby*, 1938, et *The Philadelphia Story*, 1940.

2. *Woman of the Year*, 1942 ; *Adam's Rib*, 1949, et *Pat and Mike*, 1952.

Cela dit, ajoutai-je, je pense pouvoir au moins arranger un rendez-vous.

Au début du printemps de la même année, Rust Hills m'appela pour m'inviter à défendre mon point de vue auprès de Lee Eisenberg, à New York.

Je m'exécutai. Au cours de l'entretien, Eisenberg m'annonça qu'ils avaient ménagé des places dans leur liste pour quelques femmes mais qu'il refuserait d'autres personnalités de Hollywood. Je partageais si bien sa préoccupation, expliquai-je, que je ne plaidais pour Hepburn que dans la mesure où elle serait le seul représentant du monde du cinéma dans ce numéro spécial.

J'écrivis à Katharine Hepburn en adressant, cette fois, ma lettre à son adresse new-yorkaise. Je subodorais qu'elle devait se trouver quelque part dans le Connecticut car elle y avait eu récemment un grave accident de voiture, près de sa résidence secondaire d'Old Saybrook.

Le téléphone sonna moins d'une semaine plus tard. On ne pouvait se tromper ; la voix était inimitable.

— Mr. Scott Berg, c'est Katharine Hepburn. Est-ce vraiment une bonne idée ?

J'étais totalement décontenancé. Non seulement j'avais Katharine Hepburn au bout du fil mais il me fallait entrer dans le vif du sujet sans le moindre préambule.

— Miss Hepburn, c'est merveilleux de votre part de…

— Je veux dire, tous ces magazines font tellement dans le sensationnel, et *Esquire*, dans le genre, atteint des sommets. Est-ce vraiment une bonne idée ?

Je la rassurai d'autant mieux que je partageais ses préventions. Le numéro promettait de sortir de l'ordinaire. Je soulignai le sérieux des intentions d'*Esquire* en faisant remarquer qu'elle ferait partie des très rares femmes présentées et que notre contribution serait la seule à figurer sous forme d'interview, sans compter – argument décisif – qu'elle serait la seule représentante de Hollywood. Ce qui fit mouche. Mais elle ne pouvait fixer de rendez-vous immédiatement : suite à son accident de voiture, elle était en convalescence auprès de sa sœur Marion et de son beau-frère, à Hartford. Que lui était-il arrivé ? questionnai-je. Neigeait-il ? Y avait-il eu du verglas ? Avait-elle eu un problème médical ? Avait-elle pris quelque chose ?

— C'était moi, le quelque chose. Le temps était magnifique, je n'avais jamais vu ça, et je ramenais mon amie Phyllis de Fenwick ; le ciel était d'un bleu incroyable et je m'extasiais si bien sur la beauté du trajet que j'ai fait une embardée qui m'a envoyée sur un poteau télégraphique ! C'était le milieu de la matinée, merci bien, j'étais parfaitement à jeun.

Les deux femmes, de plus de soixante-dix ans, avaient été sérieusement blessées. Phyllis Wilbourn, au service de Hepburn depuis plus de vingt ans, souffrait de fractures à un poignet et à une épaule, de deux côtes cassées et avait les cervicales touchées ; la cheville droite de Hepburn avait si bien éclaté qu'elle « ne tenait plus qu'à un fil ». Le chauffeur de l'ambulance avait voulu la conduire à l'hôpital de New Haven, le centre médical le plus proche ; il était déjà question de l'amputer. Mais Hepburn avait insisté pour aller à l'hôpital de Hartford où son père avait été chirurgien et où son frère Bob exerçait.

— Un brillant orthopédiste, m'expliqua-t-elle, m'a recollé le pied.

Elle serait immobilisée pendant les prochaines semaines, qu'elle passerait en famille.

— Tenez, fit-elle, notez mon numéro de téléphone, nous aurons l'occasion de reparler.

— Avec plaisir.

— Appelez-moi demain, à la même heure.

Je regardai ma montre. Nous étions au téléphone depuis plus d'une heure.

Nous bavardâmes ainsi quasiment tous les jours les quelques semaines suivantes – nous découvrant des opinions politiques, des amis communs et une même passion pour le chocolat. Je lui fis parvenir des boîtes de chocolats noirs aux amandes de chez Edelweiss, son traiteur favori de Beverly Hills, et un exemplaire de *The Man Who Came to Dinner (L'homme qui vient dîner)*, un classique de Kaufman et Hart sur un malotru qui, s'étant cassé une jambe, s'installe chez une famille crédule dont il dévaste l'existence.

24

Au mois de mars 1983, armée d'un plâtre et de béquilles, Katharine Hepburn retrouvait sa mobilité et renouait avec ses habitudes. Nous avions fixé les séances d'interview pour les premiers mercredi et jeudi du mois d'avril mais elle m'invita, en guise de préambule, à passer boire un verre le mardi précédent, à dix-huit heures précises : « À condition que vous pensiez vraiment que ce soit une bonne idée » avait-elle insisté.

C'était donc la deuxième fois, en ce mercredi 6 avril, que je me retrouvais devant le 244 de la Quarante-Neuvième, un des immeubles les plus charmants de Manhattan.

Turtle Bay fut effectivement autrefois une baie plus ou moins en forme de tortue. Le site s'était hérissé de constructions au XVIIe siècle et, désormais, le nom ne désignait plus que quelques entreprises de ce quartier situé dans l'est du centre-ville, et le pâté de maisons compris entre les Quarante-Huit et Quarante-Neuvième Rues, dont les fenêtres donnaient sur un jardin privé. Cela faisait longtemps que le monde des arts et des lettres avait élu domicile dans ces étroites constructions de quatre et cinq étages. Entre autres, E.B. White et Robert Gottlieb (qui dirigeait la maison d'édition Alfred A. Knopf, où sont publiés mes livres), Harold Prince, Ruth Gordon et Garson Kanin au 242 de la Quarante-Neuvième Est et, bien sûr, Max Perkins au 246, dans une maison appartenant alors à Stephen Sondheim. La maison de Katharine Hepburn, au 244, se distinguait des autres par une jolie balustrade de fer forgé couronnée en son centre d'un fronton triangulaire. À onze heures tapantes, j'appuyai pour la deuxième fois de ma vie sur la redoutable sonnette. Cette fois, Katharine Hepburn m'ouvrit elle-même :

— Scott Berg, vous êtes en retard.

— Pas du tout, protestai-je. Je suis juste à l'heure, et même à la seconde.

— Vous avez dix ans de retard.

Déjà conquis avant de la rencontrer, j'étais désormais envoûté, comme ce personnage de George Bernard Shaw, le poète romantique désespérément amoureux de Candida, de très loin son aînée.

— J'ai l'impression d'être Marchbanks, lui déclarai-je en la suivant dans l'escalier. – Je m'arrêtai à mi-chemin : – Si vous me le permettez, j'aimerais d'abord passer par les toilettes.

Après avoir rejoint mon hôtesse au salon, je posai le magnétophone sur la table qui nous séparait et fis quelques essais de son. C'était la première fois que j'enregistrais une de mes interviews, expliquai-je, mais c'était indispensable vu la forme qui serait celle l'article. Puis j'enlevai ma veste – que j'allai poser sur une chaise hors de la pièce.

— Vous apprenez vite, fit-elle à mon retour.

Je m'installai sur le divan et sortis mes feuilles de questions.

Une seconde avant que je pousse le bouton « enregistrer », elle lança avec angoisse :

— C'est quoi, la première question ?

— Ne vous inquiétez pas, vous connaissez toutes les réponses.

— Non, insista-t-elle. J'ai besoin de connaître la première question.

— Vraiment ? D'accord. Quelle est la capitale du Kansas ?

— Wichita ! Non, non. Topeka !

— Bien. Allons-y…

Les deux jours qui suivirent, de onze heures du matin à cinq heures de l'après-midi, nous nous entretînmes sans discontinuer. Nous évoquions non seulement sa carrière mais aussi l'essor de Hollywood dont elle avait été témoin – un témoin privilégié qui s'était toujours refusé à y élire domicile, de façon à rester franctireur. Je m'en tenais à des questions d'ordre professionnel, n'abordant que rarement sa vie personnelle. Ses souvenirs étaient très vifs. Elle était drôle et charmante. Cependant, je n'en finissais pas de m'étonner du peu d'importance qu'elle accordait à ses propres actes et à ceux de son entourage. Katharine Hepburn avait toujours vécu dans l'instant ; à chaque page tournée, elle se préparait à la suivante. Jamais de regard rétrospectif.

Les plateaux-repas apparaissaient et disparaissaient silencieusement pendant les séances. Chaque après-midi, immanquablement, mon interlocutrice me demandait si je voulais rester dîner. J'expliquais qu'il valait mieux préserver notre fraîcheur.

— Ce serait dommage d'épuiser trop vite tout ce que nous avons à nous dire, lui rappelais-je.

— Dites-moi, et si vous m'appeliez Kate ? me proposa-t-elle à la fin de la première journée, pendant laquelle je m'en étais tenu à « Miss Hepburn ».

— D'accord, Kate. Et si vous m'appeliez... Mr. Berg ?

Au bout du deuxième jour, nous avions couvert l'ensemble de sa carrière, depuis les films qu'elle avait vus petite (tous les samedis soir avec son père à l'Empire, le Strand ou le Majestic, cinémas de Hartford, où elle s'était entichée de William S. Hart, le grand cow-boy au visage impassible) jusqu'au script pour lequel elle recherchait un producteur, l'histoire d'une femme âgée qui loue les services d'un tueur à gages pour mettre fin aux misères des vieux. Nous avions évoqué une cinquantaine de longs métrages dont elle avait été la vedette, une douzaine de téléfilms et une bonne vingtaine de pièces de théâtre où elle s'était produite. Elle répondait avec franchise, s'efforçant chaque fois d'apporter une touche d'originalité, même lorsque les questions lui avaient déjà été posées mille fois. Son seul refus concerna la période de 1962 à 1967, unique interruption dans sa carrière, pendant laquelle, je le savais, elle s'était occupée de Spencer Tracy alors en très mauvaise santé. « Je n'ai jamais parlé de ça » fut son commentaire.

Nous passâmes rapidement à *Devine qui vient dîner*[1], le dernier film qu'ils avaient tourné ensemble.

Une fois l'enregistrement terminé, Kate me demanda s'il me plairait de visiter sa maison. J'entrai pour la première fois dans le salon donnant sur la rue, plus grand que celui où nous nous étions installés, empli d'objets d'art et de souvenirs passionnants, dont son propre buste, celui que Maxwell Perkins avait l'habitude d'apercevoir. S'y trouvait également un poste de télévision dont l'emplacement suggérait que personne ne le regardait jamais. Il n'était même pas branché.

Sa chambre était située à l'étage au-dessus, une vaste pièce lumineuse donnant sur le jardin, haute de plafond et agrémentée d'une cheminée. Une douzaine de coussins de toutes formes s'accumulaient sur le lit. Un petit tableau sur la table de nuit représentait

---

1. *Guess Who's Coming to Dinner*, film antiraciste de Stanley Kramer, 1967, avec Sidney Poitier.

un homme de dos, lisant un journal ; les cheveux blancs coupés ras révélaient qu'il s'agissait de Spencer Tracy : « Je n'ai jamais réussi à l'avoir de face, expliqua-t-elle... sauf quand je le sculptais. »

Elle me montra un petit buste ressemblant qu'elle avait réalisé.

Elle me conduisit ensuite à sa salle de bains, incroyablement rustique pour une star. Un vieux lavabo isolé et ses deux robinets ; une petite baignoire dont la grosse pomme de douche très ordinaire pendouillait directement au-dessus du bac, pas même fixée au mur ; quelques tiroirs et des étagères avec des photos de famille et de Spencer Tracy ; des serviettes de toilette élimées ; une boîte de poudre dentifrice Colgate ; une crème pour le visage. Une deuxième chambre donnant sur la rue servait d'annexe à sa penderie : chaussures de sport, chemises et toute une série de pulls rouges y étaient dispersés un peu partout. L'étage suivant comprenait une confortable chambre d'amis, m'indiqua-t-elle.

En descendant, Kate me demanda quels étaient mes plans pour le week-end. Elle « allait à la campagne », à Fenwick, dans sa résidence secondaire du Connecticut ; or elle avait l'impression que l'interview ne faisait que commencer.

— Vous savez, lui dis-je, nous avons déjà de quoi faire bien au-delà de ce qu'*Esquire* pourra jamais utiliser. Cela dit, j'aimerais beaucoup voir Fenwick.

Elle m'invita à me trouver dans la Quarante-Neuvième Rue le lendemain à midi, l'heure où son chauffeur avait prévu de les prendre, elle et Phyllis. En fait, j'avais un rendez-vous le lendemain – une interview pour mon livre sur Goldwyn que je ne pouvais décommander ; je lui proposai de la rejoindre par mes propres moyens pour le dîner. Il y avait peu de trains pour Old Saybrook, me dit-elle. Étais-je prêt à louer une voiture ?

Nous descendîmes à la cuisine où nous trouvâmes Phyllis installée dans un coin, sur un petit canapé, ce qui me rappela qu'elle avait été la plus sérieusement blessée des deux.

— Avez-vous le sens de l'orientation ? me lança Kate, comme elle m'avait demandé si je savais faire un feu, deux jours auparavant.

Je la rassurai et elle me débita l'itinéraire de New York à Fenwick, une presqu'île en forme de chaussette, sur la côte du

Connecticut, à la hauteur d'Old Saybrook, là où le fleuve Connecticut se jette dans le détroit de Long Island. Elle me le répéta avec des détails toujours plus compliqués. Je l'assurai que j'étais capable de trouver mon chemin. Pas très convaincue, elle me soumit à un interrogatoire.

— D'accord. Où se trouve le sud, ici ?

Je regardai tout autour de moi, cherchant mes repères, ce qui lui fit murmurer à Phyllis :

— C'est sans espoir. Nous ne le reverrons jamais.

— J'y serai, Kate, lui dis-je en m'inclinant pour l'embrasser sur la joue.

Elle m'étreignit en me donnant une grande tape dans le dos.

— J'étais plus grande, dans le temps. J'ai déjà rétréci de cinq ou six centimètres – Sur ce, elle fit claquer la lourde porte derrière moi en criant : – Ne soyez pas en retard !

# 3

## Lever de rideau

J'avais assisté ce soir-là à une pièce de théâtre intitulée *K2*. Le drame se déroulait dans un décor spectaculaire représentant le deuxième plus haut sommet du monde. Pendant l'ascension, l'un des deux grimpeurs se blessait, plaçant l'autre devant le dilemme : retourner au camp de base ou rester avec son coéquipier, d'où tout un dialogue existentiel. Au bout du compte, il choisissait de rester, quitte à périr avec son compagnon. Du moins, je crois que c'était le sujet du drame, car j'avais la tête ailleurs. Je revivais la comédie mi-vaudeville mi-absurde que je venais d'interpréter trois jours d'affilée. Je me demandais ce qui avait incité cette femme si attachée à préserver sa vie personnelle, exemple unique dans le monde du cinéma à l'exception de Greta Garbo, à me sacrifier autant de temps. Nous nous étions bien entendus, certes, nous avions plaisanté, certes, mais cela n'expliquait pas pourquoi ce personnage, aussi célèbre pour sa façon de chasser les importuns que pour ses talents de comédienne m'avait ouvert sa porte.

Le lendemain matin, je fis une interview de Blanche Sweet, une des premières stars du cinéma muet (sa carrière avait débuté en 1909), dans son petit appartement du centre-ville. À quatre-vingt-huit ans, c'était encore une beauté à l'esprit vif et à la langue bien pendue. Elle se souvenait avec beaucoup de gaieté de l'époque où elle était une vedette de Samuel Goldwyn, et avec autant de tristesse de l'effondrement de sa carrière après l'avènement du cinéma parlant. Elle me déclara fièrement qu'après réflexion, avec ses vingt ans de carrière, elle n'avait rien à envier à personne, toutes époques confondues.

— Même les plus grandes ne peuvent rester des stars plus de vingt ans. Certains hommes y parviennent, mais une femme doit être jeune. Pickford et Garbo ont su s'arrêter à temps. Gish est devenue une actrice de genre, Crawford un personnage de bande dessinée jouant des rôles de meurtrière désaxée. Quant à Bette Davis, elle a fini dans les publicités pour jus d'orange. Du jus d'orange, Grands Dieu, Bette Davis ! s'était-elle écriée, puis elle ajouta : – Il n'y en a qu'une qui, je crois, a réussi à traverser le champ de mines, c'est. .

— Je vois de qui vous voulez parler, dis-je, sans révéler ma récente prise de contact, et sa carrière va toujours bon train.

Je quittai Blanche Sweet au début de l'après-midi pour prendre le pont Triboro à bord de ma voiture de location. À cent cinquante kilomètres de la ville, je quittai l'autoroute à péage du Connecticut pour traverser Old Saybrook – une jolie petite ville avec une unique rue commerçante. Je suivis les instructions et poursuivis jusqu'au bout de la route (« Arrêtez-vous sans faute, sinon vous finirez dans le fleuve » m'avait averti Kate). Je pris à droite une voie étroite enjambant une crique mouchetée de cygnes, puis la première à gauche, sur l'autre rive. « Première à droite, passez le drapeau, puis à gauche au court de tennis – toujours tout droit vers le sud-est ; vous savez où se trouve l'est, non ? Ce sera l'après-midi, et comme le soleil se couche à l'ouest il vous suffira d'aller du côté où il ne se couche pas. C'est à votre portée, non ? C'est la dernière maison au sud-est. »

De fait, il était difficile de manquer la maison de brique blanche se détachant sur une longue bande de terre. Les trois étages du milieu surmontaient les pignons des ailes à deux étages. Un étang encombré de roseaux longeait un côté de la maison, le détroit de Long Island l'autre côté, de sorte qu'elle paraissait construite sur une île à l'intérieur d'une autre île. À l'approche d'une allée boueuse se dressait une pancarte portant l'inscription manuscrite : PARTEZ D'ICI, S'IL VOUS PLAÎT. Lorsque je m'avançai sous les arbres, du gibier à plume s'envola dans la froide grisaille du ciel. Puis je pris un virage qui me conduisit sur un grand parking. Il était un peu plus de quatre heures de l'après-midi.

Je frappai à la porte entrebâillée avant de pénétrer dans un vaste hall. Phyllis vint m'accueillir et m'annonça que Miss Hepburn se baignait. Elle m'accompagna au-dehors où je pus voir dans le détroit, entre deux jetées de pierre, la tête de Katharine Hepburn émerger par intermittence. Je traversai une pelouse puis un bout de plage tout en boutonnant mon manteau.

— Écoutez-moi ! me cria-t-elle, vous seriez fou de ne pas venir nager !

Je tâtai l'eau qui devait faire, au jugé, dans les dix degrés.

— Je serais fou de venir nager, répondis-je. Un peu froid, non ?

— Les premières secondes seulement. Ensuite on est trop engourdi, on ne sent plus rien.

Elle s'empara d'une serviette sur les rochers.

— On se sent si bien quand on sort.

Dans son maillot noir une pièce, elle avait encore belle allure. Avec ses épaules et ses jambes d'athlète, elle dégageait une impression de force, en dépit de son pied blessé.

— Le sud, fis-je en montrant du doigt Long Island, l'est, ajoutai-je en pointant l'un des deux phares longeant la rivière.

— C'est bien, mon garçon, acquiesça-t-elle en souriant. Demandez à Phyllis de vous montrer la chambre de maman, et je vous rejoins au salon dans quelques minutes.

J'entrai dans la maison par le porche central tandis que Katharine Hepburn gravissait quelques marches sur l'aile ouest, vers une douche d'extérieur. Phyllis et moi montâmes le grand escalier de bois jusqu'au deuxième étage, où Kate nous rejoignit.

— La chambre de maman.

Elle me montrait une suite dotée d'un grand salon ouvert sur deux côtés, d'une chambre et d'une salle de bains, le tout donnant sur l'eau. Rien de vraiment précieux, un simple lambris inachevé, des meubles confortables, des livres sur le bureau et la table de nuit, un morceau de savon blanc fraîchement coupé sur le lavabo.

— Cela ira ? demanda-t-elle.

Tout en appréciant les odeurs de feu de bois montant du rez-de-chaussée, je me dis soudain que si une vieille femme de soixante-quinze ans avec un pied blessé était capable de se pro-pulser dans l'eau froide, un lascar de trente-trois ans en pleine santé devait pouvoir en faire autant. Après m'être changé, j'empruntai en slip de bain le couloir qui donnait sur plusieurs autres appartements du même style, sans être aussi vastes ni aussi bien situés que le mien. Je dévalai les marches vers la plage et plongeai dans l'eau. Je crus de mon devoir d'y rester aussi longtemps que possible ; qua-rante-cinq secondes plus tard, ayant viré au bleu, je battais en retraite. Avant de me rhabiller, je pris à l'extérieur une douche chaude qui souleva un nuage de vapeur. Puis je me réfugiai dans un exercice de méditation d'une vingtaine de minutes, une discipline que je pratiquais depuis près de dix ans. Et je rejoignis enfin mon hôtesse au salon.

Elle s'était déjà installée sur le divan, tout près du grand âtre, le pied posé sur un tabouret. La salle était magnifique. Les fenê-tres côté sud avaient vue sur l'étang. La baie vitrée côté est donnait sur la mer. Une banquette la longeait, sur laquelle étaient disposées différentes plantes. Des fleurs coupées s'épanouissaient dans de grands vases un peu partout au milieu des objets étranges que Katharine Hepburn avait réunis au fil des années – une petite luge ancienne, deux grosses plaques de bois enchaînées au pla-fond, et, sur le manteau de la cheminée, des bobines de filé de coton de différentes couleurs, une statuette de bois figurant un tireur d'élite et deux morceaux de pierre blanche de forme bizarre qui se révélèrent, lorsque j'eus donné ma langue au chat, être des défenses d'éléphant. Pièges, oiseaux empaillés et autres répliques de gibier d'eau étaient disposés çà et là.

— Ne vous sentez-vous pas mieux maintenant ? me demanda-t-elle en faisant allusion à mon bain.

— Je me suis senti mieux à la seconde où je suis sorti.

— Parfait, c'était le but recherché, non ? Vous avez mérité un verre.

Un grand plateau muni d'accessoires à cocktail attendait sur une table à l'entrée de la pièce. Kate avait déjà terminé ce que je savais être son apéritif habituel, une coupe de jus de pamplemousse sur glaçons. Elle garda le même verre pour prendre une giclée de scotch sur de nouveaux glaçons et du soda à ras bord. Je me préparai la même chose et m'installai en face d'elle, de l'autre côté de l'âtre, sur une chaise blanche en osier. Plusieurs petites lampes à la lumière tamisée étaient disposées autour de la pièce. Elle se saisit d'un coussin. On y voyait, brodée, la devise autrefois gravée sur la cheminée de sa première maison d'enfance, une phrase de Charles Dudley Warner, l'ancien rédacteur en chef de *The Hartford Courant* : « Écoute la chanson de la vie. »

Qu'est-ce qui m'avait pris tant de temps après mon bain ? J'avais « écouté la chanson de la vie » ; je m'étais livré à une séance de méditation, lui dis-je.

— Est-ce une façon de contempler son nombril ?

— Non, rétorquai-je, ce serait plutôt une façon de se calmer, de mettre en phase son corps et son esprit, voire son âme.

— Ah, *je vois*, fit-elle sur le ton qu'elle prendrait chaque fois qu'elle m'entendrait dire quelque chose d'un peu décalé. Mais cela ne vous donne pas l'impression de perdre un peu votre temps ?

— C'est ce que je craignais au début, puis j'ai vite appris que pratiquer la méditation deux fois par jour, ça m'en faisait plutôt gagner en me redonnant de l'énergie.

Mes propos la laissaient sceptique, surtout le côté métaphysique. Mais quand je lui décrivis les effets physiques, les manifestations de base de la méditation, elle voulut en savoir plus. Jusqu'à la fin de sa vie, j'aurais l'occasion de le constater, elle ferait preuve d'une curiosité insatiable, en particulier envers ce qu'elle ne connaissait ou ne comprenait pas. Après s'être imprégnée de toutes les informations qu'elle pouvait absorber, elle donnait sa propre opinion.

— Vous n'allez pas vous lancer dans une méditation au beau milieu du repas, n'est-ce pas ? me lança-t-elle.

Le protocole de la soirée à Fenwick était identique à celui de New York. Phyllis faisait son apparition avec quelques plateaux de hors-d'œuvre – crevettes à la sauce Louis sur l'un, petites saucisses à la moutarde aigre-douce sur un autre. Je lui demandai ce qu'elle voulait boire, ce à quoi elle réfléchissait toujours avant de demander immanquablement un *ginger ale*. Norah ne pouvant consacrer son week-end à Old Saybrook – sa propre famille vivait dans le New Jersey –, c'était Phyllis ou quelqu'un d'autre qui s'occupait de la cuisine, parfois le chauffeur, voire Kate elle-même. Les repas arrivaient sur des plateaux. Kate, toujours servie la première, installait le sien sur un coussin placé sur les genoux ; le mien et celui de Phyllis étaient disposés sur des tables basses. Le plat principal variait mais le plateau du dîner se présentait toujours de la même façon. On commençait par un grand bol de potage – de betterave à l'aneth ou de courgettes à l'échalote, servi chaud ou froid selon le temps – accompagné de fines tranches de pain portugais beurrées et passées au four. Un steak, de l'agneau au curry ou du poisson comme plat de résistance, parfois du poulet grillé et en quelques occasions un rosbif, pour lequel Phyllis préparait du Yorkshire pudding, sa spécialité. Le plat comprenait toujours quelques pommes de terre, à l'eau ou au gratin, ainsi qu'un légume vert accompagnant quelques cuillerées de carottes ou de céleri. Kate avait généralement déjà fini la moitié de son assiette au moment où arrivait le plateau du troisième convive. On proposait toujours du vin dont personne ne voulait dans la mesure où elle comme moi préférions siroter nos whiskys soda. Au moment de débarrasser, nous en étions le plus souvent au deuxième scotch. Pour dessert, il y avait toujours des glaces ; au cours de ce premier dîner à Fenwick, Kate m'annonça que son frère Dick venait juste de préparer un coulis extraordinaire qu'il nous fallait absolument goûter. Phyllis nous apporta des coupes de glace au café noyée dans un jus aigre-doux très épais, accompagnées d'une assiette de tuiles aux noix confectionnées par Norah, de l'épaisseur d'une feuille de papier.

— Café, thé, thé fantaisie (autrement dit une infusion) ? demandait Kate.

Personne n'était preneur. Vers sept heures et demie, on desservit et Phyllis se retira dans la cuisine. Je m'approchai avec assurance de la grande cheminée campagnarde en ajoutant quelques bûches sous le regard attentif de la châtelaine.

— Pas trop près les unes des autres, laissez-les se battre pour la flamme.

Elle me demanda d'ajouter un morceau de bois de flottage, pour voir jaillir des étincelles. Puis elle voulut savoir si l'interview de New York était satisfaisante ; au-delà de toute espérance, la rassurai-je.

— Bien, bien. Je ne voulais pas que vous ayez le sentiment d'avoir été volé sur le chapitre de Spencer.

— Je crois que nous avons parfaitement couvert les films qui le concernent.

— Mmmmm…, fit-elle en descendant de plusieurs tons, de cette façon qui me deviendrait si familière au fil des années, suggérant qu'elle était plus ou moins d'accord mais qu'on pouvait faire mieux.

Je regardai les flammes et remuai les bûches à l'aide du lourd tisonnier de fer forgé.

— Auriez-vous aimé dire quelque chose de plus à ce sujet ?

En effet. Tout en me tendant son verre pour que je le remplisse à nouveau, elle commença à me parler de la liaison de vingt-six ans qu'elle avait entretenue avec Spencer Tracy, depuis leur rencontre à la MGM en 1941 jusqu'à sa mort en 1967. Nous avions couvert une partie de la même période à New York. Mais cette fois, elle ne parlait pas de tournages ni de films, uniquement de la nature de leur relation, qui avait débuté par une admiration mutuelle pour devenir rapidement l'expérience majeure de son existence.

— C'est la première fois que j'ai vraiment compris qu'il était plus important d'aimer que d'être aimé.

Le feu se mourait ; il était près de minuit.

— Oh, fit-elle en regardant l'horloge. Je ne veille jamais aussi tard.

Kate me montra comment placer les lourds écrans de fonte devant le foyer et m'indiqua l'emplacement des différents interrupteurs des lampes du salon.

— Bon, que prenez-vous pour le petit déjeuner ?

Je n'étais pas difficile, une salade de fruits et un peu d'eau feraient l'affaire.

— Pas d'œufs, ni de céréales, ni de café ?

Non, vraiment, des fruits et de l'eau suffiraient.

— Très bien. Vous trouverez cela dans la cuisine et, dès que vous aurez tout préparé, apportez votre plateau dans ma chambre.

Nous montâmes jusqu'à la mienne pour préparer le lit ; elle plia l'édredon au pied du lit de façon que je puisse l'étendre en entier si besoin était. Elle tapota les oreillers, vérifia les serviettes de toilette, me fit une bise sur la joue et me souhaita bonne nuit. Elle ferma la porte et descendit.

Je déboutonnais déjà ma chemise quand elle revint sur ses pas en me lançant une curieuse remarque avant de repartir aussitôt :

— Vous avez bonne mémoire, n'est-ce pas ?

J'ai toujours pensé qu'il n'y avait rien à craindre de ce côté-là. Je griffonnai néanmoins des pages de notes jusqu'à deux heures du matin.

Dormir à Fenwick donnait l'impression de dériver sur un bateau en pleine mer. Le bois de la maison grinçait doucement en harmonie avec le flux de la marée et la corne de brume. Je me réveillai aux cris des mouettes. Après avoir sacrifié à la méditation (oui, deux fois par jour), je descendis à pas feutrés dans la grande cuisine. Il y avait là de quoi équiper deux familles – et deux familles il y avait comme j'allais m'en rendre compte. Je trouvai un plateau qui m'attendait sur le comptoir, un pamplemousse déjà découpé, des verres, des assiettes, une coupe à fruits, ainsi qu'un billet : « Venez me voir. K. » Je trouvai du jus de fruits dans le plus proche des deux réfrigérateurs, me choisis quelques fruits et emportai le plateau à l'étage en frappant à la porte ouverte de la chambre de Katharine Hepburn.

L'appartement principal se composait en fait de deux pièces. Un petit couloir agrémenté de tableaux conduisait de la chambre au grand salon privé de Kate, presque aussi vaste que celui situé juste en dessous. Les fenêtres donnant sur le sud et l'est laissaient pénétrer le soleil du matin. Un feu crépitait dans la petite cheminée. Contrairement aux autres pièces que j'avais vues, les murs étaient de brique rouge partiellement lambrissés. Ici, des piles de livres et de scénarios, là des objets de marbre ou de pierre polie, tout un savant désordre. Une douzaine de chapeaux (de paille pour la plupart) s'entassaient sur une étagère ; un peu partout des bouquets de fleurs et ses propres tableaux (je reconnaissais désormais son style figuratif et néanmoins quelque peu imaginatif). Adossée à un monticule de coussins, Kate – en pyjama blanc et mince peignoir d'un rouge fané – lisait le journal. Les cheveux relevés, les lunettes au bout du nez, elle était rayonnante. Elle me pria d'approcher du lit la chaise de rotin et l'ottomane situées près du feu, de façon que je puisse utiliser le repose-pied comme table et prendre mon petit déjeuner en face d'elle.

— Avez-vous bien dormi et trouvé tout ce qu'il vous fallait ?

Je la rassurai. À quelle heure s'était-elle réveillée ?

— D'habitude je me lève avec le soleil, ou juste avant.

À cette heure-là, expliqua-t-elle, le monde lui appartenait. Elle descendait se baigner – été comme hiver, qu'il fasse beau ou qu'il neige.

Elle examina mon plateau.

— Cela me paraît bien frugal. Vous ne prenez même pas de café ?

— Non, juste de l'eau et du jus de fruits que je mélange à du son de psyllium.

— Du son de psyllium[1] ? fit-elle d'un ton atterré. Vous prenez du son de psyllium ?

Je m'apprêtais à me lancer dans des explications sur les bénéfices de cette fibre à usage gastrique quand elle ajouta :

— Je croyais être la seule à savoir de quoi il s'agit. Vous savez, c'est Howard qui m'a initiée au son de psyllium il y a quarante-cinq ans  Depuis j'en prends tous les jours.

J'étais surpris – non d'apprendre qu'elle prenait du son de psyllium mais qu'elle ait lâché si facilement le nom de Howard Hughes, le plus clandestin de ses amants présumés.

Elle terminait son petit déjeuner se composant de pamplemousse, d'un toast et de céréales – ayant récemment renoncé aux flocons de blé pour adopter le muesli mélangé à des fruits séchés. Elle se versait la dernière tasse d'une pleine cafetière.

— Vraiment, vous ne prenez pas de café le matin ? Qu'est-ce qui met en route votre moteur ?

---

1. Le psyllium est la graine d'une espèce de plantain de l'Europe du Sud, dont l'enveloppe sert de mucilage à usage laxatif. *(N.d.T.)*

— En fait, expliquai-je, je pratique la méditation chaque matin comme chaque soir, et c'est ce qui recharge la batterie.

— Mon Dieu, fit-elle en roulant des yeux, y a-t-il tant de sujets à méditer ici ?

Puis, pendant la demi-heure qui suivit, nous passâmes en revue les nouvelles du jour – elle lisait le journal en entier, sauf les pages consacrées aux affaires – avant de fixer le programme de la journée. Il était si rempli que j'en oubliai qu'elle se relevait à peine d'un accident de voiture.

Je descendis les plateaux du petit déjeuner à la cuisine, pris une douche et retrouvai Kate dans le hall fin prête pour une glaciale matinée. Elle portait un vieux pantalon kaki, un col roulé noir, une sur-chemise et s'apprêtait à revêtir une veste particulièrement miteuse.

— C'est en quoi ? demandai-je. En poil de chien ?

Cela ne l'amusa qu'à moitié.

— Elle ne vous plaît pas, ma veste ?

Là n'était pas la question, lui dis-je. Je me demandais seulement ce que c'était. Il s'agissait en fait d'une doublure amovible ayant appartenu à un vieux manteau porté par quelqu'un d'autre et qu'elle avait acquis vingt-cinq ans auparavant. Elle se saisit d'une canne parmi un fouillis de clubs de golf et de bâtons de randonnée fichés dans un tonneau et me tendit un long bout de bois de flottage qui, selon elle, convenait à mon style.

Nous sortîmes sur l'esplanade devant la maison et empruntâmes vers l'est l'allée conduisant à la plage. Une fois sur les rochers de la rive, je suggérai de trouver un meilleur endroit pour marcher avec une cheville blessée. Elle insista. C'était le meilleur moyen de la consolider. Était-ce l'avis de la faculté ? Non, une simple question de bon sens, rétorqua-t-elle.

Nous progressâmes à bonne allure vers une lointaine jetée faite de gros blocs de granite qui jadis, me dit-elle, avaient servi de lest aux navires de ligne. Nous gravîmes le sentier de pierres inégales et nous dirigeâmes vers le phare du détroit – construit dans les années 1860, m'expliqua-t-elle, pour accompagner le phare édifié un siècle auparavant à plusieurs centaines de mètres en amont de la rivière. Au quart du trajet, première difficulté : il fallait faire un saut respectable pour passer d'une pierre à l'autre. La voyant jauger la difficulté, je lui proposai de rebrousser chemin. Non, pas question. Elle-même ne pouvait pas continuer mais il fallait vraiment que j'aille jusqu'au phare, de l'autre côté de la tour, afin de bénéficier du double point de vue sur la mer et sur la maison. Elle m'attendit sur un rocher le temps que je profite du spectacle et du vent qui me fouettait le visage.

Revenus à la maison, Kate me raconta une partie de l'histoire de Fenwick. Cette grande exploitation agricole avait été, au début du XX$^e$ siècle, divisée pour en faire un lotissement qui servait de résidence d'été en particulier aux cadres de la société d'assurances de Hartford. Le père de Kate, le docteur Thomas Norval Hepburn, qui exerçait à Hartford, avait acheté là une grande demeure de style victorien située au bout d'un hameau de villas. Il y envoyait sa famille pour les vacances et la rejoignait aussi souvent que possible. Les maisons entouraient ce qui était alors un terrain de golf et un court de tennis privés. Tout le monde se connaissait. L'endroit était idéal pour la voile, la pêche et la natation, disciplines que Kate maîtrisa très tôt.

« Le paradis ! » s'exclamait-elle dès qu'elle parlait de Fenwick.

C'est ainsi, m'expliqua-t-elle, qu'elle devint dès l'enfance non seulement une athlète accomplie mais un véritable garçon manqué – elle s'était même surnommée « Jimmy ». Elle me montra le môle d'où elle avait appris à faire le plongeon du cygne, le plongeon arrière, le demi-saut : « Je n'avais peur de rien… et ne connaissais aucune loi. »

Kate me répéterait souvent au cours des vingt années suivantes qu'elle-même et ses frères et sœurs avaient été élevés « sans règles – sauf la règle d'or ». Les Hepburn vivaient pour l'essentiel selon leurs propres codes, qui supposaient souvent de repousser les limites du possible, et de se forger une boussole morale très personnelle. Elle me raconta comment, par exemple, elle et une copine entraient par effraction dans les maisons des autres pour y commettre diverses bêtises. S'il y avait des dégâts, son père se chargeait de les réparer, n'infligeant à Kate d'autre punition qu'une réflexion solitaire sur les conséquences financières de ses agissements. Pour les infractions les plus graves, il croyait aux vertus de la fessée.

Kate évoquait volontiers les « parents modernes » qui finissent par avoir peur de leurs enfants :

— Les enfants ont besoin de limites, expliquait-elle dans l'une de ses rares observations psychologiques, afin de savoir jusqu'où ils peuvent les violer.

La liberté encourage la créativité. Quand, à l'occasion d'un prêche, l'évêque du Nouveau-Mexique avait suggéré que ses Navajos manquaient d'un phonographe neuf, la jeune Kate et ses amis avaient donné une représentation de leur cru de *La Belle et la Bête* ; Kate s'était réservé un rôle de choix – celui de la Bête. Les enfants avaient collecté soixante-quinze dollars en faveur des Indiens.

Kate voulut me montrer le reste de Fenwick à la faveur de cette froide et belle journée. Normalement, elle aurait emprunté sa bicyclette, mais sa cheville la faisait trop souffrir. Je sortis du grand garage une voiture de golf qu'elle entreprit de « conduire du siège arrière » tandis que je luttais contre les hautes herbes bordant le chemin sinueux qui menait vers le nord-est de Fenwick, le long du fleuve. Nous dépassâmes quelques vieilles maisons qu'elle adorait et de nombreuses « monstruosités » prétentieuses construites en ce lieu désormais trop couru. Kate n'avait rien contre les nouveaux venus – ici, les gens vivaient proches les uns des autres et la traitaient comme n'importe quel voisin – ni même contre les nouvelles constructions. Elle s'irritait seulement du manque de goût et de bon sens qui donnait naissance à des maisons dont les proportions étaient sans rapport avec le site. Elle me présenta à un vieil homme venu relever sa boîte aux lettres, un certain Charlie Brainerd que Kate connaissait depuis près de soixante-dix ans.

— Charlie et moi nous souvenons de l'époque où tout ça était notre terrain de jeu, dit-elle affectueusement.

— Nous avons encore bien de la chance de vivre ici, dit-il. On s'y amuse encore bien.

— Charlie, dit-elle en hochant la tête, nous avons de la chance de vivre tout court.

Puis, sachant s'éclipser sur un bon mot, elle donna un petit coup de canne sur la roue directrice de la voiture de golf et nous voilà repartis vers le phare, celui de l'intérieur des terres, cette fois

– ce qui nécessitait de traverser d'autres propriétés. Que les résidents soient présents ou absents, elle n'en avait cure. Fenwick était toujours son terrain de jeu et elle semblait tirer son énergie de la seule vue des eaux du fleuve. Elle m'apprit que leur première maison de famille à Fenwick avait été complètement détruite par l'ouragan de 1938, et qu'elle avait fait construire la demeure actuelle, plus grande et plus solide.

En revenant du côté de la maison, elle me rappela que le fleuve reliait Fenwick à Hartford par le nord. Je lui appris que le Connecticut m'était familier, car j'avais passé beaucoup de temps le long de ses rives, bien plus au nord, à Windsor dans le Vermont, quand Max Perkins m'hébergeait dans la vieille résidence d'été de sa famille. Elle sembla quelque peu surprise – non pas que je connaisse *son* fleuve, mais qu'il pût couler au-delà de son territoire.

— Des républicains, lança-t-elle alors que nous roulions aux alentours. Tous de fieffés républicains.

Elle désignait par là ses voisins et amis de la saison d'été, les cadres des sociétés d'assurances de Hartford.

— Nous nous sommes toujours situés à gauche du centre, dit Kate en faisant allusion à l'image que sa famille donnait d'elle-même à la bourgeoisie de Hartford. Je suis sûre qu'ils nous considèrent comme des excentriques, comme une tribu de sauvages.

Avec quelque raison. Le docteur Thomas Norval Hepburn et son épouse, Katharine Hougthon Hepburn, ne ressemblaient pas aux gens de leur milieu et tiraient une certaine fierté de leur originalité. Tout en participant activement à la vie de leur communauté, eux-mêmes et leurs six enfants se tenaient à distance.

Tom Hepburn était issu de deux familles de Virginie – les Hepburn et les Powell – qui avaient connu des temps difficiles pendant la guerre de Sécession. Son père était un modeste pasteur épiscopalien et sa mère une vraie dame qui pensait que les femmes n'avaient pas le destin qu'elles méritaient et qu'elles devaient recevoir une véritable éducation.

— C'était un très bel homme, disait Kate de son propre père, qui adorait les femmes.

Il avait été un bon athlète à l'université de Randolph-Macon et avait étudié la médecine à la faculté Johns-Hopkins.

Katharine « Kit » Hepburn, près de deux ans son aînée, était la fille de Caroline Garlinghouse et Alfred Augustus Houghton (prononcer HO-ten, pas HOW-ten, donc sans diphtongue). À bien des égards, elle était la femme que la mère de Tom aurait pu devenir si elle avait été de la génération suivante. Alfred Houghton avait grandi dans l'ombre de son frère, le dynamique Amory (prononcer AM-ree, avec un a court), qui avait fondé la Corning Glass Company. Alfred souffrait de dépression. Un beau jour, après avoir rendu visite à son frère, sans la moindre explication, il se logea une balle dans la tête, laissant une jeune femme et trois filles.

Caroline Houghton, la mère de Kit, apprit qu'elle souffrait d'un cancer de l'estomac et que ses jours étaient comptés. Elle savait que son riche beau-frère et sa femme ne laisseraient pas ses filles mourir de faim, mais elle ne voulait pas les soumettre à leurs conceptions réactionnaires (« de fieffés républicains » comme disait Kate). Leur seule assurance sur la vie, martela Caroline Houghton à ses filles, serait des études universitaires.

Elle déménagea la famille à Bryn Mawr, en Pennsylvanie, où Kit pouvait entrer dans la nouvelle et réputée université, à côté de laquelle se trouvait une école préparatoire, pour les cadettes. À la mort de Caroline Garlinghouse Houghton, à trente-quatre ans, les trois enfants furent confiées à un parent, puis à un autre. Le riche oncle Amory veillait à leur sécurité financière, ce qui n'empêcha pas Kit de lui tenir tête, exigeant qu'il lui finance des études universitaires – ce qu'il considérait comme du gâchis pour une femme. Katharine Houghton obtint son diplôme de l'université de Bryn Mawr et ses cadettes l'imitèrent. L'une des sœurs, Edith, suivait des études de médecine à la faculté Johns-Hopkins. Elle y fit la connaissance de Tom Hepburn, dont elle devint une amie et une partenaire d'escrime. Puis elle lui présenta sa sœur aînée qui en tomba amoureuse et vint enseigner à Baltimore pour être auprès de lui. Ils se marièrent bientôt. Sans le sou, Tom et Kit misaient sur les opportunités qui ne manqueraient pas de s'offrir à un jeune et brillant médecin et à son épouse elle aussi instruite. Plusieurs propositions vinrent des hôpitaux de New York, mais le couple préféra s'installer dans la petite ville prospère de Hartford où il emménagea juste en face de l'hôpital. Ils eurent rapidement deux enfants, un garçon à qui l'on donna le prénom du père, et une fille, née le 12 mai 1907, qui reçut le prénom de sa mère, Kate.

— Mes parents, autant que je me souvienne, ont toujours discuté de maladies vénériennes, me dit Kate ce jour-là.

J'appris par la suite que c'était depuis longtemps un sujet de conversation chez les Houghton comme chez les Hepburn. Edith Houghton ne fut jamais médecin (elle finit par épouser un camarade d'études, Donald Hooker), mais elle partit en Allemagne étudier ce qui était le problème médical le plus chaud du moment. Elle revint suffisamment informée et passionnée par le sujet pour y intéresser son entourage. Les maladies vénériennes, bien sûr, étaient directement liées à la prostitution, avec ses multiples conséquences sociales et politiques, dont la traite des Blanches et les grossesses précoces chez les adolescentes. Bref, la question des maladies vénériennes était directement liée à celle de l'oppression de la femme, ce qui n'avait échappé ni au docteur Hepburn ni à son épouse.

Kate n'oublierait jamais le respect que sa mère vouait à sa propre mère, Caroline Garlinghouse Houghton, morte en pleine jeunesse mais pleine d'espérances pour ses filles, qu'elle voyait mal se contenter de tenir une maison, plaire à un mari et élever des enfants.

— Avec tout cela, voilà maman aux anges d'être devenue une Mrs. Hepburn, commentait Kate en évoquant les premières années de mariage de ses parents. Mais c'était aussi une femme à la tête bien faite, très cultivée, qui voulait faire de sa vie quelque chose. Elle ne tenait pas en place – une vraie rebelle sans cause.

Un jour, le docteur Hepburn lut dans le journal que Mrs. Emmeline Pankhurst, la dirigeante du mouvement des suffragettes en Grande-Bretagne, donnait une conférence en ville le soir même. Il tint à y assister avec sa femme. Une militante était née. Mrs. Hepburn prit la tête de l'Association pour le vote des femmes du Connecticut puis devint l'amie et la collaboratrice de la championne du contrôle des naissances, Margaret Sanger. Elle agissait sur le terrain, traînant la petite Kate dans les manifestations où elle diffusait des tracts, n'hésitant pas à défier les adversaires à la cause, dont le maire de la ville et le directeur du journal local.

— Mais le secret de maman, ne manquait pas de me répéter Kate – un secret qu'elle partageait avec les authentiques féministes de la première heure –, c'était de rester extrêmement féminine. Elle s'habillait avec recherche, s'occupait de son mari, était fière de pouvoir afficher la bonne éducation de ses enfants. Tout en versant au maire de la ville une deuxième tasse de thé, elle dénonçait avec beaucoup de sagacité telle ou telle injustice qui pesait sur ses administrées. Puis elle souriait et demandait : « Encore un peu de sucre ? »

Le docteur Hepburn soutenait toutes les campagnes de son épouse. Il s'éclipsait de son travail autant que possible pour être avec ses enfants à l'heure du thé. Il jouait avec eux, abordait des sujets d'adultes, les incitait à prendre parti pour des causes subversives. Plus d'une fois, les pierres ont volé à travers les fenêtres des Hepburn.

Quatre ans, puis six ans après la naissance de Kate, les Hepburn eurent deux autres enfants, deux garçons, Richard et Robert. Cinq et sept ans plus tard arrivèrent deux filles, Marion et Margaret (dite Peg). Chaque paire était née dans une maison différente de Hartford, la nouvelle toujours un peu plus grande que la précédente. Çà et là, notre « Jimmy » – inséparable de son aîné, Tom – prenait son vélo et faisait la course avec le trolleybus de l'avenue Farmington. Elle avait escaladé tous les arbres de la ville, disait-elle, même le plus dangereux, celui de la rue Hawthorn. Elle était enchantée de raconter qu'une voisine affolée avait appelé sa mère : « Mrs. Hepburn, Kathy est en haut du sapin » et que Mrs. Hepburn avait répondu : « Je sais, Mrs. Porrit, je vous en prie, ne l'effrayez pas, cela pourrait la faire tomber. »

Nous nous dirigeâmes, toujours dans la voiture de golf, à l'ouest de Fenwick, au-delà du court de tennis, vers quelques rues en damier bordées de jolies maisons.

— Il faut que vous fassiez la connaissance de Marion, m'annonça Kate.

« Hey ! » hurla-t-elle, tout en me faisant pénétrer dans une belle propriété en pleine rénovation.

Marion fit son apparition. C'était manifestement une Hepburn. Tout en étant très jolie, elle n'était pas aussi racée que Kate, le visage plus rond et les traits moins accusés. Puis arriva son mari, Ellsworth Grant, un bel homme aux cheveux blancs dont Kate m'avait dit qu'il était très riche. Ils étaient les parents de l'actrice Katharine Houghton, qui avait joué la fille de Kate dans *Devine qui vient dîner*. Kate me présenta :

— Voici Scott Berg, mon biographe.

Je serrai la main de mes hôtes, un peu interloqués, sachant qu'on avait toujours interdit aux écrivains et journalistes d'accéder à la famille.

— Eh bien, poursuivit Kate, autrement dit, il s'informe de tout ce qu'il y a à savoir sur moi... car il est en train d'écrire un article pour un magazine. Considérez-le comme « l'homme de *Spy*[1] », fit-elle en faisant allusion au magazine pour lequel le personnage de James Stewart travaillait, dans *Indiscrétions*[2]. Voici donc Marion et Ellsworth Grant. Ils sont mariés depuis toujours, s'aiment comme au premier jour et dorment ensemble depuis qu'ils ont quinze ans.

— Katty ! s'exclama Marion.

— Kate ! fis-je en écho.

Ellsworth, tout sourire, restait silencieux.

— Eh bien quoi, c'est vrai, dit Kate. Et vous devriez en être fiers car vous faites encore un sacré beau couple. Mais qu'est-ce qu'il se passe ici ?

Notre petite troupe traversa la maison, monta visiter la chambre principale, où Kate décida que le lit n'était pas du tout bien situé.

— Regardez-moi ça, il faut absolument le changer de place. Voyons, c'est fou. Vous avez l'une des plus belles vues du monde et vous ne vous réveillez même pas sur elle. Mettez le lit ici et vous aurez le matin un remarquable lever de soleil avec vue sur l'eau. C'est insensé de manquer ça.

---

1. Littéralement, *L'Espion*.
2. *The Philadelphia Story*, le grand classique de la comédie américaine, de George Cukor, avec entre autres Cary Grant, Katharine Hepburn et James Stewart, 1940.

— Oui, mais cela nous plaît comme ça, fit Ellsworth.

— À quoi ça rime ? fit Kate dont l'exaspération montait. À quoi bon vivre sur l'un des plus beaux sites du monde, avec l'une des plus belles vues à portée de vos fenêtres, si vous ne voulez pas la voir ? Vous êtes désespérants, tous les deux. Franchement désespérants. C'est du gâchis, une telle maison pour des gens comme vous…

Puis nous partîmes.

De retour chez Kate, incursion dans la cuisine pour voir où en était le déjeuner. Phyllis préparait une salade au poulet.

— N'oublie pas de découper les grains de raisin, lui recommanda Kate manifestement pour la millième fois. Et verticalement, pas horizontalement, ajouta-t-elle en m'expliquant que cela leur donnait un autre goût.

Tout au bout de la cuisine, un grand homme trapu en survêtement rouge et bonnet à pompons s'affairait entre le deuxième réfrigérateur, le buffet et la cuisinière où mijotaient différentes marmites de toutes tailles. Kate me présenta à son frère Dick. Il me tendit la main, un véritable battoir.

— Bienvenue, fit-il en approchant de mes lèvres une grosse cuillère. Goûtez ça.

C'était du bouillon de dinde, très chaud, gorgé de légumes.

— Voyons, qu'est-ce que je pourrais mettre de bon là-dedans ? dit-il en farfouillant dans le buffet à la recherche d'épices.

Il revint avec du piment de Cayenne, retira du feu une cocotte de macaronis au fromage et touilla une casserole remplie de zestes de pamplemousse confits.

— Tenez, qu'est-ce que vous dites de ça ? fit-il en me tendant l'un des zestes refroidis.

Kate ayant la fringale, nous battîmes en retraite dans la partie de la cuisine qui lui revenait, où Phyllis disposait sur les plateaux la salade de poulet, la salade verte, des toasts, du lait et un potage de courgettes. Chacun prit son chargement pour se diriger vers la salle à manger, après que Kate eut fait un détour vers le comptoir pour prélever sa dîme dans une grosse boîte de tuiles de chocolat noir. Une fois nos assiettes nettoyées, Kate demanda à Phyllis d'aller voir si par hasard un coulis ou une ganache ne mijotait pas dans une des marmites de Dick. C'était le cas, et nous pûmes nous confectionner d'énormes glaces arrosées de sirop bien chaud.

— Maintenant, repos, fit Kate. Vous pouvez lire les journaux ou faire une petite sieste ou, non, finalement, autant que vous visitiez la ville, puis nous reviendrons nous baigner avant le dîner.

Son chauffeur de New York était là, mais elle proposa de le laisser se reposer. Je pris la route avec elle à bord de la voiture blanche qu'elle avait louée chez Hertz.

— Voilà le poteau télégraphique que j'ai percuté. Il a failli tuer Phyllis, et moi aussi.

Puis nous prîmes à gauche vers le village d'Old Saybrook. Nous nous arrêtâmes d'abord chez Walt, une petite boucherie-épicerie dont la viande, selon Kate, était incomparable. Elle prit quelques steaks pour le dîner et une grosse tranche de bacon à la coupe, s'empara d'un paquet de petits pains grillés qu'elle commença à dévorer, de sorte qu'il lui fallut demander à la caissière qui pesait les achats d'en doubler le poids. Elle paya les courses puis m'emmena chez Patrick's Country, une charmante boutique de plaids et de lainages en tout genre. Elle ne trouva pas son bonheur mais tint à me présenter au propriétaire. Nous fîmes une dernière halte à la James Gallery et la Soda Fountain, pour acquérir de menus articles et les journaux – et tant que nous y étions, ne voulais-je pas une glace ? Je trouvais que j'avais déjà ingurgité de quoi tenir deux jours, mais elle insista : on ne faisait pas de meilleures glaces en cornet que chez James. Elle commanda une glace aux noix et au sirop d'érable présentée dans un cornet au miel, et je m'en tins à une glace au chocolat dans un cornet ordinaire.

— Quelle idée de prendre un cornet ordinaire ! fit-elle. Cela n'a pas de goût, on dirait du carton et ça sent toujours le rance.

— Ma foi, celui-là, ça va. Il est croustillant et ne tue pas le parfum de la glace comme votre cornet au miel.

Elle se contenta de secouer la tête devant de telles inepties.

— Sortons d'ici, marmonna-t-elle, je n'ai jamais vu quelqu'un manger un cornet ordinaire.

De retour à la maison, malgré le froid et les nuages, Kate se prépara pour le bain. Je la rejoignis et constatai que ma tolérance au froid s'était accrue en une seule journée. À moins que sa présence ne me rendît moins pénible l'idée de devoir tenir aussi longtemps qu'elle. Nous sortîmes au bout de quelques minutes nous réfugier sous la douche d'extérieur. Il s'était mis à pleuvoir quand nous nous retrouvâmes au rez-de-chaussée, après nous être changés. Kate m'invita à faire un feu pendant qu'elle installait un jeu de Parcheesi[1].

— Vous savez jouer au Parcheesi, j'espère ?

— Mais oui, dis-je en me souvenant des parties de jeu de l'oie de mon enfance, vous jetez des dés et vous déplacez un petit bout de plastique vers la maison.

— De toute façon, vous ne pouvez pas jouer plus mal que Phyllis, déclara Kate avec un ton de défi que je lui découvrais. Bon, elle jouera avec Dick et vous serez mon partenaire.

Dick – qui s'était délesté de son couvre-chef, révélant un crâne parfaitement rasé – fit son entrée dans le salon avec un plateau de mokas qu'il venait de confectionner (un peu trop cuits en fait, de sorte que les petits carrés de confiserie que nous étions censés faire fondre en bouche étaient devenus des sucres d'orge au chocolat et au café très corsé). Chacun puisa dans les sucreries et choisit ses couleurs à la table de jeu.

— Moi, il me faut le bleu, décréta Kate.

Au bout de deux lancers de dés, je me rendis à l'évidence. Le jeu n'avait pas grand-chose à voir avec ce dont je me souvenais et je venais de m'aventurer dans un univers qui avait ses propres lois. Kate lança un regard de parfait dégoût à son partenaire indigne. J'eus le malheur de dire :

— Ce ne doit pas être difficile à apprendre, c'est un jeu pour enfants de sept ans, non ?

— Sauf que vous n'avez pas le cerveau d'un enfant de sept ans ! répliqua-t-elle en me signifiant que je passais à côté des subtilités de ce jeu de société traditionnel. Dick lui donna une tape sur la main au moment où elle allait déplacer mon petit bonhomme vert sur l'échiquier.

— Tu n'as pas le droit de faire ça, c'est à lui de déplacer son pion, sinon, c'est tricher.

---

1. Jeu de société indien traditionnel, évoquant le jeu de l'oie. *(N.d.T.)*

— Mais j'ai un partenaire complètement idiot, protesta-t-elle. Il ne sait même pas ce qu'il fait, et là, tu me pénalises.

— C'est toi qui l'as choisi, répliqua Dick en restant ferme. Tu n'avais qu'à choisir Phyllis, mais tu as pris le risque de t'associer à un nouveau.

— Mais je ne pouvais pas savoir que c'était un parfait imbécile.

Nous en étions tous à notre deuxième ou troisième sucre d'orge maison et la caféine faisait son effet. Le jeu avait sensiblement changé de rythme et l'humeur était montée d'un cran. Je commençais à me familiariser avec les subtilités du jeu quand, à la suite d'un coup de dés malheureux de ma part, Kate se leva.

— Je laisse tomber. C'est sans espoir. Son cas est vraiment désespéré.

Dick lui demanda de se rasseoir, elle se devait d'aller jusqu'au bout de la partie – que j'espérais proche. J'avais les mains qui tremblaient – à cause des bonbons au café, sans aucun doute, du moins j'aime à le croire... Cela dit, la situation était en train de se retourner. Alors que Kate venait de jouer, Dick intervint :

— Là, tu as commis une grosse erreur.

Ils disputèrent pendant quelques minutes de ce que Kate aurait dû faire. Elle ne se gêna pas pour critiquer Phyllis quand ce fut à celle-ci de jouer. Quand ce fut mon tour, Dick me donna un conseil avec lequel elle n'était pas d'accord.

— Bon, dis-je, vous me mettez dans l'embarras. D'un côté je crois que devrais écouter ma partenaire, de l'autre c'est Dick qui me paraît jouer le mieux et qui est sur le point de gagner.

— Ce n'est pas Dick qui joue le mieux, protesta Kate. Je l'ai toujours battu au Parcheesi.

Je m'en tins donc à la stratégie de ma partenaire.

— Eh bien, ce n'est pas aujourd'hui que tu vas me battre, dit Dick après ce que tout le monde dut reconnaître comme un fameux coup de dés, qui pulvérisa ma position passablement vulnérable.

Lorsque Kate joua à son tour, Dick recommença à descendre en flammes le jeu de sa sœur aînée. Pendant ce temps, en silence, Phyllis faisait tranquillement rouler ses dés et avancer ses petits pions rouges. Soudain, elle leva les mains et s'écria :

— J'ai gagné, j'ai gagné !

C'était incontestable. Elle et Dick avaient gagné la partie.

— Cette partie n'est pas valable, déclara Kate sur un ton péremptoire, dans la mesure où j'ai dû jouer avec un parfait idiot.

— Je n'aime pas du tout qu'on me traite d'idiot, répliquai-je, juste parce que je n'ai pas gagné à ce jeu débile. De toute façon, tout se joue sur le hasard.

Ce dont Dick prit ombrage. Il affirma que c'était un jeu qui, justement, demandait beaucoup d'intelligence et de sens stratégique... Une explication qui suggérait que Kate était trop impulsive pour en maîtriser les finesses.

— Vous n'êtes qu'une bande d'idiots, de parfaits idiots, repartit Kate en rangeant le jeu.

— Mais j'ai gagné, moi ! J'ai gagné ! s'écria cette bonne vieille Phyllis avec jubilation.

— Mais oui, chérie, tu as gagné, fit Kate. Et si tu t'occupais maintenant à quelque chose d'utile, comme de nous préparer le dîner ?

J'annonçai que je montais dans ma chambre pour une petite séance de relaxation.

— Oui, lança Kate, méditez sur la façon dont vous nous avez fait perdre la partie.

Au cours du dîner – un consommé de betteraves en entrée et un steak accompagné de légumes verts, de pommes de terre vapeur et de tomates grillées (« la sécheresse du bœuf exige l'humidité de la tomate », expliquait Kate) – la conversation porta sur mon travail en cours : une grande fresque historique de Hollywood au travers de la vie de Samuel Goldwyn. L'idée plaisait à Kate. Elle trouvait que c'était un producteur haut en couleur, le plus digne d'intérêt de la profession.

— Parmi tous ces voyous, et ils étaient tous des voyous, affirmait-elle, je crois que c'est le seul qui avait le sens de l'humour.

Je lui racontai la pièce que je venais de voir, *K2,* qui se terminait par la mort annoncée des deux grimpeurs. Le dramaturge avait commis une erreur terrible, commenta-t-elle, d'un point de vue moral comme théâtral. L'homme blessé, qui ne pouvait avancer et

51

compromettait la vie de l'autre, expliquait-elle avec bon sens, aurait dû se jeter dans le précipice.

— En offrant sa vie il en sauvait une. Au lieu de quoi il était responsable de la mort de deux personnes. Cela aurait donné une pièce bien meilleure. Réellement satisfaisante.

Pendant que Phyllis faisait la vaisselle, Kate évoqua son enfance. Sa famille avait été la grande chance de sa vie et de sa carrière. Elle lui avait mis « le pied à l'étrier ». La vie est « rude » expliquait-elle, et il n'y a pas de meilleur soutien que vos proches, eux qui connaissent vos faiblesses tout en vous aimant. Manifestement, ses parents lui avaient donné l'exemple du courage, du bon sens et du non-conformisme. Et de l'égocentrisme, me dis-je à part moi.

Kate rendait constamment hommage à son père et sa mère. Elle ne se lassait pas d'invoquer la « chance » qu'elle avait eue de grandir dans un milieu aussi stimulant. Il n'empêche que ce soir-là, comme bien souvent en d'autres occasions, je perçus entre les lignes de son discours un certain agacement et des traces de hargne. On discernait de l'amertume dans son souvenir de l'exubérance paternelle, un trait qui confinait à la tyrannie. Il exhortait tous les Hepburn à exercer leur libre arbitre, mais il paraissait impossible de le contenter. Obéir, c'était faire preuve de faiblesse ; tenir tête, c'était manquer de respect – on s'attirait des reproches dans les deux cas.

Une forme de frustration entamait de même le respect et l'amour que Kate vouait à sa mère. Kit Houghton Hepburn avait été une authentique militante féministe, mais pour une bonne part à l'instigation de son mari. Kate en nourrissait une certaine impatience filiale, un regret que sa mère ne se fût pas aventurée plus loin dans les terres vierges de la contestation. Elle appréciait les pas que Kit avait franchis et ce qu'elle avait accompli pour la cause des femmes ; si sa mère avait su tenir tête à son père, me laissa-t-elle comprendre, elle serait devenue une figure nationale, comme Margaret Sanger. Mais le docteur Hepburn n'aurait pas toléré qu'elle le délaisse, lui et les enfants. C'était un cercle vicieux. Kate savait qu'elle était grandement redevable à la solide structure familiale due à la présence des deux parents. Elle entretenait toutefois un certain ressentiment envers ce père qui imposait toujours sa volonté et s'interposait dans la vie de sa femme. Dès son jeune âge, elle s'était promis de ne pas laisser les hommes lui dicter ce qu'elle avait à faire.

Les frères et sœurs de Kate comptaient tout autant que ses parents. Ils lui apportaient tendresse et camaraderie dans l'univers qu'elle s'était créé, d'où tout élément étranger était pratiquement exclu. Ils étaient manifestement enchantés de son extraordinaire réussite et appréciaient sa personnalité époustouflante, tout en en payant le prix, ce dont elle était consciente.

Face à leurs parents mais aussi face à Kate, les membres de la fratrie avaient tous développé de fortes personnalités. Elle était devenue une vedette internationale alors qu'ils étaient encore adolescents, et ses deux sœurs auraient presque pu passer pour ses filles. Marion, à son avis la plus intellectuelle d'entre eux, se passionnait pour l'histoire et participait activement à la vie d'associations culturelles locales ; mais Kate remarquait souvent qu'elle avait tendance à être « très conformiste » – peut-être en réaction à l'ostracisme que lui avaient valu les opinions extrémistes de ses parents –, une tendance que Kate avait du mal à comprendre. Marion, disait-elle, « veut toujours se sentir intégrée ». Peg, diplômée de l'université de Bennington, était l'esprit fort du clan, bonne oratrice et ferme sur les prix. Femme indépendante, divorcée, elle menait une existence rude à la tête d'un élevage de bovins, dans le nord du pays.

Les garçons différaient autant les uns des autres. Bob, le plus contemplatif, trouvait son bonheur dans le bon ordre des choses. Diplômé de Harvard, c'était un homme réfléchi et courtois, très convivial. Dick, en revanche, qui suivait Kate dans l'ordre des naissances, était volubile, comédien, et doté d'une voix de stentor. C'était lui, selon Kate, qui avait le plus pâti de sa propre réussite. Diplômé de Harvard comme son frère, c'était un homme très brillant doué d'un tempérament d'artiste qui avait longtemps aspiré à une carrière théâtrale. Bon musicien, conteur drolatique, auteur dramatique au talent satirique, il n'était jamais parvenu à s'extraire du statut de frère de Katharine Hepburn. Son amertume était visible. Faute d'avoir jamais pu se faire son propre nom, il était devenu le protégé de Kate, en quelque sorte le pupille de la reine.

Au moment de cette partie de Parcheesi à Fenwick, Dick était séparé de sa première femme depuis déjà longtemps. Ses quatre enfants étaient adultes. C'est pourquoi il s'était installé dans l'aile ouest de la maison de Kate. D'une certaine façon, c'était un éternel adolescent, ce qui ne l'empêchait pas d'avoir un sens psychologique très aigu, de jauger les gens avec beaucoup de pertinence. Au point, disait Kate, qu'il avait fini par renoncer à rivaliser. Elle se sentait totalement responsable de son infortune et s'était faite son seul soutien. Dick pouvait la mettre en fureur mais, à ma première visite, je ne constatai qu'un certain agacement.

— Que faire ? dirait Kate à son propos au fil des années. C'est mon frère.

C'est ainsi qu'ils s'étaient forgé une manière de statu quo domestique en se partageant la maison de Fenwick, mais en restant capables de passer des week-ends entiers sans se voir, chacun dans la partie de la cuisine qui lui était réservée.

Les frères et sœurs de Kate avaient tous des enfants. Elle parlait avec tendresse de ses neveux et nièces. Elle était toujours enchantée de les voir arriver, et tout aussi ravie de les voir partir, avouait-elle. C'est avec l'actrice Katharine Houghton qu'elle avait noué les liens à la fois les plus intimes et les plus complexes. Celle-ci l'appelait « tante Kate » et s'installait souvent au quatrième étage de la maison de Turtle Bay entre deux déplacements professionnels.

En cette soirée pluvieuse de Fenwick, je demandai à Miss Hepburn si elle regrettait de ne pas avoir eu d'enfants.

— J'aurais fait une mère impossible, trancha-t-elle catégoriquement, car je suis un être foncièrement égoïste. Un trait, il est vrai, qui n'empêche pas la plupart des gens d'avoir des enfants.

Puis elle entreprit d'illustrer son propos.

— Supposons que j'aie un môme, expliqua-t-elle. À sept heures du soir, Bébé Johnny ou Bébé Janey se met à avoir quarante de fièvre, alors que douze cents personnes m'attendent au St. James Theater. Certaines de ces personnes ont dû patienter des mois pour avoir un billet d'entrée, il leur a fallu dégotter de l'argent pour payer une place au-dessus de leurs moyens, sans parler de trouver une baby-sitter pour leur seule sortie notable de l'année. Et voilà que mon Johnny ou ma Janey se met à crier de douleur. Je n'hésiterais pas une seconde. J'entrerais dans la chambre du bébé, je m'emparerais d'un oreiller et j'étoufferais l'adorable bambin !

— Je suis terrifiante, fit Kate après une pause grandiloquente. Mais je suis assez futée pour le savoir. C'est pourquoi je n'ai pas eu d'enfants.

Sans que je l'y aie poussée, elle enchaîna sur un épisode décisif de son enfance, le genre de drame qui rend difficile toute prédisposition à la compassion. En 1920, à Pâques, Mrs. Hepburn l'envoya en vacances à New York (Kate approchait alors les quatorze ans) en compagnie de Tom, son frère aîné adoré. Ils séjournaient chez une camarade d'université de Kit, une avocate du nom de Mary Towle, dans une charmante maison de brique de Greenwich Village. Ils assistèrent plusieurs jours de suite à l'adaptation théâtrale de *A Connecticut Yankee in King Arthur's Court*[1] d'après Mark Twain, le citoyen le plus célèbre de Hartford. Tom, quinze ans et demi, avait choisi cette pièce parce que Twain avait habité jadis le site de son lycée, la Kingswood School, dans la partie ouest de Hartford.

Tom, après une enfance timide, était devenu un grand et beau jeune homme. À bien des égards, il ne ressemblait pas à son père ; il n'avait pas sa prestance. Plus jeune, il s'était mis à avoir des tics puis avait souffert du syndrome de Vitus, une incohérence dans les gestes attribuée au stress. Le docteur Hepburn ne s'en inquiétait pas trop, remarquant simplement que son propre père avait fait son chemin dans la vie malgré un tremblement de la tête. Mrs. Hepburn, quant à elle, se disait que Tom devait vivre assez mal la trop forte autorité du père, plutôt avare de compliments et de récompenses. Avec le temps, l'enfant finit par surmonter son handicap et prit de l'assurance. Il se révéla un excellent élève, populaire et sportif. La plupart des enfants du voisinage ne frayaient guère avec les Hepburn, qu'ils considéraient comme des étrangers, une colonie repliée sur elle-même. C'est pourquoi Kate *alias* Jimmy se sentait proche de son grand frère au point de porter ses vêtements.

---

1. Récit burlesque et satirique de 1889. Il s'agit d'un voyage dans le temps qui transporte un mécano yankee à la cour du roi Arthur. *(N.d.T.)*

Le samedi de leur séjour à New York, les enfants se couchè-rent vers dix heures après que Tom eut diverti sa sœur et sa marraine en leur jouant du banjo. Le lendemain matin, il ne des-cendit pas de sa chambre pour le petit déjeuner. À neuf heures, Kate monta voir. Comme il ne répondait pas à ses appels, elle entra dans le studio, dont l'aménagement était en cours. Elle le trouva près du lit, pendu à un drap fixé à une poutre. Elle déchira le drap et sentit le corps de son frère. Il était froid.

L'état de choc empêcha l'adolescente qu'elle était de se sou-venir précisément de ce qui s'était passé par la suite. Elle se rappelait seulement s'être précipitée chez un médecin, de l'autre côté de la rue, en criant que son frère était mort. Là, une femme lui avait répondu que, s'il était mort, il n'avait plus besoin de doc-teur. Puis les adultes étaient intervenus. Les parents de Kate vinrent à New York. Elle prit le ferry avec eux pour le crémato-rium de New Jersey. Pendant la traversée, elle vit sa mère pleurer pour la première fois. Rien de ce style du côté de son père, du moins à sa connaissance.

On chercha une explication pendant des jours. Kate se sou-venait d'une scène de pendaison, dans la pièce de Mark Twain, qui avait intrigué Tom. Le docteur Hepburn se rappelait quant à lui que Tom avait été fasciné en écoutant son père expliquer qu'on pouvait simuler une pendaison en se suspendant par le cou. Mais plus elle avait réfléchi, plus Kate s'était dit que toutes ces hypothèses étaient peu vraisemblables. La vérité, c'était que la famille avait déjà été frappée par trois suicides.

En dépit de sa réussite scolaire tardive, Tom « n'avait jamais été fonceur comme le reste de la famille », m'expliqua-t-elle. « J'ai entendu dire qu'il avait peut-être été éconduit par une fille – ou un garçon, qui sait. Toujours est-il qu'il n'arrivait pas à faire face. »

Le sujet resta tabou dans la famille pendant des années. Que son geste ait été accidentel ou intentionnel, qu'il ait été causé par une déception sentimentale ou l'émergence de sentiments inconnus, le jeune Tom Hepburn était mort et aucune spéculation ne pourrait le ramener à la vie. Il n'eut même pas de véritable sépulture. Ses cendres furent enterrées au cimetière de la Colline du Cèdre, à Hartford, mais la famille ne venait jamais s'y recueillir. Kate serait hantée par Tom le reste de son existence, en quête de scénarios successifs susceptibles d'expliquer sa mort. Tout en ne pouvant comprendre qu'il ait pu attenter à sa propre vie, elle était prête à l'accepter.

— Nous ne savons jamais ce qui se passe dans la tête de quelqu'un, concluait-elle.

Le docteur Hepburn et son épouse se refusèrent à laisser la tristesse pénétrer leur existence. Les générations précédentes, des deux côtés de la famille, avaient négocié avec les déceptions, la dépression, voire la maladie mentale, soit en les surmontant, soit en y succombant rapidement. On ne s'était jamais complu dans les jérémiades et les parents de Kate ne les auraient pas tolérées. On encouragea simplement les enfants Hepburn à vivre leur vie plus intensément. J'aurais souvent l'occasion de constater que l'épisode avait bien plus affecté Kate qu'elle ne se l'avouait – ce qui la dissuadait tout autant de fouiller le passé que de ressasser le présent. Comme le reste de la famille, elle était à l'écoute de la Chanson de la Vie – dont le refrain était toujours : « Fais avec ce que tu as. »

La tragédie avait profondément ébranlé Kate (ce qu'elle se gardait de dire par crainte de paraître se plaindre). L'adolescente sensible abordait l'âge ingrat – le garçon manqué aux taches de rousseur devenait une jeune femme à l'allure étrange – et se forgeait son univers personnel. Les Hepburn passaient jusque-là pour des originaux. Le suicide et le voile de mystère qui l'entourait les isolèrent encore plus. Kate surmonta son nouveau sentiment de solitude en jouant un rôle – elle se faisait plus forte, plus fière, voire arrogante. Elle apprit à cacher ses émotions, à se créer un personnage officiel afin de mieux préserver son intimité. Elle cachait sa solitude et son manque d'assurance par de l'exubérance. Elle devenait une actrice.

C'était la deuxième soirée d'affilée que nous restions à bavarder jusqu'à minuit. Avant de nous retirer, nous éteignîmes le feu, les lampes et allâmes vérifier à la cuisine si Dick n'avait pas laissé un brûleur ou le four allumé. Nous constatâmes que son « amie de cœur », Virginia Harrington, avait confectionné un gigantesque gâteau au chocolat. Kate insista pour que j'en prenne une tranche d'où elle préleva de l'index la couche de sucre glace. En montant dans ma chambre, je repensais à toutes les confidences que Kate m'avait faites ces derniers jours dans une sorte d'urgence.

Je constatais que la plupart des personnages de sa vie professionnelle dont il avait été question étaient morts ou mourants ; elle avait beau avoir des dizaines de relations et des millions d'admirateurs, il ne lui restait que très peu d'amis intimes, en dehors de sa famille, avec lesquels elle pouvait s'entretenir. Je me disais aussi que sa cheville blessée la contraignait à ralentir le rythme pour la première fois de sa vie, et que le temps et l'énergie qu'elle consacrait auparavant à courir partout se focalisaient sur les souvenirs, la réflexion.

« Nous voyons tous deux la vie de la même façon », me dit-elle en préparant mon lit. Puis, en me regardant posément, elle ajouta : « Vous êtes moi », exactement comme la Cathy d'Emily Brontë avait dit : « Je suis Heathcliff. »

Je le pris pour un compliment en pensant qu'elle voulait dire que nous abordions tous deux la vie avec optimisme... ou, du moins, que nous riions des mêmes choses. Elle partit après m'avoir donné un baiser sur la joue et souhaité bonne nuit.

Le lendemain matin, nous avions pris nos habitudes. Elle était déjà partie se baigner, avait lu le journal et pris son petit déjeuner avant que je la rejoigne. Je trouvai dans la cuisine un pamplemousse rose préparé par la maîtresse des lieux. Un échange sur les nouvelles du jour m'attendait à l'étage. Puis Phyllis apparut comme par magie, munie d'un bloc où elle prenait note du programme et des menus de la journée. Il bruinait, ce dimanche-là, et la météo annonçait des orages pour la nuit. Je demandai à Kate si elle avait bien dormi, en pensant à notre délicate conversation de la veille. Elle dormait toujours bien, m'assura-t-elle, même s'il nous fallait nous coucher plus tôt, désormais.

Loin d'être embarrassée par ses dernières confidences, Kate tenait à les compléter. Après la mort de son frère, me raconta-t-elle, elle avait quitté l'Oxford School, l'école religieuse de Kingswood, et bénéficié d'un précepteur à domicile. Elle réussit l'examen d'entrée à l'université de Bryn Mawr mais, la première année, elle se replia sur elle-même. Un jour qu'elle prenait son repas avec les autres jeunes femmes, elle avait entendu une de ses camarades dire : « Elle est belle, mais bêcheuse ! » Kate admettait facilement être « bêcheuse » ; quant au reste de la phrase, elle en resta stupéfaite. Elle ne retourna jamais à la salle à manger et prit ses repas en ville.

Les trois années suivantes, Katie Hepburn sortit progressivement de sa coquille et se produisit dans plusieurs représentations théâtrales du campus. Elle était devenue une grande femme éblouissante qui n'hésitait pas à s'imposer aux garçons. Ne cherchant guère à frayer au sein du campus, elle se constitua une vie sociale à l'extérieur. Alors que la plupart des étudiantes restaient cloîtrées entre les murs néogothiques de Bryn Mawr, elle fréquentait des hommes de la ville. Cette jeune femme qui avait la réputation de n'obéir qu'à ses propres règles attirait irrésistiblement la gent masculine. Lors d'un bal, elle fit la connaissance d'un étudiant aux beaux-arts, Bob McKnight, pour qui elle alla jusqu'à poser nue (les statuettes de la cheminée de New York !). Très épris l'un de l'autre, ils étaient trop dévorés par leur propre passion artistique pour que leur relation aille bien loin.

En dernière année, Kate se lia d'amitié avec Jack Clarke, qui habitait à la lisière du campus. Ce n'était pas « un quelconque bavard de salon », m'expliqua Kate, bien qu'il fût un de ces jeunes gens de Philadelphie qui disposaient d'assez d'argent pour ne pas avoir à se préoccuper de ce qu'elle appelait « la mécanique de la vie » – des oisifs avec garçonnière à New York et peu d'ambition. Clarke partageait une autre de ses résidences, une petite propriété à la campagne d'une vingtaine d'acres[1], avec son meilleur ami, un autre jeune homme riche du nom de Ludlow Ogden Smith.

Kate s'y rendait souvent, parfois en compagnie de quelques amies de Bryn Mawr. Sans chaperon, les jeunes femmes allaient jusqu'à courir le risque de flirter. Un après-midi qu'elle était seule avec deux hommes, Kate posa nue pour des photos (à l'époque, elle en avait tiré fierté mais, à présent, elle aurait aimé connaître l'usage que ces messieurs avaient fait des négatifs après lui avoir envoyé

---

1. Autour d'une dizaine d'hectares.

les agrandissements « Une fois que je serai morte et enterrée, je crains que quelqu'un ne tombe dessus et se dise : "Bon Dieu, c'est Katharine Hepburn !" »)

La même année, elle rencontra le célèbre poète H. Phelps Putnam à la réception donnée au domicile du doyen de Bryn Mawr. Putnam avait beau être marié, sa réputation de coureur de jupons dépassait de loin celle de l'écrivain.

— Inviter cet homme sur le campus de Bryn Mawr, c'était faire entrer le renard dans le poulailler, faisait remarquer Kate. Mais je le trouvais tout bonnement fascinant.

Si fascinant même qu'elle n'hésitait pas à glisser le long de la vigne vierge depuis le deuxième étage, où était sa chambre, pour le rejoindre sur le coup de minuit et faire avec lui un tour en ville. Mais Kate préservait sa vertu, « et je crois que je l'ai proprement rendu fou », commentait-elle en riant.

Elle n'avait pas vingt ans quand elle lui inspira son poème : « Les Filles du soleil. »

> *... Elle était l'anarchie vivante de l'amour,*
> *elle était l'inexpliqué, la fin de l'amour...*
> *Elle était ma nourriture, ma sœur et mon enfant,*
> *Ma débauche, ma liberté, ma discipline,*
> *Et elle posait ses belles mains étranges sur ma tête,*
> *Elle était aussi impolie que la vie et la mort,*
> *Aussi câline qu'un vin blanc sec peut l'être*
> *Un jour d'été de débraillé...*
> *Elle était mon inaccessible,*
> *Le masque même de mon désir[1]..*

---

1. *The Daughters of the Sun*
   *... She was the living anarchy of love...*
   *She was my nourishment, my sister and my child,*
   *My lust, my liberty, my discipline,*
   *And she laid fair, awkward hands upon my head.*
   *She was discourteous as life and death*
   *And kindly as a dry white wine is kind*
   *On a blowzy summer day...*
   *For beyond space she was my quality,*
   *She was the very mask of my desire...*

Au moment d'obtenir son diplôme de fin d'études, en juin 1928, Kate avait une meute de soupirants à ses basques. Cependant, cette incarnation de l'amour libre était avant tout décidée à faire carrière. Elle comptait pour cela sur le dévouement de ses chevaliers servants. Jack Clarke avait quelques relations dans le monde du spectacle, dont un certain Edwin Knopf qui dirigeait une compagnie théâtrale à Baltimore. Clarke lui écrivit de la part de Kate et, forte de son diplôme, elle se présenta au théâtre où on l'engagea sur-le-champ – exclusivement sur son allure, bien entendu. Elle obtint un petit rôle dans *The Czarina*, au côté de Mary Boland[1], une célèbre actrice du moment ; et tout lui devint facile. Elle apprenait rapidement son texte ; Miss Boland la prit sous son aile en lui montrant comment se maquiller et faire une entrée en scène : « Tu t'avances rapidement et tu découvres lentement le public. »

Après sa deuxième prestation, Knopf décida d'intégrer Kate dans une production destinée à New York, une œuvre intitulée *The Big Pond (La Grande Mare)*. La vedette masculine, Kenneth MacKenna, remarqua son talent mais aussi ses défauts. Il la défendait activement tout en l'incitant à consacrer l'argent dont elle disposait à des leçons d'art dramatique. Il lui écrivit même une lettre d'introduction auprès du meilleur professeur connu dans le show business, une certaine Frances Robinson-Duff, qui pouvait se vanter d'avoir formé deux grandes actrices de Broadway, Ina Claire et Ruth Chatterton.

« Duff » prit Kate comme élève. Elle lui fit faire toutes sortes d'exercices – souffler des bougies, parler avec des billes dans la bouche, réciter des phrases où il fallait faire ressortir certains sons et syllabes. Jusqu'à ses derniers jours, Kate n'a pu supporter d'entendre les gens prononcer (en anglais) le mot *horrible* comme *whore-ible*[2]. Elle lançait dans ce cas l'exercice correctif de Robinson-Duff, *Ha-ha horrible* (de la même façon, *chocolate* devait se dire *chock-lit* et au grand jamais *chalk-lit*[3]). Cependant,

---

1. Qui incarnait Catherine de Russie dont Kate interprétait la dame de compagnie. *(N.d.T.)*

2. *Whore* signifie putain, prostituée ! *(N.d.T.)*

3. *Chock*, o court, se prononce presque « a » ; *chalk* (la craie) se prononce ô long. *(N.d.T.)*

elle ne maîtrisa jamais la respiration par le diaphragme qui, disait-elle, avait rendu sa voix prématurément rauque.

Aucun des parents de Kate ne faisait grand cas de son choix de carrière. Son père pensait qu'il était parfaitement stupide de consacrer sa vie à la comédie ; quant à sa mère, elle ne s'intéressait quasiment pas au théâtre. Cela dit, Kit Hepburn y voyait pour sa fille un moyen d'échapper à la cuisine et aux enfants, et de mener sa vie à sa manière. En dépit de ses doutes, le docteur Hepburn adopta la même attitude. Il finança ses débuts.

Kate partit pour New York, pour découvrir à quel point la ville était petite : « Manhattan ressemblait vraiment à une île enchantée, disait-elle, coupée du reste du monde, auquel seuls quelques ponts la reliaient. »

Le monde du théâtre était encore plus exigu ; tout le monde s'y connaissait. « Phelpie » Putnam, comme elle l'appelait, squattait l'appartement de son ami Russell Davenport, rédacteur en chef à *Time* et *Fortune* ; Kate s'y installa tout bonnement avec lui. Du jour au lendemain, elle se montra à des réceptions à la mode, fit la connaissance de gens comme Robert Benchley et de l'élite algonquine. Et fit tourner les têtes.

Avec Putnam, raconterait Kate plus tard, elle n'avait pas à craindre pour sa vertu : il lui suffisait d'avoir la réputation de vivre avec une jeune et belle actrice. Si bien qu'au bout d'un certain temps, elle fut vexée qu'il ne lui fît pas la moindre avance. Elle n'apprit que plus tard que son père avait donné le feu vert à cette vie commune très dans le vent – après s'être expliqué en privé avec le poète : « Écoute, Put, avait-il dit à cet homme mûr éminemment raffiné, ma fille ressemble à un jeune taureau prêt à charger et elle fera tout pour te séduire, mais si tu la touches, je te descends. » Putnam décida rapidement d'élire domicile ailleurs, seul.

Ludlow Smith était le plus opiniâtre des soupirants de Miss Hepburn. C'était également le plus accommodant – ayant suffisamment de disponibilité dans tous les sens du terme pour accéder aux désirs de Kate. Outre qu'il devait séjourner à New York pour diverses affaires, il disposait de sa propre voiture, ce qui lui permettait de conduire Kate à Fenwick tous les week-ends. Tout en étant très modeste et peu jaloux, il avait suffisamment confiance en lui pour lui accorder toute liberté. Elle était susceptible et s'emportait facilement ; mais rien ne pouvait le décontenancer, semblait-il. Il parla de mariage à plusieurs reprises, de la perspective d'une existence confortable hors de Philadelphie. Mais elle refusait, ne lui abandonnant que sa virginité – un après-midi qu'ils étaient seuls dans l'appartement de Jack Clarke. Elle éprouvait une forme d'amour à son égard.

— Comment qualifier autrement ma reconnaissance pour son éternel dévouement ? me demanda-t-elle.

— Je crois que les Grecs appellent cela *philos*, répondis-je, une profonde affection sans passion.

Elle avait éprouvé du désir mais peu de respect envers Phelps Putnam. Elle ressentait exactement le contraire pour Ludlow Smith. Elle avait conscience de se servir de lui sans éprouver trop de culpabilité dans la mesure où il le savait et s'en accommodait. Elle n'avait jamais caché ses ambitions.

Les répétitions de *The Big Pond*, d'Eddie Knopf, commençaient à New York. Kate remplaçait l'actrice principale, renvoyée à la dernière minute. Elle piaffait dans les coulisses, ne doutant de rien. Deux mois après son entrée dans la troupe, elle était la star : « C'était du moins ce que je croyais, dirait-elle plus tard. En tout cas je me comportais comme si j'en étais une. » Sa prestation lors de la première au théâtre de Great Neck à Long Island l'avait tellement grisée qu'elle fonça tête baissée en oubliant tout ce qu'elle avait appris chez Frances Robinson-Duff. Le lendemain, elle était virée.

En dépit de son renvoi, elle avait fait sensation. Deux producteurs en vue de Broadway lui firent des offres la même semaine. L'un, de chez J.J. Shubert, lui proposa un contrat de cinq ans très bien payé qu'elle refusa, ne voulant pas s'engager pour une si longue période avec le risque de devoir se produire dans des pièces qui ne lui plaisaient pas. L'autre venait de chez Arthur Hopkins, qui avait participé à de prestigieuses productions. Il lui proposait un petit rôle dans une pièce peu connue qu'il voulait lancer. Elle accepta. La pièce fit un flop, avec trois représentations seulement. Mais « Hoppy », comme elle appelait Hopkins, lui proposa immédiatement d'apprendre le texte d'une autre pièce dont on allait donner la première – *Holiday*, de Philip Barry. Kate devait servir de doublure à l'actrice principale, Miss Hope Williams.

La carrière de Kate n'était pas aussi fulgurante qu'elle se l'était imaginée, mais elle appréciait Hoppy ainsi que la pièce. Elle donna son accord et se dit qu'il lui restait à espérer la défection de Miss *Espérance* (Miss Hope).

— N'est-ce pas affreux ? disait-elle. Je me mis à prier pour qu'elle tombe malade.

Deux semaines plus tard, Kate était malade… d'impatience. Dans un moment d'exaspération, elle accepta la proposition de mariage de Luddy.

Un parti aussi solide que Ludlow Smith eût comblé n'importe quels parents en cette fin des années 1920. Mais le docteur Hepburn et son épouse goûtèrent fort peu le tour conventionnel que prenait l'affaire. Ils considérèrent le mariage impulsif de leur fille aînée comme un geste de défi, une façon de s'affirmer, de ne plus dépendre d'eux. Ils savaient que Kate en était toujours à se demander qui elle était et qui elle voulait devenir. Elle faisait ses classes.

— J'avais l'impression de faire mes premiers pas d'équilibriste, admettrait-elle par la suite. Luddy était mon filet.

Elle annonça à Arthur Hopkins qu'elle renonçait à jouer *Holiday* et, le 12 décembre 1928, Katharine Hepburn épousa Ludlow Ogden Smith chez ses parents, au 201 de l'avenue Bloomfield, dans la partie ouest de Hartford. Son grand-père paternel, le révérend Sewell Snowden Hepburn, présida la cérémonie devant l'ensemble des membres de la famille. Les nouveaux mariés partirent pour une courte lune de miel aux Bermudes et revinrent à Philadephie en quête d'une maison.

Après six mois passés dans le monde du spectacle, Mrs. Ludlow fermait le rideau sur sa carrière.

# 4

## Une star est née

— Enlevez votre pantalon ! me cria Katharine Hepburn dans le hall d'entrée de Fenwick.

C'était un début d'après-midi d'avril 1983. Il faisait froid, il pleuvait et il y avait du vent. J'étais sur le point de regagner New York pour dîner en compagnie d'Irene Mayer Selznick, avec laquelle j'avais noué une profonde amitié les années précédentes. Bob, le frère de Kate, et sa femme Sue étaient arrivés de Hartford quelques heures auparavant. Le temps de sortir de voiture, ils furent complètement trempés.

J'avais beaucoup apprécié Bob, un homme vraiment charmant, « le plus adorable qui soit, s'exclamait Kate, un ange ! » ; son épouse également, une femme très cultivée. Et voilà que j'annonçais qu'il me fallait prendre la route. Après avoir vainement tenté de m'en dissuader – « c'est idiot de rouler dans ces conditions » –, Kate me demandait d'avoir au moins le bon sens de retirer mon pantalon, cela pour foncer vers ma voiture, la rentrer dans le garage... d'où je pourrais me réfugier dans la maison et remettre mon pantalon sec.

— Je ne crois pas que ce soit nécessaire. Je vais prendre un grand parapluie.

— Mais votre pantalon sera trempé, avec le vent.

Je m'obstinais en l'assurant que, de toute façon, « j'étais étanche ».

— Vous, peut-être, mais pas votre pantalon !

J'eus à peine franchi la porte que des trombes d'eau s'abattirent sur moi… sous les éclats de rire de Kate. Elle m'attendait au fond du garage avec des serviettes.

— Maintenant, vous n'avez plus le choix, il faut l'ôter ce pantalon, car vous n'allez pas conduire deux heures là-dedans.

Je bafouillai l'air penaud que c'était le seul que j'avais emporté pour le week-end. Aucun problème, fit-elle gentiment. Elle envoya Phyllis en chercher un sec.

— Va chez Dick, ou dans mon placard. Et si tu ne trouves rien, rapporte une de tes robes.

— Je n'irai pas à New York avec une robe de Phyllis.

— Vous n'avez peut-être pas le choix, fit-elle en jubilant. Et il n'y aurait rien de mal à ça. Phyllis a de très jolies choses, n'est-ce pas, chérie ?

— Oh oui, répondit Phyllis ingénument. Mais ça ne lui ira sûrement pas. Il est bien trop grand.

— Phyllis, suppliai-je, pourriez-vous me trouver une paire de pantalons ?

— Vous savez, fit Kate nostalgique, ça s'est passé comme cela la première fois que Spence est venu ici. Il a dû partir en courant vers sa voiture.

— Et alors ?

— Alors, à ce que je sache, il n'a pas eu besoin de mettre une robe.

Phyllis revint avec un bas de survêtement jaune délavé qui avait appartenu à Dick, bien plus conservateur que je ne l'avais imaginé. J'acceptai la chose avec reconnaissance et fis mine de monter me changer.

— Mon Dieu ! vous pouvez tout de même l'enlever ici, et de me rassurer : Papa avait l'habitude de déambuler dans la maison sans rien du tout !

— Mais c'était votre p…, commençai-je à bredouiller avant de me rendre compte que ça ne changeait rien, au contraire.

Je tournai le dos à mes hôtesses et me changeai.

— Et vous devriez aussi changer de chemise.

Je m'exécutai sans discuter après en avoir sorti une sèche de mon sac.

— Maintenant, fit-elle avec un grand sourire, vous voilà prêt à partir. On se retrouve au dîner demain ?

Elle m'étreignit et je la remerciai chaleureusement pour le week-end. Je fis mes adieux à Phyllis, Bob et Sue. Kate appela Dick, qui descendit en caleçon long et en bonnet de nuit rouge, sa diaphane amie, Virginia Harrington, sur les talons.

— Le klaxon, dit Kate. N'oubliez pas de klaxonner une fois que vous aurez quitté le parking et que vous ferez face à la maison. Deux longs coups, trois courts. Un, deux, un-deux-trois. D'accord ? Un, deux, un-deux-trois.

— J'ai compris. Mais pourquoi ?

— Parce que c'est ce qu'on fait, ici, répondit-elle à ma question manifestement stupide. Puis elle précisa que c'était un rituel, un code qu'elle et Howard avaient mis au point des années auparavant.

Je fis mes adieux. En quittant le parking sur la gauche, je klaxonnai le traditionnel « un, deux, un-deux-trois » en regardant la façade de la maison. À travers les trombes d'eau, je les vis tous sur le seuil me faire signe de la main, celle de Kate plus haut que les autres, comme une réminiscence des derniers plans de *Vacances à Venise*[1].

La pluie et le vent rallongèrent le temps de trajet, ce qui me permit de repasser en mémoire le film de ce week-end droit sorti de *Vous ne l'emporterez pas avec vous* ou du *Long voyage dans la nuit*[2]. Je me débarrassai de ma voiture de location pour me rendre chez mon ancien éditeur Thomas Congdon et sa femme Connie, en vérité ma seconde famille, lesquels habitaient une maison de grès au nord-ouest de Manhattan. Tom me transmit une série de messages téléphoniques – de Myrna Loy, Sylvia Sidney, Joan Bennett – qui consentaient toutes à une interview sur Goldwyn.

---

1. *Summertime*, de David Lean, 1955, avec Katharine Hepburn et Rossano Brazi.
2. *You Can't Take It with You*, comédie de Frank Capra, 1938 ; *Long Day's Journey into Night*, Sidney Lumet, 1962.

— Et puis une certaine Mrs. Liberson, ajouta-t-il. Tu baisses, je n'ai jamais entendu parler d'elle.

— Peut-être, mais c'est elle qui devrait le plus t'intéresser, toi qui aimes les ballets. Ladite Mrs. Lieberson est tout simplement Vera Zorina (l'ancienne étoile des ballets de New York qui fut aussi la femme de George Balanchine). Et ce n'est pas tout. Sam Goldwyn a été fou amoureux d'elle.

Connie, pour sa part, portait son attention sur mon pantalon.

— Où as-tu déniché ça ?

— Ne pose pas de questions. Je t'en parlerai plus tard.

Je pris une douche, me changeai et courus à mon dîner.

— Surtout ne m'attendez pas, je rentrerai tard.

Je pris un taxi dans la Soixante et Unième Rue pour l'hôtel Pierre de la Cinquième Avenue. Le liftier me fit monter au dixième étage et, à sept heures précises, je sonnai à la porte de gauche du bout du couloir, appartement 1007-10.

Irene Mayer Selznick avait beau incarner l'histoire de Hollywood, elle était assez simple pour ouvrir sa porte elle-même. Elle était la fille de Louis B. Mayer, le légendaire producteur, un ancien brocanteur dont la maison de distribution cinématographique de Nouvelle-Angleterre était devenue la Metro-Goldwyn-Mayer, le plus grand studio de cinéma de l'Histoire. Elle avait épousé David O. Selznick, fils du grand rival de Mayer, lui-même jeune producteur, rapidement l'un des plus célèbres de son époque grâce à *Autant emporte le vent*[1]. Cela faisait longtemps qu'Irene était installée dans cet hôtel. Quelques années auparavant, elle y avait acheté un ensemble de suites qui formaient un luxueux appartement donnant sur Central Park. Ne dépassant guère le mètre cinquante, brune, cheveux courts, frange, elle avait les yeux incroyablement pénétrants et dégageait une formidable présence.

Comme si sa lignée ne suffisait pas, après avoir divorcé de Selznick, elle était partie pour New York ouvrir une société de production théâtrale. Son coup d'essai fut un coup de maître : *Un tramway nommé Désir*[2], pour lequel elle avait réuni les talents de

---

1. *Gone With the Wind*, de Victor Fleming, 1939.
2. *A Streetcar Named Desire*, Elia Kazan, 1951.

Tennessee Williams, d'Elia Kazan et du jeune Marlon Brando. Puis elle produisit successivement des pièces à succès telles que *The Chalk Garden*, et *Bell, Book and Candle.* Dire de Mrs. Selznick qu'elle était caractérielle serait un euphémisme, mais c'était la personne la plus stimulante que j'aie jamais rencontrée. Face à Irene, on ne baissait jamais la garde sous peine de se faire jeter ou assommer. Irascible et dotée d'un redoutable esprit d'analyse, elle ne prenait rien pour argent comptant. Elle examinait sous tous leurs aspects les problèmes qui lui étaient soumis, y compris les plus simples.

Je connaissais Irene Mayer Selznick depuis près de cinq ans. Au début de mes recherches sur *Goldwyn*, Sam Goldwyn Junior m'avait conseillé de m'adresser à elle.

— Son jugement sur mon père est le plus perspicace, m'avait-il dit, en ajoutant toutefois : Il y a peu de chances qu'elle veuille vous faire des confidences.

L'avertissement en poche, j'avais poursuivi mes recherches pendant plus d'un an avant de me risquer à l'approcher, muni de questions pertinentes. Puis je lui adressai un exemplaire de mon *Max Perkins* joint à une lettre lui expliquant ce que je souhaitais faire. J'envoyai une seconde lettre l'informant que serais prochainement à New York et que j'aimerais la rencontrer si elle avait quelques minutes à me consacrer. Plusieurs semaines passèrent avant que je reçoive un appel d'elle à Los Angeles. Il était plus de dix heures du soir.

Elle travaillait à ses Mémoires, me dit-elle, et il lui fallait quelques précisions techniques sur la « fusion » des sociétés Metro et Goldwyn en 1924. Me serait-il possible de mettre de l'ordre dans la chronologie de l'époque et de lui envoyer de la documentation ? Notre conversation téléphonique dura plus d'une heure. Dès le lendemain, je lui envoyai les photocopies de quelques documents par courrier express – dont elle connaissait sans doute déjà le contenu. Elle me rappela le jour d'après, vers onze heures, pour m'inviter à lui passer un coup de fil la prochaine fois que je serais à New York. Nous nous rappelâmes souvent pour de longues conversations, pendant les mois qui suivirent – époque à laquelle on lui diagnostiqua un cancer du nez.

Avant mon arrivée à New York, j'avais appris par une relation commune que Mrs. Selznick ne pouvait voir personne. Elle venait de subir une opération qui lui avait enlevé la moitié du nez et un morceau de peau du front (destiné à lui refaire un visage). J'appelai tout de même pour m'enquérir de sa santé. Elle s'excusa de ne pouvoir recevoir quiconque. Cinq minutes plus tard, elle me rappelait pour me dire que cela faisait un temps fou qu'elle n'avait vu personne et que, dans la mesure où je ne savais pas à quoi elle ressemblait auparavant, je ne serais pas choqué de la voir défigurée. Manifestement, elle avait besoin de compagnie et je représentais le visiteur idéal : un inconnu bien disposé. Me serait-il possible de passer la voir après dîner le soir même ? Je rangeai mon bloc-notes dans la poche intérieure de ma veste.

Elle m'introduisit dans une petite bibliothèque où l'on avait tamisé les lumières. Je pus toutefois remarquer les fines marques rouges entre ses sourcils et le long de l'arête du nez. Elle me demanda où j'en étais avec la famille Goldwyn, puis, lentement, d'une voix si basse que je dus faire un effort pour entendre, elle cracha les détails de la discorde entre son père et Sam Goldwyn. J'étais trop fasciné pour prendre des notes. Instinctivement, une fois ou deux, je cherchai mon stylo puis retirai mon geste. À plus d'une heure du matin, je l'interrompis :

— Je crois que vous devriez vous reposer un peu, Mrs. Selznick.

— J'apprécie que vous n'ayez pas pris de notes, dit-elle en me raccompagnant. Si vous revenez dîner demain soir, je vous autoriserai à sortir ce bloc qui dépasse de votre poche.

Au cours des dix années suivantes, nos conversations se poursuivirent, soit face à face, quand j'étais à New York, soit au téléphone, le plus souvent la nuit, quand j'étais à Los Angeles. Elles duraient des heures. Elle faisait preuve d'une inestimable perspicacité sur Goldwyn et Hollywood, et sur le monde en général ; mais je lui suis surtout redevable de m'avoir poussé à rechercher constamment les causes profondes de tout événement. La psychanalyse qu'elle avait suivie pendant des années et sa vie quotidienne auprès des deux hommes les plus difficiles d'un milieu de névrosés notoires – sans parler de sa sagacité – lui avaient appris à voir la vérité derrière les faux-semblants de Hollywood. Irene pensait qu'il fallait toujours lire entre les lignes, que la réalité cachée était toujours plus intéressante que les apparences. Elle s'intéressait avant tout à l'implicite, au non-dit. Peu de choses se transmettaient directement, disait-elle ; la moindre phrase recelait un message crypté.

En conséquence, nos conversations ressemblaient à des parties d'échecs – Irene ayant toujours deux coups d'avance. Un exemple. Au cours d'un de nos entretiens téléphoniques nocturnes, sa deuxième ligne sonna. Elle devait prendre l'appel et me rappellerait. Elle me rappela en effet – à plus de trois heures du matin, heure de New York.

— Non, votre nom n'est pas venu sur le tapis, me dit-elle d'entrée de jeu.

J'étais censé en déduire qu'elle n'avait qu'un ami susceptible de l'appeler à cette heure-là – William S. Paley, que j'avais interviewé récemment. Une autre fois, elle me demanda où j'en étais du livre sur lequel je travaillais. Alors que je m'apprêtais à lui décrire une « étape délicate », elle m'interrompit : « La fenestration ? » Sans bien saisir ce qu'elle voulait dire, j'entrepris d'expliquer que j'avais d'abord jeté sur le papier toute l'histoire, puis que je l'avais revue et truffée du maximum de faits, que j'en étais au point de la reprendre encore une fois pour supprimer des détails, aérer l'ensemble, bref, ouvrir les fenêtres.

— Oui, fit-elle alors, la fenestration[1].

Un soir tard, à son hôtel, tandis que nous étions lancés dans une conversation très dense, une sirène retentit au-dehors. Elle vit mon regard s'attarder une seconde de trop sur la fenêtre.

— Bien, fit-elle. Je viens de vous perdre. On reprendra cela la prochaine fois.

Une autre fois, je mis deux jours à comprendre le sens d'une de ses expressions. Elle m'avait dit d'une jolie danseuse de music-hall qui plaisait à son père qu'elle était « à double entrée ». Ce qui

---

1. Terme technique ou médical signifiant la création d'une ouverture dans une cavité organique ou une cloison. *(N.d.T.)*

signifiait à voile et à vapeur. Elle avait un rire invraisemblable qu'il lui arrivait de ne pouvoir contrôler. Rien ne lui échappait. Face à quelque chose de nouveau, choquant ou difficile à croire, elle se contentait de répondre : « Allez vous faire voir, allez au diable ! »

— Alors, comment cela s'est-il passé avec le frère ? me demanda Irene en ce dimanche pluvieux, quatre heures après mon départ de Fenwick.

Nous prîmes place dans la confortable bibliothèque où nous avions l'habitude de prendre un verre. J'allai chercher dans le placard du fond, près d'un gracieux portrait de petite fille peint par Mary Cassatt, la boîte de fer-blanc où étaient rangés les biscuits salés ; elle sortit du réfrigérateur un bocal de harengs marinés et une bouteille. « L'aquavit de Cary », comme elle l'appelait, une précieuse eau-de-vie que son vieil ami Mr. Grant lui avait fait apprécier des années auparavant. On ne la trouvait qu'en Suède ; il ne manquait jamais de lui en apporter une caisse dès que le stock s'épuisait. « Ah, cette alchimie… », commentait-elle au premier effet en bouche de la rencontre entre le hareng, le biscuit et l'aquavit[1]. Après quelques grognements de ravissement et un toast à Cary, elle enchaîna :

— Vous ne m'aviez jamais dit que vous connaissiez mon amie Kate ?

Je lui expliquai que je ne connaissais Katharine Hepburn que depuis la semaine précédente mais que nous avions instantanément noué un lien amical. Je savais, ajoutai-je, qu'elle-même était de ces gens que les écrivains cherchaient à circonvenir pour approcher les célébrités ; la relation entre Kate et elle ne m'était pas inconnue et au grand jamais je n'aurais voulu qu'elle pût songer une minute que telle était la raison de mon assiduité (elle avait récemment accueilli un homme qui s'était révélé vouloir seulement approcher Kitty Carlisle, la veuve de Moss Hart). Dans le même esprit, j'avais attendu le deuxième jour de mon séjour à Fenwick pour parler à Kate de mon amitié avec Irene. L'information avait manifestement déclenché un coup de fil après mon

---

1. Eau-de-vie scandinave au cumin et à l'anis. *(N.d.T.)*

départ. Il entrait dans le cadre de cinquante années de rapports tumultueux qui, en dépit de leur façon radicalement différente d'aborder l'existence, avaient tissé entre ces deux femmes un lien d'où n'était pas absente l'admiration mutuelle.

Après que nous eûmes parlé de Kate jusqu'au petit matin, je me rendis compte que j'étais sur le point de servir de balle de ping-pong entre deux joueuses trop expertes. Vers deux heures du matin, Irene se leva et me prit par l'épaule en me déclarant de façon plutôt mélodramatique, me sembla-t-il d'abord :

— Vous devez aller la voir.

Mais elle était parfaitement sérieuse et, comme toujours avec Irene, cela signifiait plus que ce qu'elle disait. Je dus lui paraître interloqué.

— Kate n'a personne, ajouta-t-elle d'un ton où perçait une certaine commisération. Elle s'est acharnée pendant tant d'années à éloigner tout le monde que plus personne ne vient vers elle, aujourd'hui.

N'exagérait-elle pas ? dis-je en invoquant sa vie sociale bien remplie et tous ces gens qui ne cessaient de l'appeler ou de frapper à sa porte.

— Mais elle n'a personne à qui parler, et sûrement pas son fêlé de frère. Qui connaît encore George Cukor ? Qui peut dire qui est Grady Sutton ? Lowell Sherman ? Dorothy Arzner ? Ceux qui le pouvaient sont morts.

Elle m'expliqua à voix basse qu'elle adorait Kate – laquelle lui envoyait des lettres signées « ta sœur Kate », faisant allusion à une chanson très populaire de leur jeunesse – et que le plus grand service qu'elle pouvait désormais rendre à son amie était de m'envoyer vers elle. Je n'avais pas à choisir, lui dis-je, nous étions tous amis. Irene m'avertit que Kate deviendrait exigeante en amitié, qu'il ne faudrait surtout pas lui faire défaut, que si toutes deux m'appelaient, m'obligeant à choisir, je devrais toujours « être présent pour Kate ». Mon vieux, me dis-je en posant le regard sur un fabuleux Matisse (qui décidément ressemblait terriblement à Jennifer Jones, la seconde femme de David Selznick), il va falloir lire entre les lignes. Elle me répéta en me raccompagnant :

— Allez chez elle.

Ce que je fis – le lendemain soir, pour le dîner... et les quelques soirs suivants. Le scénario était généralement le même : Phyllis mangeait avec nous, plaçant à l'occasion un bon mot, puis se retirait discrètement afin de nous laisser bavarder en tête à tête. La seule chose que je n'appréciais pas dans ces repas, c'était la vitesse avec laquelle Kate mangeait. Il m'arrivait de n'avoir pas fini mon potage quand elle s'impatientait déjà pour le dessert. Un jour, je racontai à Phyllis en aparté que les gens détestaient dîner au palais de Schönbrunn parce que l'empereur François-Joseph mangeait trop vite, d'autant que les assiettes à moitié pleines des invités étaient retirées dès que l'on servait au souverain le plat suivant.

— Qu'est-ce que vous marmonnez, vous deux là-bas ? fit Kate qui n'aimait pas être exclue de la conversation.

— Oh, répondit Phyllis. Mr. Berg était juste en train de dire que nous lui faisions penser à une famille royale.

Je ne suis plus très sûr depuis du niveau intellectuel de Phyllis.

Il m'arrivait régulièrement de vouloir faire participer Phyllis à la conversation, et Kate l'encourageait.

— Elle a vécu des histoires incroyables qu'elle emmènera dans sa tombe.

Phyllis Wilbourn était née en Angleterre au début du XX<sup>e</sup> siècle. Elle avait suivi une formation d'infirmière. Dans les années 1920, l'actrice anglaise Constance Collier, qui était diabétique, décida de s'installer en Amérique. Il lui fallait une infirmière à plein temps pour ses injections quotidiennes d'insuline. Phyllis obtint la place. C'est ainsi qu'elle eut l'occasion de connaître toute la colonie britannique de Hollywood – dont Ronald Colman, Noël Coward et surtout Charlie Chaplin. Miss Collier, comme l'appelait Phyllis, mourut en 1955. Elle lui laissa quelques bijoux, des meubles et de l'argent, toutefois pas assez pour assurer l'avenir d'une femme d'âge mûr.

— Miss Garbo voulait que je m'occupe d'elle, me dit gaiement Phyllis un soir, mais Miss Hepburn s'est interposée, Dieu merci.

Je lui demandai ce qui ne lui convenait pas, chez Greta Garbo. Kate m'interrompit :

— Bon Dieu, je suis bien plus drôle que Garbo.

74

— Ah oui ! acquiesça Phyllis. On m'a dit que Miss Garbo restait toute la journée dans son appartement lugubre à regarder l'East River. Cela dit, ça ne me gênerait pas de me reposer de temps en temps.

— Tu auras tout ton temps pour te reposer, chérie, fit Kate, quand tu seras morte.

— Je suppose que oui, répondit Phyllis sur le ton d'une réplique de comédie américaine.

J'en vins à considérer mes soirées en compagnie de Kate et Phyllis comme ma version personnelle d'*Arsenic et Vieilles Dentelles*[1]. Les « deux vieilles filles » – c'était l'expression de Kate, pas la mienne – se chamaillaient et plaisantaient constamment, chacune veillant sur l'autre de la façon la plus touchante. Il ne s'est pas passé une soirée, je crois bien, sans que Kate ait rappelé, le plus souvent devant elle, à quel point « Miss Phyllis » lui était indispensable – elle était une « bénédiction », un « ange », une « envoyée du ciel ». Kate me demandait régulièrement de hausser le ton « car Phyllis devient sourde comme un pot ». Phyllis me suggérait tout aussi souvent, avec plus de tact et de discrétion, de parler un peu plus fort car « Miss Hepburn perd de son acuité auditive ». En vérité, je crois que ni l'une ni l'autre ne souffrait de la moindre surdité.

En dépit de leur relation d'employeur à employée – « Phyllis est la plus riche de nous tous, se plaisait à dire Kate. Dieu sait ce qu'elle fait de son argent ! » – elles faisaient penser à un vieux couple ; elles n'ignoraient rien de leurs manies et de leurs faiblesses respectives, chacune devançant les désirs de l'autre. Bien qu'au fil des ans des rumeurs aient couru sur Miss Hepburn et son « amie », leur association n'avait pas la moindre connotation sexuelle. Tout simplement, elles prenaient soin l'une de l'autre, s'adoraient... et, chaque soir, Phyllis grimpait dans un bus ou un taxi (elle avait plus de quatre-vingts ans) pour regagner son joli appartement en ville.

D'une certaine façon, leur relation différait peu de celle que Kate avait entretenue avec le dévoué Luddy. La lune de miel des

___

1. *Arsenic and Old Lace*, de Frank Capra, 1944.

Ludlow Ogden Smith datait à peine de deux semaines quand Kate s'était dit qu'elle serait plus heureuse dans les coulisses d'une salle comble de Broadway que dans les couloirs vides d'un manoir de Pennsylvanie. Elle avait insisté pour qu'ils emménagent dans le petit appartement que Luddy avait gardé, au 146 de la Trente-Neuvième Rue Est. Puis elle tint à ce qu'il change son nom en S. Ogden Ludlow – juste pour ne pas avoir à s'appeler Kate Smith, nom trop vulgaire à son goût, sans compter que c'était celui d'un chanteur de charme obèse. Mr. Smith s'exécuta : une fois installée à Manhattan, ce fut une Katharine Hepburn Ludlow qui vint faire amende honorable auprès d'Arthur Hopkins. Il l'attendait, lui dit-il, et son ancien emploi aussi.

Un soir, un seul soir, elle eut à doubler Hope Williams dans *Holiday*. Sa propre prestation lui fit mesurer l'envergure de la star. Kate avait aimé ce que Miss Williams faisait du rôle de Linda Seton (fille rebelle d'une famille bourgeoise qui s'éprend du soupirant tout aussi rebelle de sa sœur) ; les deux heures passées sur scène la convainquirent de l'admirer sans réserve. Tout en ayant tenu son rôle honorablement, elle se rendait compte que Williams, elle, l'avait joué « brillamment », sachant rendre ce personnage agressif très séduisant.

Katharine Hepburn était assez lucide quant à l'interprétation de Hope Williams pour s'en approprier certains traits et les intégrer à ses propres personnages – des nuances qui tempéreraient la véhémence de sa jeunesse. Là où Hepburn affichait une allure de peste crampon et arriviste, Hope Williams réussissait une démarche sophistiquée, décontractée... la touche toujours légère, désinvolte plutôt qu'arrogante, et pleine d'humour. Authentique femme du monde new-yorkaise, arborant une coupe de cheveux au carré, la raie sur le côté, elle était « moitié fille, moitié garçon » disait Kate. Aucune interprète n'eut plus d'influence sur la jeune actrice ; Kate resta en contact avec elle jusqu'à sa mort, à plus de quatre-vingt-dix ans : « Sans Hope Williams, disait-elle volontiers, Hepburn n'aurait pas été bien loin. »

Ce qu'illustrerait le cours de sa carrière théâtrale durant les deux années suivantes. Ayant décidé de se passer d'agent, Katharine Hepburn se présentait chez les producteurs avec les rôles de son choix, et ses entretiens, comme ses auditions, éveillaient un intérêt certain. Elle obtint plus d'une fois l'emploi de doublure de l'actrice principale, et plus d'une fois fut refusée. Elle avait manifestement une présence, une allure et une façon de parler qui suscitaient des réactions tranchées, favorables ou non. Elle possédait tous les ingrédients qu'il fallait pour devenir une star, mais la sauce n'avait pas encore pris.

Elle continuait de décrocher autant de refus que d'engagements, même après plusieurs prestations, dont un rôle de saison d'été au théâtre de Berkshire, à Stockbridge, dans le Massachusetts, et un autre chez les Ivoryton Players (dans un charmant théâtre d'Ivoryton, dans le Connecticut, pas loin de Fenwick). Le problème n'était pas tant son orgueil ou son entêtement, comme le veut la légende, que son manque de métier : comme le lui dit sans ambages le scénariste Philip Barry au moment de lui retirer le rôle principal de sa pièce *The Animal Kingdom*, elle n'était tout simplement « pas bonne ». Kate n'en continuait pas moins, sans se décourager, à prendre des contacts. Elle se lia d'amitié avec une autre élève de Miss Robinson-Duff, Laura Harding, avec qui elle jouait à Stockbridge. Laura avait été une enfant frivole avant de devenir l'héritière de la fortune de l'American Express. Elle vivait dans un hôtel particulier de la Cinquième Avenue et disposait du type de fortune qu'on attribuerait plus tard à Katharine Hepburn. En réalité, Kate était reconnaissante à Laura de la faire accéder à une telle magnificence.

— Laura croyait me fasciner et réciproquement, se souvenait Kate. Je crois que chacune a pris le meilleur de l'autre.

Après avoir joué ensemble au cours de l'été 1930, elles devinrent inséparables. À New York, elles firent ensemble le siège des producteurs.

Elles apprirent un beau jour qu'une troupe de théâtre en cours de constitution, le Group Theater, tenait une réunion de recrutement le soir même. Kate et Laura vinrent écouter Harold Clurman, Lee Strasberg et Cheryl Crawford parler de cette nouvelle aventure. Nos deux novices se sentaient déjà contaminées par l'enthousiasme ambiant quand Strasberg déclara :

— Nous jouerons toutes sortes de pièces et toutes sortes de rôles. Nous serons tous égaux. Vous serez la vedette une semaine, une simple figurante la suivante.

C'était le mot de trop. Kate se leva.

— Très peu pour moi, déclara-t-elle en sortant.

Au début de 1932, un premier rôle lui tomba du ciel. Il s'agissait d'une pièce intitulée *The Warrior's Husband (Le Mari de la guerrière).* L'auteur, Julian Thompson, avait écrit une adaptation en un acte de l'histoire d'amour entre Thésée et Antiope, la sœur de la reine des Amazones, qu'il avait transformée en une œuvre plus longue après le succès obtenu au Comedy Club de New York. Hope Williams avait interprété le rôle initial d'Antiope et le scénariste espérait qu'elle le reprendrait. Mais elle était tenue par un autre engagement au moment de l'achèvement de la nouvelle pièce. Les producteurs se tournèrent naturellement vers sa remplaçante, l'athlétique Miss Hepburn, tout à fait capable de faire son entrée en dévalant un escalier quatre à quatre un cerf sur les épaules. Au grand dam de Kate, on rechercha pendant quelques semaines un nom plus connu. On finit par se rabattre sur elle.

— Je savais que c'était pour moi un grand rôle, me dit Kate un soir après dîner – très spectaculaire.

Le costume était éclatant : tunique métallique avec deux spirales sur les seins, casque sculpté et jambières en cuir argenté « qui auraient donné des jambes de reine à n'importe qui ». Son entrée en scène, qui se terminait un genou en terre, le cerf jeté devant elle, lui valut des tonnerres d'applaudissements. Sur la pièce, les critiques furent nuancées mais sur Hepburn, elles furent dithyrambiques ; la jeune actrice devint la coqueluche de la ville. Hollywood ne tarderait pas à frapper à sa porte.

— Arriva le jour où j'ai eu vraiment de la chance, expliquerait-elle ensuite, au bon endroit, au bon moment.

David O. Selznick, qui dirigeait alors la production à Hollywood pour RKO, préparait l'adaptation cinématographique d'une pièce de Clemence Dance intitulée *Héritage*[1] pour John Barrymore,

1. *A Bill of Divorcement*, de George Cukor, 1932.

le plus grand acteur du moment. Selznick et le metteur en scène, George Cukor, cherchaient à lancer une nouvelle star de cinéma dont le premier rôle serait celui de l'ingénue, fille de Barrymore – le rôle qui avait fait de Katharine Cornell une vedette dix ans auparavant.

Katharine Hepburn arrivait à point. Hollywood sortait juste de la panique provoquée cinq ans plus tôt par la sortie du *Chanteur de jazz*[1] et l'avènement du cinéma parlant. La carrière des plus grandes stars du muet avait décliné, parfois du jour au lendemain, et les producteurs tentaient désespérément de combler le vide. Ils passèrent tous les théâtres du pays au peigne fin à la recherche de nouveaux metteurs en scène, de nouveaux scénaristes et surtout de comédiens. Il ne suffisait plus aux acteurs d'avoir une bonne tête. Il leur fallait une voix.

Bien que la plupart des vedettes du muet à sombrer dans l'oubli fussent celles qui étaient affligées d'un accent étranger – Vilma Banky, Pola Negri, Nazimova, pour n'en citer qu'une poignée –, la voix d'une jeune et mystérieuse actrice suédoise eut l'heur de plaire au public. En faisant le saut du muet au parlant, Greta Garbo renouvela les canons de la beauté. Avant elle, la plupart des actrices de premier plan avaient des visages de poupée et des silhouettes tout en courbes... Comme Irene Selznick me l'avait rappelé le premier soir où nous avions parlé de Katharine Hepburn, « les producteurs recherchaient alors désespérément une Garbo américaine – quelqu'un qui ait son allure mais un style bien américain ».

L'assistant de Selznick, Merian Cooper, avait reçu d'un ami new-yorkais la photo de la jeune actrice découverte dans *The Warrior's Husband*. « Quelles jambes ! » avait dit Irene Selznick à son mari ; Selznick demanda à ses collaborateurs de la côte est de lui faire faire un bout d'essai. Katharine Hepburn accepta mais, le moment venu, elle refusa de jouer la scène qu'on lui présentait. Elle préférait interpréter une scène de *Holiday*, un rôle qu'elle avait peaufiné et qui la montrait sous son meilleur jour. Son ami

---

1. *The Jazz Singer*, qui devait marquer le succès définitif du film sonore, parlant et chantant, 1927.

Alan Campbell, séduisant acteur qui épouserait Dorothy Parker, lui donna la réplique.

Pas plus George Cukor (un récent transfuge de la compagnie théâtrale de Rochester, à New York) que David Selznick ne furent emballés. Il y avait une certaine maladresse dans ses gestes et quelque chose de discordant dans sa voix. Mais Cukor apprécia l'instant où elle déposait un verre à terre, un instant de véritable grâce théâtrale. « Original », fit Irene Selznick en voyant l'essai.

David Selznick offrit à la débutante un contrat honorable de cinq cents dollars la semaine, que Hepburn refusa. Il ajouta deux cent cinquante dollars puis finit par lui accorder trois fois l'offre de départ (en fait, il lui avait proposé mille deux cent cinquante dollars en lui garantissant quatre semaines, ce à quoi elle avait préféré mille cinq cents dollars la semaine, un tarif très au-delà de ce qu'elle était en droit d'attendre). Le producteur accepta. Luddy était prêt à partir avec sa femme pour rester sur la Côte ouest le temps du tournage, mais Kate le pria de rester à New York. Ce fut donc en compagnie de Laura Harding que, le 1er juillet 1932, elle prit le train The Twentieth Century[1]. Elles changèrent à Chicago et montèrent dans le Super Chief à destination de Los Angeles.

Pendant la première partie du voyage, Kate ne vit pas le temps passer. Puis, une nuit, à bord du Super Chief, elle entreprit d'aller prendre l'air au clair de lune sur la plate-forme de la dernière voiture. En ouvrant la porte arrière, elle reçut une poussière dans l'œil gauche. Comme chaque clignement de paupière la faisait souffrir, elle se précipita devant une glace et constata que sa conjonctive était du plus beau rouge. Elle passa le reste du voyage à espérer qu'elle pourrait consulter un ophtalmologiste dès son arrivée. Elle souffrait et sa paupière enflait. Dans le même train, en wagon privé, voyageait Florenz Ziegfeld, atteint d'une grave maladie, et sa femme, Billie Burke. Miss Burke – qui se ferait ensuite mieux connaître dans le rôle de Glinda, la bonne sorcière du Nord dans *Le Magicien d'Oz* – se rendait également à Hollywood. Elle devait incarner la mère de Hepburn dans *Héri-*

---

1. Le Vingtième Siècle.

*tage*, ce que Kate ignorait (elle apprendrait bientôt que George Cukor avait fait preuve en la circonstance de sa générosité légendaire envers ses amis). Avant l'entrée en gare de Pasadena, Kate – qui souffrait de plus en plus, sans parler de la consternation que lui inspirait son reflet dans le miroir – passa la tenue qu'elle s'était achetée pour son arrivée, qui tombait un 4 juillet[1], un ensemble dernier cri d'Elizabeth Hawes, le couturier le plus cher de New York : « Quiconque allait chez Elizabeth Hawes, disait Irene Selznick, avait un message à délivrer. »

Et quel message ! Hepburn portait un tailleur de soie grise, très ajusté, la veste sans col et la jupe presque à la cheville, le tout agrémenté d'un chemisier à jabot et col montant, plus gants, escarpins et sac assortis bleu marine. Le clou étant une toque de paille – « on aurait dit que je portais un cabas sur la tête », dirait-elle plus tard. La panoplie proclamait à la ronde : « Je suis quelqu'un de différent, quelqu'un d'exceptionnel. Regardez-moi ! », pour reprendre les termes de Mrs. Selznick.

Deux hommes, qui deviendraient les agents de Kate pour la côte ouest, attendaient les derniers trains vers Hollywood : Leland Hayward et Myron Selznick, le frère de David. Laura Harding reconnut immédiatement le premier, un des hommes les plus affables du monde du spectacle, un soupirant séduisant qu'elle avait connu lors de ses débuts à Manhattan. L'autre était le boute-en-train de Hollywood, peut-être pas le plus bel homme de la ville mais certainement le plus drôle. Kate adorait répéter le commentaire de Myron à sa descente du train (tel qu'on le lui avait rapporté) : « Mon Dieu, et c'est pour ça que David paie quinze cents dollars la semaine ! »

Kate n'eut pas le temps d'expliquer qu'il lui fallait consulter d'urgence un médecin pour son œil. Ils l'enlevèrent en Rolls Royce jusque dans les studios de la RKO. Le tournage d'*Héritage* devait démarrer cinq jours plus tard et il n'y avait pas un instant à perdre : essais de costumes, de maquillage, répétitions. On la présenta directement à George Cukor, une véritable dynamo qui avait déjà

---

1. La fête nationale.

dessiné les croquis de sa garde-robe, alors en cours de confection. Décidée à plier Hollywood à ses conditions, l'ingénue néophyte regarda dédaigneusement les dessins et laissa tomber :

— Aucune jeune Anglaise bien élevée n'accepterait de porter ces vêtements.

— Et que pensez-vous des vêtements que vous portez ? rétorqua Cukor du tac au tac.

Bien que consciente d'être « bizarrement attifée », Katharine Hepburn ne se laissa pas démonter.

— Je les trouve élégants, répondit-elle.

— Et moi, parfaitement ridicules, répliqua Cukor.

Touché. Elle l'apprécia tout de suite.

Coiffeurs, assistants et maquilleuses n'arrêtaient pas d'entrer et de sortir du bureau du metteur en scène tandis que Kate tentait vainement de demander un médecin. Puis arriva la grande vedette, alcoolique et coureur de jupons notoire, venu jeter un coup d'œil à sa jeune partenaire sous couvert de lui présenter ses respects. Barrymore pria Miss Hepburn de bien vouloir lui accorder un entretien privé. Une fois dans le couloir, il lui prit les mains.

— Ma chère, lui annonça-t-il de son ton le plus grandiloquent, vous serez une grande star.

Puis avisant son œil injecté de sang, il sortit une fiole de la poche de son manteau :

— J'ai le même problème. Prenez ça. Deux gouttes dans chaque œil.

Kate protesta qu'elle n'avait pas la gueule de bois mais quelque chose dans l'œil. Barrymore lui sourit.

— Bien sûr, chérie... tenez, deux gouttes dans chaque œil.

Kate dut attendre la fin de la journée pour voir enfin un médecin. Celui-ci lui retira trois petits brins de limaille, prescrivit un antalgique et lui donna un pansement oculaire. Quand elle se présenta comme convenu le lendemain au studio, Cukor la dévisagea :

— Qu'est-ce que vous croyez ? Que nous allons faire un film de pirates ?

Le tournage d'*Héritage* commença le 9 juillet 1932. Kate se sentit immédiatement à l'aise.

— Dès le tout début, j'ai trouvé l'histoire passionnante, très romantique.

Son œil avait guéri et les patrons du studio avaient donné l'ordre de ne rien changer à son apparence, hormis un rafraîchissement de sa coupe de cheveux et un trait de crayon sur les sourcils. On lui suggéra cependant de ne pas parler trop fort afin d'atténuer son timbre métallique. L'ajustement le plus radical fut celui auquel elle se livra elle-même, une petite opération cosmétique quelque peu douloureuse : deux jours avant le tournage, elle s'épila tous les poils du nez.

Prête à tenir tête à George Cukor sur la moindre réplique, elle se rendit compte que son metteur en scène et elle-même étaient généralement du même avis. Quand ce n'était pas le cas, il était possible d'essayer une interprétation différente à chaque prise. Les comédiens de théâtre qui se risquaient à faire des films se plaignaient généralement au nom de « leur métier » de la difficulté d'ajuster leurs gestes et leur voix au cadre plus intime du plateau et des micros. Kate les considérerait toujours comme des fâcheux : « Évidemment, tu n'as pas à projeter ta voix quand la caméra se trouve à un mètre et le micro au-dessus de ta tête. »

Curieusement, elle avait l'impression que John Barrymore, qui avait vingt ans de cinéma derrière lui, ne se souciait aucunement de tels ajustements. Elle le respectait trop – il était le membre le plus éminent de l'école théâtrale américaine – pour risquer une remarque, mais elle avait le sentiment qu'il avait conscience de surjouer alors qu'elle « sous-jouait ». Il demandait souvent à Cukor de refaire ses scènes ; Kate se fit plus tard la réflexion que la plupart de ces reprises tenaient à ce « que, d'une certaine façon, il ne voulait pas me décevoir ».

Barrymore était incapable de faire impression sur quiconque – sur l'ingénue encore moins que sur les autres. « Il ne pouvait laisser passer une fille devant lui, se souvenait Kate, sans mettre la main sur une partie de son anatomie. »

Une simple tape sur le poignet suffisait généralement à le remettre au travail. En une occasion, toutefois, il s'acharna au point d'irriter la novice.

— Je ne jouerai plus avec toi ! s'était-elle écriée.

— Mais, chérie, tu n'as jamais commencé, répliqua-t-il.

Quelques jours après, il lui demanda de venir discuter d'une scène dans sa loge, en fait une garçonnière tape-à-l'œil qu'on lui avait attribuée sur les lieux du tournage. Après avoir frappé à la porte, elle découvrit le spectacle d'un Barrymore tout nu allongé sur un divan muni de draps et d'une couverture – la tête appuyée sur l'accoudoir.

À la fin du tournage, Hepburn avait compris que le pathos exprimé dans la prestation de Barrymore reflétait celui de son existence. Pour être tourmenté et un peu désaxé, il n'en était pas moins un des acteurs les plus brillants et les plus agréables qu'elle aurait l'occasion de rencontrer. De fait, c'était un homme triste et seul. Elle trouvait son interprétation de Hillary Fairfield « franchement émouvante » – le personnage sort de l'asile d'aliénés où l'a mis un traumatisme de guerre pour trouver sa femme sur le point de se remarier. La fille du héros, interprétée par Hepburn, rompt ses fiançailles par crainte que ses enfants n'héritent de la maladie mentale et se voue à son père. La prestation de Hepburn, face à la grandiloquence de Barrymore, apparaissait naturelle, mélange de fraîcheur et de classicisme. « Le petit poulain tient sur ses pattes », commenta George Cukor au cours des premières semaines de tournage, pour conclure, aux dernières prises, qu'elle était un « pur-sang ».

Katharine Hepburn, dans son acharnement à réussir, se concentrait exclusivement sur son travail. Au début, elle fuyait même toute forme de vie sociale à Hollywood : « Je trouvais que j'avais suffisamment à faire et il n'était pas question pour moi de transiger. »

Elle loua avec Laura Harding une confortable maison à Franklin Canyon, qu'un ami de Laura leur avait trouvée. Un jour, une relation de celui-ci, une très conventionnelle Mrs. Fairbank, téléphona pour inviter les deux jeunes femmes à dîner. Kate la pria de l'excuser, invoquant le fait qu'elle ne sortait jamais le soir pendant un tournage. Laura Harding, consternée, s'indigna :

— Sais-tu qui tu viens d'éconduire ?

— Mrs. Fairbanks, oui. Elle ne m'a pas paru très intéressante. J'aime autant m'en être débarrassée.

— *Toi* peut-être, répondit Laura. Mais c'était Mary Pickford, et moi, je serais ravie de dîner en sa compagnie et celle de Mr. Fairbanks !

Heureusement, l'ancienne star était magnanime. Une seconde invitation arriva, et les nouvelles venues à Hollywood acceptèrent. Kate fut placée à côté de Douglas Fairbanks, qu'elle trouva « parfaitement délicieux » ; Mary Pickford se révéla encore plus fascinante, une fine mouche douée d'un « véritable sens des affaires ». Quant au dîner, suivi d'une projection de film, il était à la hauteur d'une réception royale, en tout cas de l'idée que Kate s'en faisait. À peine était-elle sortie qu'il lui tardait déjà de revenir à l'adresse la plus prestigieuse de la ville. « J'avais cru ce soir-là avoir été irrésistible, se rappelait-elle. Je glosais sur tout et n'importe quoi, j'avais un avis sur tout. »

Manifestement, Mrs. Fairbanks ne fut guère subjuguée par Miss Hepburn. Elle ne la rappela jamais. « Pour une raison qui m'échappe, se rappelait également Kate, je fus aussi invitée au ranch des Hearst – ce qui était sensationnel – et j'ai dit "non". Fallait-il être stupide ! »

Une fois les prises de vues d'*Héritage* achevées, Kate revint à New York d'où elle repartit aussitôt vers l'Europe, avec son mari, pour une nouvelle lune de miel. « Nous nous entendions bien, en voyage », commentait-elle sur un ton qui suggérait plus de courtoisie que de passion. Le film passa dans les salles un peu plus de deux mois après le début du tournage – alors que Mr. et Mrs. Ludlow étaient en Autriche – et se révéla un franc succès pour tous ceux qui y avaient participé. Les critiques notèrent l'allure et la voix étranges de Katharine Hepburn, et s'accordèrent généralement pour la trouver sympathique, différente, et néanmoins séduisante. Miss Hepburn s'en remettait, quant à elle, au jugement d'un seul homme.

« George Cukor a su me *présenter*, disait-elle chaque fois qu'on parlait de son premier film. Il savait que le public verrait en moi une créature bizarre et qu'il fallait en quelque sorte lui former le regard. C'est pourquoi il a pris soin de me *présenter*. »

Pour cela, il ajouta à l'apparition du personnage – une descente d'escalier spectaculaire enchaînée par un tour de danse – quelques prises de vues qui n'ajoutaient rien à l'intrigue ni au rôle. Il s'agissait simplement de s'attarder sur Katharine Hepburn, pour des préliminaires qui laissaient au public le temps de s'habituer à son image. « Rares sont les metteurs en scène actuels ayant une formation théâtrale, disait-elle. Ils n'ont aucun sens de l'entrée en scène, de l'importance qu'il y a de présenter quelqu'un au public. Dieu merci, George était un maître en la matière. Je crois que je n'aurais jamais fait carrière sans ces quelques prises de vues, ces petits bouts de pellicule superflus. »

L'équipe publicitaire du studio joua certainement son rôle dans la promotion de la jeune actrice. Mais, comme Kate le ferait remarquer ultérieurement, « je ne marchais pas là-dedans. Quand, à mon retour, je lus toutes ces histoires où l'on me faisait tenir des propos inventés de toutes pièces, eh bien, franchement, cela ne me fit ni chaud ni froid. À cette date et plus tard, je n'ai jamais prêté attention à ce qu'on écrivait sur mon compte ». C'est ainsi qu'on lui prêta une fausse date de naissance – le 8 novembre, qui était celle de son frère Tom – et qu'elle se retrouva avec deux ans de moins.

Kate retourna à Hollywood, seule, cette fois. La RKO lui proposait plusieurs rôles principaux. Le premier concernait un film inspiré d'un roman intitulé *Le Phalène d'argent*[1], un mélo dont le scénario l'avait intéressée, sous certains aspects. Elle y interprétait une aviatrice farouchement jalouse de son indépendance – pas très éloignée d'Amelia Earhart, dont Katharine était une fervente admiratrice, moins pour ses exploits que pour son style et son caractère. L'aviatrice s'était éprise d'un homme marié, attendait un enfant et – ce qui permettait de ne pas enfreindre les critères moraux alors en vigueur – trouvait la mort en tentant de battre un record mondial d'altitude.

Une autre raison lui avait fait accepter le rôle : la réalisatrice, Dorothy Arzner, était pour ainsi dire la seule femme à exercer une telle fonction dans le milieu. Katharine Hepburn avouait n'avoir jamais bien compris pourquoi si peu de femmes faisaient de la mise

---

1. Titre anglais : *Christopher Strong,* 1933.

en scène ; après tout, elles étaient nombreuses à écrire des scénarios et à faire du montage. Selon elle, ce n'était pas tant les hommes régnant sur les studios qui étaient responsables de la situation que les femmes elles-mêmes, qui choisissaient de s'effacer. « Il ne m'est jamais venu à l'esprit que j'étais un citoyen de seconde zone à Hollywood, dirait-elle, ni que les femmes devaient l'être. »

Si *Le Phalène d'argent* s'écrasa rapidement, Hepburn, en revanche, recueillit d'excellentes critiques. Ce qui renforça sa position de vedette tout en exigeant d'elle de nouvelles responsabilités. Les studios les plus modestes réussissaient alors à sortir un film par mois, certains même deux par semaine. Si, en tant qu'actrice, elle voulait rester en tête de peloton, il lui fallait prendre en charge sa carrière – autrement dit se réserver les meilleurs rôles possible. « Je n'ai pas l'habitude d'être indiscrète, m'affirma Kate un après-midi sur un ton espiègle, mais ce jour-là j'ai aperçu quelque chose sur le bureau de Pan Berman. »

Âgé de vingt-sept ans, Pandro S. Berman était un jeune assistant de David Selznick, dont Hepburn s'était entichée. Il débutait alors sa prestigieuse carrière de producteur. Le « quelque chose » aperçu sur son bureau était un script intitulé *Morning Glory*[1], inspiré d'une pièce du célèbre écrivain Zoë Akins. Kate s'en empara tout bonnement en déclarant à la secrétaire qu'elle reviendrait comme convenu pour son rendez-vous.

« C'est écrit pour moi », déclara-t-elle à Berman deux heures plus tard. Difficile de nier que le rôle lui convenait – une jeune fille de la Nouvelle-Angleterre, passionnée de théâtre, délaissait un ou deux soupirants pour tenter sa chance à New York. Elle en devenait la coqueluche après avoir été l'actrice principale le soir d'une première. Non, lui répondit Berman. En fait, le scénario avait été écrit pour Constance Bennett, une actrice du muet qui faisait alors sa rentrée, à vingt-sept ans, dans *What Price Hollywood ?* (que George Cukor avait réalisé juste avant *Héritage*). Le metteur en scène du film, Lowell Sherman, devait être son partenaire à l'écran (sa prestation d'acteur dans une autre œuvre de Zoë Akins avait été une

---

1. Pas de version française. Littéralement, « Belle-de-jour », mis en scène par Lowell Sherman, 1933.

réussite). « Hollywood, c'est encore plus petit que Broadway », se dit Miss Hepburn. Elle consacra les jours suivants à contacter tous ceux qui avaient un rapport quelconque avec la production, vantant les mérites du scénario, « vraiment passionnant... », jusqu'à ce que tout le monde soit convaincu qu'elle « était née pour le rôle ».

La troupe répéta pendant une semaine et le tournage fut terminé en dix-sept jours. Lowell Sherman, le réalisateur, n'arrivait jamais sur le plateau avant neuf heures et demie et ne s'y attardait pas après cinq heures et demie, se rappelait-elle. Cet alcoolique se mourait d'un cancer de la gorge, ce qui ne l'empêchait pas de donner le meilleur de lui-même. Il maintenait sous le charme l'ensemble de la distribution (dont des vétérans comme C. Aubrey Smith et Adolphe Menjou). Le béguin de Hepburn, dans le film, était Douglas Fairbanks Junior, avec lequel elle se lia d'amitié. Pour les besoins du scénario, Hepburn et Fairbanks jouèrent la scène du balcon inspirée de *Roméo et Juliette* (coupée au montage) devant un auditoire restreint comprenant les Fairbanks – le père et la belle-mère de Douglas Junior. Kate avouait que ce fut l'une des rares fois dans sa vie où elle eut le trac.

La prestation de Hepburn dans *Morning Glory* était remarquable. Elle révélait une nouvelle dimension de son talent d'actrice tout en rafraîchissant un genre rebattu. En réalité, confessait-elle, elle s'était copieusement inspirée du jeu d'une autre actrice, Ruth Gordon. Dans une pièce intitulée *A Church Mouse* (*La Souris d'église*), celle-ci avait adopté un débit rapide et un ton monotone pour suggérer la nervosité autant que l'impatience. Hepburn l'avait « totalement copiée » dans son interprétation de cette Eva Lovelace qui voulait « devenir la meilleure actrice du monde ». Trucs de métier ou plagiat, Hepburn avait relevé le défi. Elle était devenue l'un des meilleurs atouts du studio.

David Selznick, qui aimait adapter les classiques de la littérature au cinéma, avait pour projet *Les Quatre Filles du docteur March*[1]. L'œuvre mettait en scène, elle aussi, une jeune Américaine aux ambitions artistiques. Il avait lu plusieurs mauvaises adapta-

---

1. *Little Women*, de George Cukor, 1934. Il y aura deux remakes, l'un en 1949 de Mervyn LeRoy, un autre en 1994 de Gillian Armstrong.

tions du roman de Louisa May Alcott avant de confier la tâche d'un nouveau script à un couple travaillant en équipe. Sarah Y. Mason et Victor Heerman mirent quatre semaines à écrire un synopsis dont l'un des rôles semblait écrit pour la nouvelle reine des studios de la RKO.

« Je prétendis que personne ne pourrait rivaliser avec moi pour le rôle de Jo March, relaterait Kate Hepburn. C'était impossible, tout simplement impossible, pour la bonne raison que je venais du même genre de milieu, que j'avais vécu les mêmes bonheurs. Je suis sûre que Louisa May Alcott s'était décrite elle-même en évoquant ce type de comportement que l'on encourageait chez une jeune fille de la Nouvelle-Angleterre ; je comprenais ce genre de choses. J'avais été moi-même un garçon manqué et j'avais une personnalité proche de la sienne. J'étais capable de m'exclamer "Par Christophe Colomb, quel luxe !", sans la moindre gêne. Je prenais ce type de poses surannées. Issue d'une famille nombreuse où j'avais toujours fait le pitre, le rôle convenait à mon penchant pour l'exagération. »

David Selznick acquiesça et demanda à George Cukor de diriger Hepburn pour la deuxième fois. Cukor, au vu des précédents scripts, n'était pas emballé par le projet. Il trouvait le sujet plutôt mièvre. Selznick fit remarquer que dans le roman d'Alcott, qu'il avait lu, les femmes de la famille March avaient été marquées par les épreuves de la guerre de Sécession. Cukor m'expliquerait, comme je le rapporterais à Kate lors d'un de nos dîners, que c'était la lecture de l'œuvre de référence qui l'avait fait changer d'avis.

— De la blague, rétorqua-t-elle. Puisque je vous dis qu'il n'a jamais lu le livre.

Il m'avait prévenu qu'elle me répondrait cela. Je le lui dis.

— Vous voyez, il ne le nie pas. Je vous dis que George Cukor n'a jamais lu le livre. Mais peu importe. Nous disposions d'un script formidable, qui respectait vraiment l'esprit du roman.

Le metteur en scène et la star se chamaillèrent en toute camaraderie sans discontinuer – jamais sur leurs personnes, exclusivement sur l'interprétation – et devinrent de vrais complices. Bien souvent, Kate imposait son point de vue après avoir évoqué sa propre enfance en Nouvelle-Angleterre, ou rappelé qu'il n'avait

« même pas lu le livre ». Une seule fois Cukor sortit franchement de ses gonds. Elle devait monter un escalier dans son costume d'époque confectionné à un seul exemplaire, les mains chargées de crèmes glacées. Il lui avait demandé instamment de prendre garde à ne pas tacher la robe en concluant «… sinon je te tue ». Évidemment, ainsi maudite, Kate tacha la robe – et éclata de rire. Cukor la gifla en s'écriant « Amateur ! » et la chassa du plateau. Elle passa le reste de la journée à vomir.

Hepburn était enchantée de l'ensemble de la distribution – qui incluait Spring Byington dans le rôle de Marmee et la grande actrice Edna May Oliver dans le rôle de composition de tante March. Meg, Beth et Amy, les sœurs de Kate, étaient interprétées respectivement par Frances Dee, Jean Parker et Joan Bennett dont il avait fallu redessiner le costume pour dissimuler la grossesse. De cette lumineuse brochette, ce fut Hepburn qu'on retint. Elle fascina le public. En moins d'un an, elle était devenue plus qu'une actrice de Hollywood de premier plan. Une star.

En ces temps de crise économique qui voyaient Hollywood se cantonner aux films de gangsters et de danseurs de claquettes, la RKO fit soudain un tabac avec ce thème suranné, ce drame familial débordant de bons sentiments. Le film ne manquait pas de réalisme ni de situations dramatiques, mais son succès tenait surtout à la crédibilité des personnages. *Les Quatre Filles du docteur March* fut un des dix films choisis par l'Académie des arts et techniques cinématographiques, qui en était à sa sixième année d'existence. Katharine Hepburn fut sélectionnée comme meilleure actrice – mais pour un autre film, *Morning Glory.*

Kate a toujours pensé qu'on ne l'avait pas sélectionnée pour le bon film. Elle avait fait de « l'excellent travail » pour *Morning Glory*, mais ça ne dépassait pas le « savoir-faire, les jolies grimaces ». En revanche, dans *Les Quatre Filles du docteur March*, disait-elle, « j'ai donné ce que j'appelle le plat de résistance, pas le dessert ». Après mûre réflexion, Hepburn décida de ne pas se rendre à la cérémonie de remise des prix, qui se déroulait à la salle des fêtes de l'Ambassador Hotel, en ce soir du 16 mars 1934 où Will Rogers présenta pour la première fois les fameuses petites statuettes d'or dont le sobriquet de fabrication, « oscars », fit le tour du monde. Après avoir annoncé que *Cavalcade*[1] avait été désigné meilleur film, et Charles Laughton meilleur acteur, Rogers prononça le nom de Katharine Hepburn comme meilleure actrice de l'année.

Dès le début de sa carrière, Hepburn entretint des rapports conflictuels avec l'Académie cinématographique, ne serait-ce que parce qu'elle n'avait pas imaginé que quelqu'un d'aussi jeune et nouveau dans le métier pût remporter un prix. Mais il y avait autre chose. Même après qu'on lui eut annoncé son succès, elle tint à faire une déclaration comme quoi elle ne croyait pas aux prix – « ou un communiqué stupide du même style ». En fait, reconnaîtrait-elle par la suite, « il s'agissait de ma part de fausse modestie, car j'étais ravie d'avoir gagné ».

Suite à cette première nomination, elle se jura de ne jamais assister à la cérémonie des oscars, un vœu dont elle ne tirait pas de fierté particulière.

« Il faut avoir de la grandeur d'âme pour y assister et ne rien gagner et je crois que c'était indigne de ma part de ne pas vouloir m'y risquer, confessait-elle. Mon père disait que si ses enfants répugnaient aux fêtes ou aux cérémonies, c'était moins par timidité que parce qu'ils craignaient de ne pas en être la vedette, la mariée ou le macchabée. Il n'avait peut-être pas tort. Je ne vois pas quel motif raisonnable pourrait invoquer quiconque occupe une place éminente dans un corps de métier pour refuser d'assister à sa plus grande fête. Je trouve que c'est une attitude impardonnable, et c'est ce que j'ai fait... Je n'ai aucune excuse. »

Mais elle pensait aussi, ajoutait-elle, que le milieu du cinéma comme le public attachaient trop d'importance aux prix. Pour une bonne part, soulignait-elle, c'est une histoire de chance et d'opportunité.

« Si tu décroches un très bon rôle, tu as de bonnes chances... et parfois il est facile de briller dans une année sans éclat. Mais honnêtement, quand ta prestation mérite une récompense, tu le sais.

---

1. De Frank Lloyd, 1933. Saga sur plusieurs générations d'une famille bourgeoise londonienne entre 1899 et 1918, sur fond de guerre des Boers, funérailles de la reine Victoria, naufrage du *Titanic*, guerre de 1914-1918.

Je crois vraiment avoir fait preuve de nombrilisme en refusant de me présenter. »

Lorsque, en 1982, j'ai demandé à Kate où étaient ses oscars, elle fut incapable de le dire, sinon qu'elle les avait donnés au musée de l'Empire State Building.

« Écoutez, si je ne vais pas à la cérémonie, je ne peux décemment les placer sur ma cheminée, non ? Je n'en ai pas le droit, tout simplement. »

S'étant hissée au sommet de son nouveau métier en un peu moins d'un an, Katharine Hepburn pensait qu'elle avait encore à faire ses preuves. À la suite de son triomphe sur la côte ouest, elle annonça aux patrons du studio qu'elle voulait retourner à New York, sur une scène de théâtre. Elle pensait prendre d'assaut Manhattan en se produisant dans une pièce intitulée *The Lake*. La RKO y mit comme condition qu'elle tourne un nouveau film avant de partir. La négociation était dans l'impasse jusqu'à ce que Kate se paie le culot d'annoncer qu'elle acceptait à condition de jouer dans un film intitulé *Spitfire*[1] (furie). Prête à tout, elle revendiqua le rôle principal – celui d'une va-nu-pieds mystique particulièrement fruste, une guérisseuse du nom de Trigger Hicks. Elle exigea cinquante mille dollars pour quatre semaines de travail, plus dix mille dollars par journée supplémentaire. Elle s'investit totalement dans le rôle (pour soixante mille dollars) et la critique fut assez magnanime pour épargner sa réputation.

Les rares personnes à avoir vu *Mademoiselle Hicks* rangent le film parmi les pires de sa carrière. La star s'en mortifiait volontiers : « Les seules fois où je me suis produite pour de l'argent, le scénario était mauvais et mon travail à l'avenant. »

Kate, qui n'affichait que peu de photos d'elle-même dans ses différentes résidences, garda des années un cliché de Trigger Hicks affiché devant l'entrée de sa chambre, à Fenwick : « Un rappel, me dit-elle en soulevant l'un de ses sourcils. Trigger me rend modeste. »

Hepburn ne retournait pas à New York uniquement pour faire du théâtre. Elle restait mariée à son homme d'affaires new-yorkais,

---

1. En français *Mademoiselle Hicks*, de John Cromwell, 1934. *(N.d.T.)*

ce dont personne ne se doutait, à Hollywood. Il faut dire que l'éloignement de son époux ne l'empêchait pas de dormir. Tout en continuant de vivre sur les hauteurs de la ville, au côté de Laura Harding (alimentant ainsi une rumeur d'homosexualité), Kate ne rechignait pas à se montrer en compagnie d'hommes séduisants.

Elle accepta plusieurs rendez-vous de Douglas Fairbanks Junior, mais la soirée se terminait toujours plus tôt que ce dernier ne l'aurait souhaité. Aux beaux jours, elle consacra ses congés à un jeune acteur du sud de la Californie, Joel McCrea – « c'était un très beau garçon, délicieux ». Ils partaient en balade le long de la côte, s'arrêtaient à la plage de Zuma pour pique-niquer et se baigner, sans ôter à leur amitié son caractère platonique. Elle passait de plus en plus de soirées à Franklin Canyon avec son agent, le si courtois Leland Hayward, lui aussi marié. Cette amitié-là ne resta pas platonique. Hayward occupait une position particulière dans le monde du spectacle. Son élégance et sa beauté n'avaient rien à envier à celles de la plupart des acteurs, mais c'était aussi un homme de goût et un homme d'affaires. Il s'était taillé une place à part à Hollywood et à Broadway, avec la réputation d'être le seul diplômé de Princeton[1] de Hollywood, ce qui n'était pas faux même s'il n'y avait passé qu'un an. Il adorait les femmes – surtout les plus inaccessibles. Il avait rencontré son alter ego dans cette star si distante, désormais considérée comme la plus sophistiquée du cinéma.

Kate aimait la vie au grand air, le sport et se lever tôt. L'activité physique la plus énergique à laquelle sacrifiait Hayward était la tournée des boîtes de nuit. En dépit de l'incompatibilité de leur emploi du temps ; ils étaient « vraiment fous l'un de l'autre » disait Kate, ils vivaient une relation intensément sexuelle, sans qu'on puisse affirmer qui prenait le pas sur l'autre. Il proposa de divorcer de sa femme, une belle aventurière texane nommée Lola Gibbs, si Kate divorçait de Luddy. Son départ pour New York le mit sur les dents.

Katharine Hepburn avait un autre motif secret de quitter Los Angeles en la personne « la plus diabolique que j'aie jamais

---

1. L'une des universités (dans le New Jersey) les plus prestigieuses des États-Unis.

connue » dirait-elle. Il s'agissait de Jed Harris, un personnage révéré et honni du pittoresque univers théâtral des années 1920 et 1930. Remarquable producteur et metteur en scène, il avait largement contribué au succès de *The Royal Family*, *The Front Page* puis de *Our Town* (Laurence Olivier s'inspirerait fortement de son interprétation dans *Richard III*). Mais la carrière de Harris déclinait et il cherchait à remonter la pente avec sa mise en scène de *The Lake*.

Sinistre dans son apparence et impitoyable dans ses ambitions, Harris avait un charme fou surtout auprès des actrices, qui succombaient aisément à ses promesses de succès. Ruth Gordon lui avait donné un enfant, dont il s'était désintéressé ; Margaret Sullavan avait abandonné pour lui son mari, le tout jeune acteur Henry Fonda. Cette fois, néanmoins, ce n'était pas le renard qui faisait son choix dans la basse-cour, mais la poule Hepburn qui tournait autour du renard. Dopée par le succès, la jeune star de Hollywood eut le cran de lui téléphoner directement.

*The Lake* racontait l'histoire d'une femme que son prochain mariage jette dans le désespoir. Le jour de ses noces, elle tue son mari en faisant déraper leur voiture dans un lac. Hepburn brûlait tellement de travailler avec Harris, avouerait-elle plus tard, qu'elle ne s'était même pas posé la question de la valeur de la pièce. Sa seule motivation était « de l'aider à remonter sur le trône... et je pensais en avoir le pouvoir. Folie ! Mais à quoi avais-je la tête ? ».

Il lui fallut quelques années de plus pour mesurer sa candeur et cet orgueil démesuré qui lui avaient fait croire que son nouveau statut de vedette de cinéma lui permettait de relever le défi. Helen Hayes, que Katharine Hepburn connaissait à peine, lui avait envoyé un billet lui conseillant d'éviter de travailler avec Harris. Après avoir « conquis Hollywood », Hepburn fut assez vaine pour ne même pas prendre en considération la démarche d'une rivale. Elle ne se rendait pas compte que Harris était un déséquilibré, que l'élan de générosité (si générosité il y avait) qui la poussait à le secourir ne pouvait que l'exaspérer et l'inciter à s'acharner sur elle.

D'emblée, elle se rendit vulnérable en acceptant des gages inférieurs à ce qu'une vedette était en droit d'attendre, sans parler d'une star de cinéma. Puis, dès la première répétition, Harris s'employa à la briser. Il l'interrompait à tout instant, corrigeant chaque geste pour exiger l'attitude opposée. Pour finir, il la fit recommencer indéfiniment et avec délectation une scène où, supposée jouer du piano, elle ne parvenait pas à coordonner son texte et ses gestes. Alors qu'elle protestait, il lui lança : « Helen Hayes a appris à jouer du piano pour moi. » En conséquence de cet acharnement cruel, le jeu de l'actrice devint de plus en plus mécanique, ce dont elle était consciente. L'avant-première eut lieu à Washington, D.C., devant une salle à guichets fermés. La foule fut enthousiaste.

« Le public américain fait preuve d'une générosité sans pareille, disait volontiers Kate, surtout quand une star de cinéma monte sur les planches. Je suis toujours étonnée qu'il n'y ait pas plus de vedettes qui s'essaient au théâtre, surtout les actrices qui abordent la quarantaine ou la cinquantaine et se plaignent que Hollywood ne leur donne plus de rôles. Broadway a quelque chose d'effrayant, certes, mais il y a des centaines de théâtres magnifiques dans tout le pays qui seraient ravis de les avoir. Les acteurs de cinéma devraient s'essayer au théâtre. »

Cela dit, Hepburn elle-même avait une piètre opinion de sa prestation. Lors de la première, elle eut le sentiment de ne pas passer la rampe, et espéra plus de répétitions, plus de conseils.

Mais au vu du nombre de réservations, Harris décida de laisser la pièce en l'état. Il se contenta de transporter la troupe de Washington à New York, et lança la pièce. « J'avais le sentiment de déambuler dans un cauchemar », commentait Kate. Elle prétendait ne jamais lire les critiques mais, après la première représentation, elle sut que les journalistes s'en étaient donné à cœur joie. Elle me récita fièrement la fameuse sentence de Dorothy Parker écrite soixante ans auparavant, une de ces légendaires reparties assassines : « Allez au Martin Beck Theatre voir Katharine Hepburn nous jouer la gamme des émotions de A à B. » Kate prononçait le mot anglais *gamut* (gamme) « gam-MUTT[1] » en ajoutant : « Voilà ce que j'étais, une grande "andouille". » Au bout de quelques semaines, la foule diminua, pas assez rapidement au gré de la star, prisonnière de son contrat. Elle n'avait qu'une envie : laisser tomber. Mais Jed Harris

---

1. *Gamut*, la gamme ; *mutt*, « l'andouille ».

n'en avait pas fini avec elle. La pièce comme l'actrice principale n'étaient peut-être pas très bonnes, mais le seul nom de Hepburn suffirait à mobiliser le public pendant des semaines dans toutes les villes où la troupe se produirait. On en était aux dernières représentations à New York, tous frais amortis. Au moment précis où Kate s'apprêtait à faire ses bagages, Harris annonça qu'ils iraient à Chicago puis en tournée dans le reste du pays. Kate lui demanda pourquoi il s'obstinait sur une pièce qui ne passionnait personne, pas plus lui que le public.

— Ma chérie, répliqua-t-il, la seule chose qui m'intéresse, c'est l'argent que tu peux me rapporter.

— Combien veux-tu pour arrêter la pièce ? répondit-elle du tac au tac, en appréciant la franchise de la réponse.

— De combien disposes-tu ?

Elle sortit son relevé de compte en banque et lui lut le solde, quelque treize mille dollars. « D'accord, dit-il, ça fera l'affaire. » Le chèque arriva dans la matinée et le spectacle new-yorkais cessa après quelques représentations. Mis à part une rencontre de hasard dans un théâtre – il était alors un homme brisé –, Hepburn ne le revit plus.

Quelques années plus tard, Leland Hayward eut l'occasion d'échanger quelques mots avec Harris, devenu l'ombre de lui-même.

— Tu sais, lui dit le producteur en parlant de *The Lake*, j'ai voulu anéantir Katharine Hepburn.

Hayward, abasourdi, eut la présence d'esprit de répliquer :

— Et tu n'as pas réussi, n'est-ce pas ?

Cependant, en cette année 1934, Harris n'était pas loin d'avoir atteint son but. Pour la première fois de sa vie, Katharine Hepburn voyait sa confiance en elle très ébranlée. *Mademoiselle Hicks* jetait un doute sur sa carrière hollywoodienne. En outre, son mariage de convenance lui convenait de moins en moins. Les « Ludlow » avaient emménagé dans la maison de Turtle Bay, dans la Quarante-Neuvième Rue Est, pour un loyer de cent dollars par mois, et Luddy avait déplacé à New York son affaire – un système de recrutement pour grosses compagnies auquel Kate n'avait jamais bien compris les arcanes. Elle se disait qu'elle ferait mieux de retourner à Hollywood pour construire sa carrière, et Luddy représentait un bagage superflu. Lui-même était prêt à tout, à la suivre, ou à rester pour faire bouillir la marmite. Mais, à cette époque, Hepburn nourrissait de tendres sentiments envers Leland Hayward et ne supportait pas l'idée de continuer à « se servir » de Luddy. Celui-ci lui abandonna la maison de Turtle Bay sans pour autant renoncer à leur statut conjugal. Kate finit par prendre une décision : « Je fis un geste de générosité à l'égard de mon mari : j'entrepris de divorcer. »

En avril 1934, ils s'envolèrent avec Laura Harding pour Mérida, dans le Yucatán, au Mexique, et demandèrent le divorce.

Cinquante ans plus tard, alors que nous rangions la cuisine avant d'aller nous coucher, je lui demandai pourquoi elle s'était mariée avec Luddy – que je n'avais jamais rencontré. Après avoir donné un dernier coup d'éponge sur le comptoir, elle me regarda droit dans les yeux et me déclara sans l'ombre d'une hésitation :

— Parce que j'étais une garce.

Après ma première visite à Fenwick, j'avais passé presque toutes les soirées de la semaine avec Katharine Hepburn. Il me fallait retourner à Los Angeles où se trouvait l'essentiel de mes documents sur Goldwyn, et je devais mettre en forme l'interview pour *Esquire*. En me raccompagnant au bas des escaliers, en ce jeudi soir, elle me fit entrer dans la cuisine, et sortit une clef du tiroir de la table.

— Tenez, dit-elle en me la serrant dans la main. Vous reviendrez forcément à New York et il vous faudra trouver un hébergement. Les hôtels, c'est hors de prix, et puis c'est froid et impersonnel. Bon. Vous connaissez le chemin. On dîne toujours à sept heures et on prend l'apéritif à six. Si vous voulez partager notre repas, faites-le-nous savoir à trois heures. Il y a toujours un lit de libre à l'étage.

Elle ouvrit la porte, me suivit jusqu'à la petite grille de fer forgé donnant sur le trottoir et balaya du regard la Quarante-Neuvième Rue. Je me demandais si elle voulait qu'on la voie ou pas. Quelques maisons plus loin, je l'entendis crier :

— Faites-nous savoir quand vous revenez !

En me retournant, je vis plusieurs passants s'arrêter pour la dévisager. Ils avaient reconnu la voix.

Elle souriait.

# 5

## Le temps de l'arrogance

— Écoutez-moi ça, me dit Katharine au téléphone quelques jours plus tard en faisant tinter une cuiller contre une coupe de verre. Je suis juste en train de terminer une glace au caramel chaud sensationnelle. Dick a ajouté la dose exacte de café et réussi un parfait sundae. Il fait un temps de printemps magnifique et le soleil brille. Est-ce vous qui m'avez envoyé ce bouquet à New York, tout cet assortiment de lis et d'iris ?

— C'est moi.

— Désolée de vous remercier si tard. La carte était signée « votre partenaire au Parcheesi », et j'ai appelé Marion. Nous y jouions tous les jours pendant ma convalescence. C'était ma partenaire. Elle m'a dit ne m'avoir rien envoyé, j'ai donc compris qu'il s'agissait probablement de vous. Pour le coup, vous êtes franchement stupide car, au Parcheesi, vous êtes désespérant, parfaitement nul. Je n'y jouerai plus jamais avec vous.

— Attention, je vous prends au mot.

L'entretien téléphonique prit quelques minutes. Elle n'avait pas envie de raccrocher – moi non plus – et semblait prendre un étrange plaisir à ce simple petit échange. Elle avait mené, m'avait-elle expliqué, une vie sociale « très restreinte » pendant la plus grande partie de son existence d'adulte. Elle avait toujours cantonné ses relations à quelques amis sans trop bouger du même lieu de résidence. Depuis son accident, elle avait encore baissé le rythme de ses activités et avait reçu peu d'appels pendant sa longue conva-lescence à Fenwick. Elle aurait préféré un peu moins de tranquillité. Elle m'invita à l'appeler souvent, « si vous ne voulez pas que je meure avant votre prochain appel ! ».

Ce que je fis scrupuleusement les quinze années suivantes. S'il m'arrivait de tarder plus d'une semaine, elle me gratifiait d'un « je croyais que vous étiez mort ». Elle me demandait toujours quand je viendrais à New York et si mon travail avançait.

En fait, notre projet – l'interview pour le numéro du cin-quantième anniversaire d'*Esquire* – prit un drôle de tour. Dans la quinzaine qui suivit mon retour à Los Angeles, j'appris par hasard qu'*Esquire* avait commandé plusieurs articles sur d'autres person-nalités de Hollywood, telles que Gary Cooper et John Wayne, censées faire partie des « cinquante personnages ayant fait la différence ». Je n'avais pas forcément d'objection sur leur choix, mais, comme je le rappelai sur-le-champ aux responsables du magazine, l'argument qui avait décidé Miss Hepburn était préci-sément qu'*Esquire* l'avait assurée d'être la seule à représenter Hollywood.

— Vous n'avez qu'à ne rien lui dire, me conseilla le rédac-teur en chef.

Inacceptable. Sans compter, lui rappelai-je, que je n'avais reçu ni contrat ni à-valoir – autrement dit, légalement parlant, j'étais libre de tout engagement.

— Ce serait un manque flagrant de professionnalisme, insista-t-il.

— Que dire du manque de professionnalisme dont vous faites preuve en trahissant la promesse que vous avez faite à l'auteur et à la personnalité pressentie ? rétorquai-je.

J'expliquai la situation à Miss Hepburn lors de mon nouveau séjour à New York quelques semaines plus tard.

— Mais si vous ne livrez pas l'interview, vous ne serez pas payé, s'inquiéta-t-elle.

Je lui assurai que la somme qu'on me proposait ne pesait guère sur la décision à prendre.

— Bon, conclut-elle. Ce n'est pas comme si j'en avais besoin pour ma carrière.

La question était réglée.

Le verdict souleva la fureur chez *Esquire*. Mais leur indignation vira rapidement à un accès d'inventivité. Les quarante-neuf autres auteurs rendirent leur copie et Truman Capote, promu cinquantième, envoya un papier manifestement impubliable. Il leur fallait à tout prix son nom en couverture, et un article sur Hepburn. On lui avait donc demandé d'écrire quelque chose à son sujet. Il ne la connaissait pas mais se vantait d'une anecdote selon laquelle il lui aurait marché sur le pied lors d'une soirée théâtrale.

— Je vous avais averti qu'ils faisaient dans le sensationnel, me fit remarquer Kate quand je lui apportai un exemplaire du produit final, mais de là à se douter que c'était des crétins !

Le résultat de l'incident fut que ma cote monta sensiblement auprès de Kate.

Je me consacrais plus que jamais à mon livre sur Goldwyn. Je venais à New York cinq ou six fois par an pour interviewer les témoins de sa vie, ce qui me permettait de rendre souvent visite à Katharine. Elle voulait toujours que je lui raconte mes dernières interviews, ce que m'avaient dit « ceux d'autrefois ».

À court de projets, elle prenait plaisir à se mêler des miens. Au cours des sept années qui suivirent, elle me demandait régulièrement en quoi elle pouvait m'aider. Rétrospectivement, je peux dire que sa générosité à mon égard fut sans limites. Elle m'offrit son temps sans compter, vivre et couvert, confidences et montagnes de chocolats noirs (« les meilleurs du monde », prétendait-elle, venaient de chez Mondel, une petite boutique du nord de Broadway). Bref, elle devançait le moindre de mes souhaits. Je ne l'ai jamais sollicitée… sauf une fois. J'avais mené des dizaines et des dizaines d'interviews pour mon livre, mais une source majeure continuait de m'échapper. Je me suis dit que Kate – qui prétendait toujours pouvoir sortir des lapins de son chapeau – pourrait peut-être m'aider.

Irving Berlin avait été l'un des meilleurs amis de Samuel Goldwyn. J'avais écrit plusieurs fois à ce célèbre compositeur de chansons – qui avait plus de quatre-vingt-dix ans au début de mes recherches – dans l'espoir d'une interview. Sa fille aînée m'avait recommandé auprès de lui, ainsi que le fils de Goldwyn. Irene

Selznick m'invitait à me servir de son nom. Même le fidèle secrétaire de Berlin, avec qui je m'étais entretenu plusieurs fois, se proposa de défendre ma cause. Une rumeur sur la sénilité de Berlin m'était parvenue aux oreilles. Il vivait en pyjama, disait-on, au dernier étage de sa maison de Beekman Place, à regarder la télévision toute la journée sans parler à personne. Un jour, il m'appela pour me déclarer (avec le beuglement de la télévision en bruit de fond) qu'il était trop fatigué pour me voir et même seulement pour penser à toutes les parties de rami où il avait surpris Sam Goldwyn à tricher. Il raccrocha avant que j'aie eu le temps d'engager la conversation. C'était le moment de jouer mon atout.

— Kate, vous me demandez toujours en quoi vous pouvez m'aider. Eh bien, c'est peut-être possible. Connaissez-vous un moyen de me faire approcher Irving Berlin ?

Kate s'anima un instant à cette idée, avant de se composer une expression désolée :

— J'ai entendu dire qu'il est devenu comme Garbo et qu'il ne voit personne. D'ailleurs, je ne l'ai plus rencontré depuis la RKO, autrement dit depuis le milieu des années 1930.

— Je comprends. Cela dit, s'il vous vient une idée…

Le lendemain soir, au retour de mes rendez-vous en ville, Kate m'accueillit avec un grand sourire. Elle arborait une tenue élégante et s'était même légèrement maquillée et parfumée.

— Ah ! j'ai passé une journée passionnante, me déclara-t-elle en souriant jusqu'aux oreilles.

— Vraiment ?

En effet. Après le déjeuner, elle était allée à pied jusqu'au 17, Beekman Place, une maison de brique de style géorgien de cinq étages, tout près de chez elle, et avait appuyé sur la sonnette. Une domestique était venue lui répondre. Kate ne voulait pas déranger Mr. Berlin mais désirait seulement lui laisser un mot. La domestique lui proposa d'entrer. Non, elle voulait seulement savoir si Mr. Berlin allait bien. À ce moment-là, racontait Kate, une voix claire descendit des étages supérieurs :

— Kate, c'est toi ?

— Oui, Irving. C'est toi ?

Il lui demanda de patienter un instant, il descendait.

— Il paraissait en pleine forme, me dit-elle. Surtout pour un quasi-centenaire.

— À cent ans, répliquai-je, on paraît toujours en pleine forme, quel que soit son aspect.

— Non, continua-t-elle. Il avait l'air en bonne santé, était très soigné et élégamment vêtu.

Ils s'étaient installés au salon et elle avait entrepris d'expliquer sa mission – elle venait de ma part en espérant qu'il pourrait me recevoir. Il invoqua les crampes d'estomac que le seul nom de Sam Goldwyn lui infligeait (une maladie fréquente chez les amis de Goldwyn) et se voyait mal déterrer tout cela devant un biographe. Cela dit, il fallait que Kate reste prendre le thé. Et elle resta... plus de trois heures !

— Et il a été formidable, plein de vie, me racontant des tas d'anecdotes et de souvenirs. Nous avons parlé de la RKO en évoquant des choses auxquelles je n'avais plus pensé depuis les années 1930. Ce fut l'un de mes plus beaux après-midi. Seulement voilà, il refuse absolument de vous voir.

— Ah, fis-je. Je suis ravi d'être à l'origine de ces bons moments. L'avez-vous au moins fait parler de Sam Goldwyn ?

— Oh, oui. Il m'a raconté plusieurs histoires sur le vieux Sam, c'était très drôle, à mourir de rire, euh... au point que je n'arrive même plus à me souvenir d'une seule.

Le lendemain soir, je retrouvai Kate arborant le même sourire suffisant.

— Eh bien, j'ai passé une journée formidable.

Elle avait été si enchantée de l'hospitalité de Mr. Berlin qu'elle était passée chez lui déposer un bouquet de fleurs et un mot de remerciements. La porte s'était ouverte à nouveau et la voix d'en haut s'était fait entendre :

— Kate, c'est toi ?

Irving descendit et Kate resta trois heures, encore plus enivrée de souvenirs que la veille.

— Seulement voilà, fit-elle avec un grand éclat de rire, il refuse toujours de vous voir. Cela dit, je dois dire qu'il est absolument délicieux.

102

— Je vous remercie, vraiment.

Mis à part Irving Berlin, quelque cent cinquante personnes m'avaient parlé de Sam Goldwyn, dont Katharine Hepburn, forte de ses cinquante ans de carrière dans le cinéma, connaissait la plupart. Elle s'anima particulièrement quand je lui annonçai que je venais de rencontrer Joel McCrea, un ancien acteur vedette de Goldwyn. Elle aurait beaucoup aimé le revoir. Pourrais-je l'inviter chez elle la prochaine fois que je viendrais à New York ? Je transmettrais l'invitation, répondis-je, mais j'avais l'impression que lui et sa femme, Frances Dee, quittaient rarement la Californie.

— Mon Dieu, fit-elle. Dire que cela fait cinquante ans que ces deux-là sont mariés. C'était un couple adorable.

— C'est toujours le cas, dis-je, ayant pu voir Frances quand j'avais interviewé son mari dans son ranch. Elle a très belle allure et tous deux paraissent parfaitement heureux.

Hepburn se souvenait que McCrea avait toujours rêvé d'avoir un ranch – « et qu'il faisait du cinéma, disait-il, uniquement pour pouvoir s'en offrir un. C'est drôle, car je crois vraiment qu'il a été l'acteur le plus sous-estimé de son époque. Il savait tout faire. Il suffit de le voir dans ce truc de Hitchcock (*Correspondant 17*[1]), puis dans *La Chasse du comte Zaroff*[2]... et toutes ces comédies – dans le film de George Stevens (*Plus on est de fous*[3]), ceux de Preston Sturges (*Les Voyages de Sullivan* et *Madame et ses flirts*[4]). Et il fallait le voir à cheval ! Le problème était (un de ses mots fétiches qu'elle prononçait à sa façon, en accentuant également chaque syllabe), qu'il n'a jamais eu de studio derrière lui. Personne pour le présenter... pour le mettre en valeur. C'était très important à cette époque. Les grands studios soignaient la présentation des stars qu'ils lançaient, il vous fallait ce coup de pouce. Clark Gable et Joan Crawford en ont bénéficié. Ce n'étaient pas de

---

1. *Foreign Correspondent*, 1940, film d'espionnage dont l'action se passe en Europe.
2. *The Most Dangerous Game*, d'Ernest B. Shoedsack et Irving Pichel, 1932.
3. *The More the Merrier*, George Stevens, 1943.
4. *Sullivan's Travels*, 1941, et *The Palm Beach Story*, Preston Sturges, 1942.

grands acteurs, mais de fortes personnalités qui avaient les grands studios derrière eux. »

— Qui sont les grandes vedettes masculines d'aujourd'hui ? me demanda-t-elle en guise conclusion.

— Pacino, Hoffman, De Niro, Stallone…

— Voilà. C'est ça, le problème. Les vieux, les Gable, Cooper, Jimmy, Bogie et Spence, eh bien, ils savaient monter à cheval… porter une queue-de-pie et une cravate blanche. Dites-moi qui est capable de ça, aujourd'hui ?

« Et qui d'autre avez-vous vu ? » demandait Kate quand la conversation retombait. Sa voix vibrait alors d'un soupçon de convoitise. J'avais l'impression qu'elle ne voulait pas seulement savoir qui je voyais, mais quelle personne de sa génération était encore en vie ou en activité. Elle se plaisait à me fournir des descriptions concises, des fragments d'époque susceptibles d'étayer le livre, autant de détails aussi éclairants qu'amusants.

— Joel m'a conseillé d'aller voir Barbara Stanwyck, lui dis-je.

— C'est qu'ils ont vraiment le même problème, non ? Je veux dire qu'elle était une actrice à son compte, elle courait le cachet et, à ses débuts, elle n'avait pas le soutien d'un grand studio. Elle avait beaucoup de cordes à son arc – pas le style à interpréter des rôles classiques mais des mélodrames ou de la comédie légère. Elle savait faire rire. Et elle savait faire pleurer. Évidemment, Chaplin, lui, vous faisait pleurer et rire en même temps.

Garbo avait toujours été la star favorite de Hepburn.

— Je crois que c'était une très grande actrice. Et même plus. Il émanait d'elle tant de mystère ! Dès qu'elle apparaissait sur l'écran, il était impossible d'en détacher le regard. On voulait tout savoir sur elle, et on savait qu'elle ne livrerait rien. C'est ça une star de cinéma. Et nous voulions toutes être une star, ajoutait-elle en faisant allusion aux milliers de filles qui prenaient le train ou le bus pour Hollywood en espérant se lancer.

Katharine Hepburn retourna à Hollywood au printemps 1934. Elle pouvait compter sur un contrat pour six films avec la RKO. Le plus petit des grands studios mais aussi le plus fertile, la RKO tirait parti de budgets chétifs, de jeunes talents, de scénarios originaux et de ses succès récents comme les premières comédies musicales de

Fred Astaire et de Ginger Rogers (« Fred donnait à Ginger de la classe, Ginger rendait Fred séduisant », observait Kate avec finesse), *Les Quatre Filles du docteur March*, et *King Kong*[1]. Elle revint également vers Leland Hayward, qu'elle appelait son *beau*[2], un des hommes les plus élégants de Hollywood. Son expérience théâtrale avec Jed Harris la poussa à renouveler son jeu cinématographique avec encore plus de détermination. Hepburn était de retour, avec une revanche à prendre – ce qui, malheureusement, ne passait pas toujours inaperçu.

La RKO crut reproduire le triomphe des *Quatre Filles du docteur March* en faisant jouer Hepburn dans *The Little Minister*[3]. Comme le film précédent, celui-ci s'inspirait d'un classique de la littérature du XX<sup>e</sup> siècle, un roman et une pièce de théâtre de sir James M. Barrie. À l'exception de George Cukor, remplacé par Richard Wallace pour l'occasion, le gros de l'équipe précédente s'associa au projet. Ce furent également les Heerman qui écrivirent l'adaptation cinématographique – une histoire d'amour dont l'héroïne était une jeune femme, Lady Babbie, qui s'esquivait du manoir de son tuteur déguisée en bohémienne pour se mêler aux pauvres tisserands du village écossais d'Auld Licht Kirk, et finissait par tomber amoureuse du pasteur.

Le film ne remporta pas le succès espéré ni, selon Miss Hepburn, celui que le sujet « méritait ». Elle était persuadée que la présence de George Cukor aurait changé la donne, mais il avait été pris cette année-là par la réalisation d'un grand classique, *David Copperfield*. La star finit par endosser la responsabilité de l'échec de *The Little Minister* – en grande partie parce qu'elle n'avait pas été franchement emballée par le rôle principal.

« La raison essentielle pour laquelle j'avais accepté le rôle, avouerait-elle, était que j'avais entendu dire que Ginger Rogers le voulait, que le studio me préférait et que j'étais capable de faire mieux qu'elle. Un motif I-Gnoble. J'en meurs encore de honte. »

---

1. De Merian C. Cooper et Ernest B. Shoedsack, 1933.
2. En français dans le texte.
3. De Richard Wallace, 1934. Pas de version française.

Cela dit, elle était persuadée qu'un metteur en scène suffisamment ferme aurait refréné son « maniérisme » : « Je trouvais mes mains si belles qu'elles en devinrent le personnage principal. C'était très bizarre. »

En voyant le film, aujourd'hui, on s'aperçoit que Katharine Hepburn a la mémoire fidèle. À chaque plan, ce n'est que jeu de mains jointes, entrecroisées, levées, virevoltantes. Au-delà de ce détail, le rôle exigeait de la fantaisie, de la légèreté, en vérité, des doigts de fée. Or, convenait Hepburn, « je suis sans doute trop terre à terre pour ce genre de choses ». Elle avait pris un accent écossais qui allait et venait au gré des scènes et la faisait monter dans les aigus de façon désagréable.

Elle passa directement au tournage du film suivant, un mélo intitulé *Cœurs brisés*[1], à juste titre tombé dans l'oubli. Les rôles avaient été étudiés sur mesure pour Hepburn et John Barrymore – elle comme jeune compositrice et lui comme chef d'orchestre alcoolique. Cette fois, c'était elle qui occupait la tête d'affiche. Barrymore finit par refuser de jouer dans ce drame sentimental qui échut à Charles Boyer, un des rares acteurs français à s'être hissés au rang de vedette hollywoodienne et de grand séducteur – à l'écran comme ailleurs. On glosa immédiatement sur leur liaison présumée. Kate démentirait la rumeur tout en précisant que ce n'était pas faute d'avoir essayé. Le film fut descendu par la critique et fit peu d'entrées. C'était « une erreur, dirait-elle. J'avais le sentiment de faire du surplace à Hollywood, je pensais que si ma carrière n'avançait pas, je serais larguée. En somme, j'avais fait le film faute de mieux. Ce qui n'est jamais judicieux ».

Au moment où le public commençait à se détourner d'elle, un des rôles les plus fascinants jamais écrits pour le cinéma se présenta. À la fin du tournage de *Cœurs brisés*, la RKO s'employa à adapter un roman de Booth Tarkington, *Alice Adams*[2], qui avait déjà fait l'objet d'un film muet à succès. L'héroïne, une jeune provinciale

---

1. *Break of Hearts*, de Philip Moeller, 1935.
2. *Alice Adams* (*Désirs secrets* dans la version française).

ambitieuse du Midwest, tombe amoureuse d'un bel homme au-dessus de sa condition.

Le personnage, disait Kate, était « adorable et piquant, bref, un rôle en or. J'avais lu Tarkington étant plus jeune et j'ai toujours pensé que c'était un remarquable écrivain, doué d'une grande sensibilité et d'un sens aigu de l'observation sociale. Je trouvais que le script avait bien saisi le désir désespéré d'Alice d'être plus que ce qu'elle était, sa façon de viser trop haut... Elle s'était lancée dans une course au-dessus de ses forces. Évidemment, c'était grisant de jouer un personnage qui ne savait pas, contrairement au public, que l'entreprise était sans espoir. Plus Alice s'acharnait, plus elle devenait déchirante ».

L'attrait du rôle, pour Hepburn, c'était son humour tout en finesse, territoire où elle se sentait imbattable à Hollywood. Pour cela, il fallait un metteur en scène à la veine comique. Kate y tenait. Le studio s'apprêtait à confier le film à William Wyler, un nouveau venu qui s'était révélé en travaillant pour Samuel Goldwyn, surtout dans des drames sociaux. Mais Hepburn était réticente et cherchait à gagner du temps. Son ami Eddie Killy, qui avait fait fonction d'assistant dans presque tous les films de la RKO, lui recommanda un jeune réalisateur nommé George Stevens. Il était entré dans la profession en travaillant comme opérateur pour Hal Roach, le roi des courts métrages comiques, et venait de diriger un épisode d'une série satirique mettant en scène deux familles, les Cohen et les Kelly. Hepburn voulut le rencontrer.

« Franchement, au premier abord, c'était un drôle d'oiseau, me raconta-t-elle en parlant de Stevens, un homme imposant au visage marqué et aux manières distantes. Il ne disait quasiment rien. Au début, j'hésitais entre le considérer comme un idiot parfait ou un génie plongé dans l'étude de ses semblables. »

Toujours est-il que son choix se fit au tirage au sort. Enfin presque. Pan Berman lança une pièce de monnaie qui tomba côté face – Wyler. Berman et Hepburn se regardèrent. On recommence ? Kate acquiesça : « J'avais le sentiment que George était quelqu'un de fort, avec le sens de l'humour. En gros, dirais-je, nous l'avons engagé sur un pressentiment qui se révéla prophétique. »

L'intuition de Katharine Hepburn n'était pas entièrement d'ordre professionnel. Elle avait beau se dire que sa liaison avec Leland Hayward devenait sérieuse – au point de leur faire envisager le mariage –, elle se sentait de plus en plus attirée par d'autres hommes, en particulier par les metteurs en scène. La tension qui s'installe entre l'homme qui dirige et la femme qui interprète prend souvent une connotation sexuelle. Hepburn semblait peu sujette à ce genre de syndrome. Pourtant, au cours du tournage d'*Alice Adams*, l'entourage ne put longtemps ignorer qu'il se passait quelque chose entre Stevens et Hepburn.

C'était une incroyable confrontation amoureuse à coups de duels passionnels qui n'avaient rien à voir avec les joutes facétieuses entre Kate et Cukor. « Nous étions deux fortes têtes, disait Kate à propos de ce premier film avec George Stevens. Je paraissais dominer parce que j'étais plus connue que lui et que, pour ainsi dire, il me devait son engagement. Mais George avait le dessus parce que, somme toute, c'était lui le metteur en scène, qui plus est de l'espèce la plus coriace. Il ne cédait jamais. Il nous fit reprendre une scène près de quatre-vingts fois (le beau Fred Mac-Murray, si accommodant, tenait le premier rôle masculin). »

Pour Stevens, ces confrontations ne se réduisaient pas à de simples querelles d'amoureux. « En fait, George était un metteur en scène remarquable, affirmait souvent Kate. Il ne s'agissait pas pour lui d'exercer un pouvoir personnel. Il avait le sentiment d'être en situation, de vraiment m'apporter quelque chose. J'avais eu des succès, mais j'étais encore novice dans le métier. Il estimait que, sous sa direction, je pouvais faire des progrès sans forcément devenir une autre, que je pouvais rester la même avec quelque chose en plus ».

C'était particulièrement évident dans une des scènes les plus célèbres du film : Alice revient d'un bal où elle a essuyé une série d'humiliations ; elle a eu le cran de rester digne toute la soirée ; elle rentre sous la pluie, donne quelques légers coups à la porte de ses parents pour leur faire savoir qu'elle est de retour et fonce dans sa chambre où elle fond en larmes.

Hepburn avait prévu de se jeter sur le lit et d'étouffer ses larmes sur un oreiller. Stevens estima avoir une meilleure idée :

faire un de ces gros plans dont il avait le secret sur le visage d'Alice tout contre la fenêtre battue par la pluie, de sorte que les gouttes de pluie sur la vitre fassent écho aux larmes sur ses joues. L'idée plut à Hepburn. Mais, au moment de tourner la scène, pas moyen de sortir une larme. Elle affirma, à l'époque, que l'eau ayant traversé les fissures de la fausse fenêtre, elle était frigorifiée. Elle tenta de reprendre la scène à plusieurs reprises, mais sans effet. Du coup, au lieu de reconnaître qu'elle butait sur une technique de jeu, elle prétendit que le problème venait de la mise en scène. Non seulement, disait-elle, elle se voyait mieux jouer la scène effondrée sur le lit mais le fait de cacher ses larmes correspondait mieux au caractère d'Alice.

Le metteur en scène et l'actrice s'affrontèrent. Alice ne pouvait s'empêcher de pleurer, c'était évident, rétorquait-il. Celle qui réprimait ses larmes, c'était Katharine Hepburn ! La mauvaise foi de Kate finit par entamer son flegme habituel et il piqua une colère dont la violence terrifia l'actrice. Le résultat fut qu'elle rejoua la scène à la fenêtre – en larmes. « Ce fut un plan merveilleux, se rappelait Kate un demi-siècle plus tard, mais seulement parce que j'ai cru qu'il allait me tuer. »

*Alice Adams* eut un énorme succès et devint l'un des films cultes de Hepburn. Le film comme l'actrice furent nominés. L'oscar du meilleur film de l'année fut attribué cette année-là aux *Révoltés du Bounty*[1] et Bette Davis remporta celui de la meilleure actrice pour *L'Intruse*[2]. Mais *Alice Adams* était encensé par la critique. Et Katharine Hepburn apparaissait dans presque toutes les scènes du film, ce qui lui assura la faveur du public et son statut de star. Au point que le producteur Pandro Berman, contaminé par l'engouement général, lui demanda de choisir elle-même son prochain film.

Le grand copain de Hepburn, George Cukor – qui venait de sortir trois grands succès consécutifs –, avait eu le coup de cœur pour un roman de Compton Mackenzie intitulé *The Early Life and Aventures of Sylvia Scarlett*. C'était l'histoire picaresque, pleine

---

1. *Mutiny on the Bounty*, de Frank Lloyd, 1935.
2. *Dangerous*, d'Alfred E. Green, 1935.

de rebondissements, d'une jeune fille qui se déguise en garçon afin de pouvoir escorter son père, un escroc en cavale. Leurs aventures les font croiser la route de toutes sortes de personnages hauts en couleur, dont un voyou londonien. Hepburn trouvait le livre « remarquable » tout en ayant du mal à en imaginer l'adaptation cinématographique, mais Cukor avait de l'enthousiasme pour deux. Les deux compères annoncèrent le projet à Pandro Berman, qui ne fut pas en mesure de les en dissuader.

L'intrigue, ses rebondissements et les malentendus suscités par l'ambiguïté sexuelle de l'héroïne n'avaient pas d'équivalent à l'écran. Hepburn se fit couper les cheveux comme un garçon, ce qui ne passait pas inaperçu. Mais, conviendrait-elle, « il ne suffit pas de se faire remarquer pour être bon ». À son avis, le seul membre de la distribution qui tirait son épingle du jeu était le jeune acteur qui interprétait le mauvais garçon du Londres populaire – Archibald Leach, alias Cary Grant. Celui-ci avait déjà tourné dans une vingtaine de films au cours de ses trois premières années à Hollywood sans avoir encore atteint son profil cinématographique. Dans *Sylvia Scarlett*, il était beau mais un peu rondouillard et, au lieu d'adopter ce ton sec de dandy britannique qui le rendrait célèbre et que tant d'autres essaieraient d'imiter, il parlait couramment le cockney[1], en réalité plus proche de sa langue maternelle[2]. Katharine Hepburn ne s'était jamais autant amusée sur un plateau. Elle se lia vite d'amitié avec cet ancien amateur de « danse acrobatique » de Bristol, qui savait si bien troquer sa gouaille contre un charme tout aristocratique. De fait, il deviendrait le symbole de l'élégance courtoise version XXe siècle.

Selon Kate, le film était « très mauvais ». Avant même qu'il passe en salle, tous ceux qui y avaient participé savaient qu'il ferait un « four ». À la suite d'une avant-première présentée dans le quartier de Huntington Park, Pan Berman vint chez George Cukor annoncer le désastre au réalisateur et à la star. Ils le supplièrent tous les deux d'oublier le film en lui promettant d'en

---

1. Le parler et l'accent du Londres populaire. *(N.d.T.)*
2. Cary Grant était originaire de Bristol, en Grande-Bretagne. *(N.d.T.)*

tourner un autre pour lui gratuitement. « Je vous en prie, répondit Berman. Ce n'est pas la peine. »

Tout en restant une amie proche de Cukor, Hepburn s'éloigna de lui pour un temps, du moins sur le plan professionnel. Elle tourna ses trois films suivants sous la direction de réalisateurs plus tapageurs, qui avaient en commun de ne pas être particulièrement heureux en mariage. John Ford, l'un des plus brillants réalisateurs de Hollywood venait d'obtenir un succès fulgurant avec *Le Mouchard*[1]. Il fut engagé pour la mise en scène de *Marie Stuart*[2], une pièce à succès de Maxwell Anderson interprétée à Broadway par Helen Hayes.

Une fois de plus, Hepburn n'était pas emballée par le rôle-titre. « Je la trouvais idiote et j'aurais préféré jouer Élisabeth, le personnage fort. » Mais c'était un tremplin pour une star, sans compter que c'était l'occasion de travailler avec « Jack » Ford dont elle avait fait la connaissance les années précédentes. Frederic March, l'une des vedettes masculines les plus polyvalentes de Hollywood, interprétait l'époux et protecteur de Marie, James Hepburn, comte de Bothwell, un lointain ancêtre de la famille Hepburn.

Il ne fut pas facile de trouver quelqu'un pour interpréter Élisabeth. Bette Davis voulait le rôle, mais le studio qui l'employait, Warner Brothers, avait pour règle de ne la céder à personne. Elle donnerait sa propre version, inoubliable, de la grande reine pour ledit studio juste trois ans plus tard. Même Ginger Rogers se mit sur les rangs, voulant à tout prix montrer à ses patrons qu'elle pouvait jouer des rôles dramatiques : « Vous imaginez ça, me fit Kate un soir en prenant une pose outrée. La reine vierge ! »

À un moment donné, Hepburn – que des plaisantins avaient déjà adoubée « reine de l'arrogance » – proposa de jouer les deux rôles. « Mais si tu joues les deux rôles, objecta John Carradine, un acteur fétiche de John Ford qui interprétait dans le film un personnage secondaire, comment sauras-tu à qui faire de l'ombre ? »

Hepburn, à l'époque, n'apprécia pas la drôlerie du commentaire. Bien plus tard, elle rirait aux éclats en le répétant.

---

1. *The Informer*, 1935.
2. *Mary of Scotland*, 1936.

Ford se désintéressa du projet bien avant la fin du tournage. La mise en scène, la photographie et le décor étaient excellents, mais il ne s'était pas fatigué à donner de l'étoffe aux personnages, réduisant les acteurs – y compris Florence Eldrige, à la ville Mrs. March, qui interprétait Élisabeth – à des figurants d'apparat. Un jour, Ford sortit désespéré du plateau en demandant à Hepburn de prendre elle-même la direction de la scène. Le résultat final, selon Kate, « fit un gros bide ».

Cela dit, John Ford – dont le vrai nom était Sean Aloysius O'Fearna – ne perdit pas de vue sa vedette. Cet Irlandais dépressif aux cheveux roux aimait la bouteille et s'entendait mal avec sa femme. Il adorait par-dessus tout naviguer sur son ketch, l'*Araner*, avec quelques copains, des jeunes femmes amusantes et beaucoup d'alcool. Il trouva Katharine Hepburn encore plus enivrante que tout le reste. S'il la traitait de haut sur le plateau, en privé, il filait doux. Il était subjugué par son énergie, son dynamisme et son amour de la vie. Elle l'appelait Sean et voyait en lui un personnage plutôt tragique, livré à ses démons – qui semblaient disparaître dès qu'il était en mer. Elle l'accompagna souvent sur l'*Araner*. Alors qu'il avait l'habitude de clore chaque tournage par une longue croisière bien arrosée, il célébra la fin de celui de *Marie Stuart* dans une retraite plus hygiénique, Fenwick. Une idylle se nouait.

*Marie Stuart* fit un flop et Hepburn enchaîna sur *La Rebelle*[1], un drame victorien en costumes dont l'héroïne, fille mère et éditrice d'un journal féministe, transgresse les conventions de sa classe. Mark Sandrich, qui avait dirigé les comédies musicales de Fred Astaire et de Ginger Rogers, eut la main particulièrement lourde. « Le film fut une erreur, disait Kate, où tout le monde avait sa part de responsabilité, à commencer par moi qui tenais le rôle principal. »

Elle enchaîna sur « un désastre », une nouvelle tentative pour retrouver le charme des *Quatre Filles du docteur March* – d'après une autre pièce de James M. Barrie intitulée *Pour un baiser*[2]. La

1. *A Woman Rebels*, de Mark Sandrich, 1936.
2. *Quality Street*, de George Stevens, 1937.

mise en scène de George Stevens fut inhabituellement laborieuse et dépourvue de sa fantaisie coutumière.

« Cela faisait quatre navets d'affilée, et je me dis qu'il était temps de m'éloigner un peu de Hollywood. »

Ses récents échecs n'étaient pas seuls en cause. Elle avait cru gagner sur les deux tableaux – d'un côté elle vivait avec son amant de cœur, de l'autre elle s'offrait des incartades –, mais elle allait découvrir qu'elle nageait dans l'illusion. « Je vivais comme un homme, pourrait-on dire », commenterait-elle.

Jusqu'à ce que son amant de cœur la laisse tomber. Leland Hayward avait passé beaucoup de temps à New York, cette année-là. Il s'y occupait de sa cliente Edna Ferber, qui venait d'écrire avec George S. Kaufman une pièce à succès intitulée *Stage Door*[1]. Margaret Sullavan tenait le rôle principal. Celle-ci était une star montante du cinéma, une femme incandescente qui avait déjà eu deux maris, Henry Fonda et William Wyler, sans parler de sa flamboyante idylle avec Jed Harris.

« Bref, Ferber et Kaufman, c'était le gratin de Broadway, et Margaret Sullavan, c'en était la crème. Quant à Leland, eh bien, il a toujours été gourmand. » Ce qui ne l'empêchait pas d'affirmer encore vouloir épouser Hepburn.

En novembre 1936, Kate dînait chez George Cukor quand elle entendit à la radio que Leland Hayward venait d'épouser Margaret Sullavan. Un télégramme suivit. Elle eut un moment de détresse – jusqu'à ce que sa mère lui fît comprendre que seul son amour-propre avait été atteint et qu'elle n'était pas femme à souffrir de l'annulation d'un projet matrimonial. Kate envoya aux nouveaux mariés un télégramme de félicitations et apprit de la bouche même de son ex-agent artistique que la mariée était enceinte le jour des noces : « C'était simple, m'expliqua Kate, elle l'avait piégé. »

J'ai toujours entendu Kate parler de Leland Hayward avec affection. Il le lui rendait bien. La troisième femme de Hayward, l'ex-Pamela Churchill, dont je ferais ultérieurement la connaissance

_____

1. *Pension d'artistes.*

alors qu'elle était mariée à l'ambassadeur Averell Harriman, un ami de Sam Goldwyn, me confirmerait les sentiments de Leland envers Kate. Elle me raconterait – Kate s'en souvenait – qu'elle l'avait appelée au moment de l'agonie de Leland Hayward. « C'est vous qu'il a le plus aimée, lui avait-elle dit. Il est en train de mourir. Voulez-vous venir le voir ? » Kate avait accepté. Elle pensait que Pamela Digby Churchill Hayward Harriman avait exagéré les sentiments de son second mari afin de la faire venir au chevet du mourant. « C'était le secret de son succès auprès des hommes. Elle savait leur faire plaisir, et elle aurait fait n'importe quoi pour son mari, pardon, ses maris ! »

Kate ne sous-estimait pas sa liaison avec Leland Hayward. Ils avaient conscience d'avoir vécu ensemble des jours merveilleux, sans règles et loin de toute réalité : « Nous étions deux ballons d'hélium qui ont fini par éclater. »

Tout en souhaitant s'éloigner de Hollywood, Hepburn savait qu'elle n'avait plus « la cote » à Broadway. Le remugle de *The Lake* persistait. Elle se réfugia dans la Theatre Guild, une troupe dont l'un des fondateurs, Theresa Helburn, la voulait comme premier rôle dans une version de *Jane Eyre*. Kate avait quelques doutes au sujet de la pièce, mais la compagnie lui plaisait et elle misa sur une tournée. Après une série de représentations à Boston et Chicago, l'actrice et les producteurs se heurtèrent à l'auteur, qui refusait de faire les modifications nécessaires. Si Hepburn avait appris quelque chose les deux années précédentes, c'était qu'elle ne devait pas se produire quand son instinct lui disait qu'elle faisait fausse route. Ne pouvant s'offrir le luxe d'une nouvelle bourde, elle décida de ne pas jouer la pièce à Broadway.

Hepburn s'était délibérément mise en situation délicate. Elle s'était forgé une carrière en n'acceptant que des premiers rôles mais ceux-ci, l'année écoulée, n'avaient guère convaincu le public. Elle ne pouvait s'en prendre qu'à elle-même pour ses échecs passés, et rien ne se profilait dans l'avenir.

Dans ces conditions, la plupart des studios avaient quelque raison de se détourner d'elle. Mais Pandro Berman réussit à convaincre la RKO de la relancer. Le studio venait d'acquérir les droits sur *Pension d'artistes*[1], qui pouvait faire l'affaire dans la mesure où elle ne porterait pas tout le film sur les épaules. Pour Hepburn, c'était mettre du sel sur ses blessures. Tout d'abord, il lui fallait jouer le rôle créé par Margaret Sullavan. Pis, elle devait partager la tête d'affiche. Le sujet mettait en scène un groupe d'actrices débutantes vivant ensemble dans une pension pour artistes. En réalité, l'objectif de la RKO était de mettre sur un piédestal son autre star, Ginger Rogers, « dont l'étoile montait », au moins autant que de venir au secours de Hepburn, « dont l'étoile déclinait ». Le rôle de Kate était celui de Terry Randall, une fille de bonne famille prétentieuse et autoritaire qui s'installe dans la pension par curiosité, à seule fin de voir en quoi consistent la vie d'actrice et ses souffrances, et qui se découvre une véritable comédienne.

Le réalisateur Gregory La Cava, connu pour son problème d'alcool, venait de remporter un succès foudroyant avec une étourdissante comédie mondaine, *Mon homme Godfrey*[2]. La RKO lui confia, pour *Pension d'artistes*, un lot de jeunes talents : Lucille Ball, Eve Arden, Ann Miller et Gail Patrick. Constance Collier jouait le personnage tragi-comique de la propriétaire mère poule (qualité qu'elle continuerait d'assumer dans la vie de Hepburn). Adolphe Menjou tenait le rôle d'un producteur de Broadway non sans rapport avec celui qu'il avait joué dans *Morning Glory*. La très émouvante Andrea Leeds – la mort de son personnage permettait à Terry Randall de participer au spectacle final – avait été empruntée à Samuel Goldwyn. Toute la distribution s'était entraînée sur le texte de base de Kaufman-Ferber, transposé pour l'écran par Morrie Ryskind et Anthony Veiller, ce qui n'empêchait pas La Cava de prendre des libertés et d'improviser sans cesse sur le script.

Au cours des deux premières semaines de tournage, Hepburn eut le sentiment de faire de la figuration. Elle se contentait de regarder les autres lui ravir la vedette. Elle finit par s'adresser à Pan Berman :

---

1. *Stage Door*, de Gregory La Cava, d'après la pièce d'Edna Ferber et George S. Kaufman, 1937.
2. *My Man Godfrey*, 1936.

— Qu'est-ce que je suis censée faire ? Je ne sais rien de mon personnage.

— Écoute, Katharine, lui répondit Berman, tu as la chance de jouer un petit rôle dans un film à succès. Pour une fois, tais-toi et fais ce qu'on te dit.

Elle convenait qu'il avait raison... sans rendre les armes pour autant. Elle alla voir La Cava – dont l'alcoolisme l'effraya au premier abord, avant qu'elle s'aperçoive qu'il y puisait « son merveilleux talent artistique ».

— Qui suis-je, Gregory ? demanda-t-elle. C'est qui, ce personnage de Terry ? Je ne sais pas qui je suis censée interpréter.

— Kate, Terry est le point d'interrogation de la condition humaine.

Hepburn hocha la tête d'un air entendu et partit. Elle revint un instant plus tard :

— Mais qu'est-ce que ça veut dire ?

— Kate, je n'en sais fichtrement rien.

Tout ce qu'elle savait, c'était qu'elle tenait là sa dernière chance de sauvegarder son statut de star. Elle fit preuve de suffisamment d'humilité pour tenir sa langue et jouer sans en faire trop, laissant les autres briller autour d'elle. Après l'avoir observée pendant quelques semaines, La Cava fut enfin capable de répondre à la question de l'actrice ; il se servit de son sentiment d'exclusion et d'humiliation pour modeler le personnage. Il lui donna de l'envergure – Terry Randall devenait une actrice inspirée, une artiste assez passionnée pour, en fin de spectacle, risquer un discours et tendre la main à ses compagnes de scène. Kate avouerait qu'elle avait été d'autant plus « terrifiée » par l'improvisation permanente qui régnait sur le plateau que son rôle était un reflet de sa propre vie.

Afin d'aider Hepburn à surmonter ses échecs, La Cava décida que la pièce dans la pièce, le spectacle qui vaut à Terry Randall un triomphe, serait *The Lake*, le plus noir souvenir de l'actrice.

— C'est une merveilleuse idée, lui ai-je dit aussitôt. Cela me permettait de reprendre les pires instants de mon expérience théâtrale pour en faire un moment de bonheur.

L'instinct de La Cava ne l'avait pas trompé. Le public se souviendrait à jamais de la tendresse, sans une once d'autodérision, avec laquelle Hepburn prononçait les paroles fatidiques : « Les lis sont à nouveau en fleur...[1] ».

Le film fut sélectionné pour les oscars mais fit relativement peu d'entrées, quoique couvrant les frais. Les experts de la profession imputèrent le modeste succès financier à Katharine Hepburn. Estimant qu'elle faisait sa rentrée sur la base d'une impopularité notoire, la RKO se dit que le meilleur moyen de renverser la tendance était de la faire rebondir encore plus haut. Ils la mirent au générique d'une farce intitulée *L'Impossible Monsieur Bébé*[2].

Comme la plupart des « comédies loufoques », l'intrigue de cette histoire d'amour farfelue transgressait les frontières sociales et les rôles sexuels traditionnels. Une héritière opiniâtre se jette à la tête d'un paléontologiste qui, dans l'aventure, perd un important fossile de dinosaure et gagne un jeune léopard apprivoisé baptisé Baby. Howard Hawks, qui jusque-là s'était fait un nom avec des films d'action, dirigea cette comédie de main de maître. Elle servirait de modèle à la plupart des bons films de sa carrière. Il aimait que ses premiers rôles masculins soient séduisants et gentils, ses premiers rôles féminins vaguement androgynes, volubiles et dominants. Les scènes devaient conserver un rythme échevelé jusqu'à ce que les différents fils de l'intrigue se mettent en place.

« À l'époque, j'étais physiquement très résistante, disait Kate, ce qui me permettait d'être très bonne dans des comédies burlesques, car je maîtrisais parfaitement mes mouvements. Et ma réputation d'arrogance faisait que le public se réjouissait à l'avance de me voir rouler dans la boue ou déchirer ma robe. »

---

1. La fameuse phrase que le jour de la première de *The Lake*, en 1933 à Broadway, Katharine Hepburn avait attaquée avec un débit beaucoup trop rapide et en haussant démesurément le ton : « *Les lis sont à nouveau en fleur. Quelles fleurs étranges. Je les portais le jour de mon mariage. À présent je les dépose ici, en mémoire de quelqu'un qui a disparu.* » C'est ce qui lui avait valu la phrase assassine de la critique Dorothy Parker : « *Allez voir Katharine Hepburn décliner la gamme des émotions de A à B.* » *(N.d.T.)*

2. *Bringing Up Baby*, de Howard Hawks, 1938.

Cary Grant, après *Cette sacrée vérité*[1], était devenu le jeune premier de comédie le plus couru de Hollywood. Il trouvait dans le personnage de David Huxley, le professeur aux faux airs de Harold Lloyd, un rôle à sa mesure. « Nous étions tous deux excellents, observerait Kate, car nous donnions l'impression de nous amuser follement – ce qui était le cas. »

*L'Impossible Monsieur Bébé*, malgré ses scènes d'anthologie, dont celles où s'illustraient des acteurs de composition bien connus comme Charles Ruggles, Walter Catlett et Fritz Feld, fut un échec au box-office. Pour expliquer le désastre, on avancerait que le film était une « comédie loufoque » de trop, tombant en un moment où le public frappé par la crise économique en avait assez de contempler les frasques des riches. Mais les grands classiques du genre sortiraient les trois années suivantes. La vérité était plus cruelle : le public se détournait de la star.

C'est du moins ce que pensait quelqu'un comme Harry Brandt, le président de The Independent Theatre Owners of America[2]. Parlant au nom des hommes d'affaires dont les salles de cinéma étaient indépendantes des grandes chaînes de studios, il publia la liste des actrices qu'il qualifiait de « poisons du box-office », dont Greta Garbo, Marlene Dietrich, Joan Crawford et Katharine Hepburn. Il en avait même fait afficher la liste un peu partout. Les seuls noms de ces actrices faisaient fuir les investisseurs hors des salles de théâtre, affirmait Brandt, qui demandait aux gros bonnets de la production d'arrêter de servir de tremplin à des stars aussi minables.

Personne, à la RKO, n'était en mesure de le contredire. Deux ou trois réussites sur quinze films ne justifiaient pas des mises de fonds supplémentaires. Cela faisait cinq ans que Hepburn se survivait en tant que star, un score passable, mais qui ne méritait pas d'en faire un monstre sacré. Quand il lui proposa de jouer dans un film de série « B », *Mother Carey's Chickens (Les Poules de la mère Carey)*, le studio ne s'intéressait manifestement plus à elle. Hepburn se refusa à fusiller sa carrière et racheta le reste de son

1. *The Awful Truth*, de Leo McCarey, 1937.
2. Les Exploitants du théâtre indépendant d'Amérique.

contrat avec la RKO pour deux cent mille dollars, ce qu'elle put se permettre grâce à la prudence de son père, qui avait pris soin de placer les mirobolants cachets de sa fille.

George Cukor intervint avec une offre digne de considération. La Columbia Studios, cousine pauvre des grandes maisons de production, venait d'acquérir auprès de la RKO un paquet de vieux scénarios, dont les droits de *Vacances*[1] (qui avait inspiré un précédent film, en 1930). Le directeur de la Columbia, Harry Cohn, engagea Cukor pour la réalisation du film en pensant à Irene Dunne pour le rôle de Linda Seton, cette jeune fille têtue qui séduit le fiancé de sa sœur, une mondaine. Cukor plaida vigoureusement pour Katharine Hepburn et Cary Grant. Son enthousiasme emporta le morceau, une fois de plus.

« Harry Cohn avait la réputation d'être un sale type, me dit Kate, mais, mis à part quelques écarts de langage, il s'est toujours comporté en gentleman avec moi. Mieux, il a misé sur moi. Il était au courant de mon désolant palmarès, ce qui ne l'a pas empêché de me faire confiance. »

Kate estimait que sa prestation dans *Vacances* était une des meilleures de sa carrière, en tout cas ce qu'elle avait fait de mieux avec Cary Grant. Il leur avait suffi de deux prises de vues pour jouer de façon parfaitement synchrone. Tous deux, à l'image de leurs personnages, prenaient un plaisir fou à tourner en dérision les prétentions de la haute société.

« Cela, se rappelait Kate, c'était avant que Cary devienne riche, quand il devait encore gagner sa vie et trouvait cela amusant. »

Dix ans après avoir servi de doublure à Hope Williams dans le rôle de Linda Seton, Hepburn s'appropria définitivement le personnage. Sa prestation cinématographique était à la fois touchante et drôle, et le couple d'équilibristes virtuoses qu'elle formait avec Cary Grant irrésistible. Donald Ogden Stewart, qui avait joué dans la pièce de Broadway, avait écrit un scénario enlevé et George Cukor avait présenté Hepburn sous son jour le plus glamour. Le film fit un fiasco.

---

1. *Holiday*, version d'Edward H. Griffith, 1930.

La star se préparait bravement à refaire le tour de Hollywood quand elle reçut un script de la MGM avec un contrat de dix mille dollars – moins que son premier cachet de débutante. On n'eut pas besoin de lui dire qu'il était temps qu'elle parte. À l'été 1938, Katharine Hepburn se retirait à Fenwick sans aucun projet d'avenir, du moins dans le monde du spectacle.

« J'ai toujours aimé ce poème de Robert Frost[1], me déclara Kate en faisant allusion à *The Death of the Hired Man (La Mort du serviteur)* : Ta maison est le lieu, quand tu dois y retourner, où l'on doit t'accueillir[2]. »

C'est le seul vers de poésie que je l'aie jamais entendue citer.

Kate passa l'été 1938 avec sa famille et quelques amis intimes à jouer au tennis et au golf. Une parenthèse qui lui permit de faire le point. Elle était née à Hartford, vivait à New York, mais c'est à Fenwick qu'elle se sentait chez elle, l'endroit qu'elle aimait le plus, le havre familial des vingt-cinq années précédentes.

Le gros des vacanciers venus de Hartford quittèrent Fenwick à la mi-septembre, mais la grande maison de bois des Hepburn, construite sur des fondements de brique, était plus qu'une résidence d'été. Kate avait l'intention de s'y installer définitivement quand, le 21 septembre, un ouragan qui avait menacé la côte est toute la semaine se dirigea vers le nord, droit sur le fleuve Connecticut. Dans la matinée, Kate s'était baignée et avait joué au golf ; dans l'après-midi, les eaux se déchaînèrent. Après avoir inondé l'allée, elles s'attaquèrent à la maison. Quand les cheminées furent tombées, les fenêtres pulvérisées et une aile du bâtiment écroulée, Kate, sa mère, son frère Dick et le cuisinier se réfugièrent sur une hauteur. Ils virent en se retournant la maison déracinée dériver vers la mer.

« Je crois bien, fit Kate en jetant un regard rétrospectif sur cette année-là, que Dieu avait essayé de me dire quelque chose. »

---

1. Le grand poète américain (1874-1963) de Nouvelle-Angleterre à l'inspiration champêtre, qui aimait se définir comme « professeur d'oisiveté ». *(N.d.T.)*

2. *Home is the place where, when you have to go there, they have to take you in.*

# 6

## Retour en grâce

En 1929, l'éditeur Maxwell Perkins rejoignait Ernest Hemingway à Key West pour huit jours de pêche. Vers la fin du séjour, ébloui par la vie foisonnante du Gulf Stream, l'éditeur demanda à l'écrivain pourquoi il n'en faisait pas un livre. Au même instant, un gros oiseau maladroit les survola : « Un jour peut-être mais pas maintenant, répondit Hemingway. Prenez ce pélican. Je ne connais pas encore la place réelle qu'il occupe dans le paysage. »

Au cours de mes dix ans de travaux sur Samuel Goldwyn, j'ai souvent considéré Hepburn comme mon « pélican », une créature étrange qui appartenait au paysage hollywoodien, mais en survol. C'est en comprenant le rôle qu'elle jouait dans le milieu du cinéma que j'ai eu le sentiment d'être au bout de mes investigations. Je commençai à écrire.

Le critère était bon. Elle n'avait jamais travaillé avec Samuel Goldwyn mais son nom revenait systématiquement dans les documents et les interviews – pour quelqu'un qui se considérait comme un franc-tireur, l'empreinte qu'elle a laissée dans l'univers hollywoodien est étrangement profonde. (Sur Sam et Frances Goldwyn, elle avait la dent caustique : « La place que vous occupiez à la table des Goldwyn vous renseignait sur l'état de votre carrière à Hollywood. »)

Lucille Ball, qui avait débuté comme « Goldwyn girl » avant d'accéder au statut de vedette dans *Pension d'artistes*, en garde un souvenir admiratif : « Nous aurions toutes voulu être Katharine, me confia-t-elle, en parlant de son assurance. Même Ginger. Non, *surtout* Ginger. »

Joan Bennett (qui avait joué des rôles d'enfant dans les films muets de Goldwyn avant d'être une des *Quatre Filles du docteur March*) reconnaissait : « Kate était toujours la star, pas d'erreur là-dessus. Elle passait son temps à donner des conseils à tout le monde. Mais ils valaient le coup. » Joseph L. Mankiewicz (que Goldwyn avait engagé pour *Blanches Colombes et Vilains Messieurs*[1]) m'expliquait comment Hollywood tirait le pire comme le meilleur des gens : « Tenez, prenez Katharine Hepburn, elle m'a littéralement craché dessus. » J'en étais à me demander si cela illustrait la turpitude de Kate ou la sienne, quand il ajouta, l'air penaud : « Je l'avais cherché. »

Cela faisait dix ans qu'Edith Mayer Goetz ne parlait plus à sa sœur, Irene Selznick, quand je pris rendez-vous avec elle. (« Il s'agissait de savoir qui de nous deux prendrait le pas sur l'autre dans le monde », expliquait dédaigneusement Irene, ce dont j'étais censé déduire que les deux sœurs entretenaient des rapports de rivalités depuis soixante-dix ans, pour des raisons qui échappaient à la futilité d'Edie.) Mrs. Goetz évoqua elle-même le nom de Hepburn. Tracy et Kate, affirmait-elle, avaient l'habitude de lui rendre visite dans sa somptueuse maison de Holmby Hills bourrée d'œuvres d'art.

« Quelle vulgarité ! avait grommelé Irene quand je lui fis part des propos de sa sœur, sans compter que c'est faux ! »

J'avais moi-même été surpris. Kate m'avait dit qu'elle et Tracy se montraient rarement en société et les Goetz, d'ailleurs, ne faisaient pas partie de leur milieu.

Je fis parler Mrs. Goetz de leur « amitié ». Sans sourciller, Edie me donna la liste des invités des prétendues réceptions en me citant même celle donnée en l'honneur du mariage de Frank Sinatra et Mia Farrow, à laquelle Katharine Hepburn et Spencer Tracy auraient assisté. (« Frank ne m'a jamais vraiment intéressée, me

---

1. *Guys and Dolls*, comédie musicale humoristique de Mankiewicz, avec Marlon Brando, Jean Simmons, Frank Sinatra et Vivian Blaine, 1955.

dirait Kate, quant à la fille, ne m'en parlez pas. » J'apprendrais ultérieurement qu'elle considérait le père de Mia Farrow, un auteur-réalisateur d'origine australienne prénommé John, comme tellement « dépravé » qu'il était impossible « que cette fille puisse avoir la moindre fibre morale ». « Mais Spence et Frank étaient amis et il aimait sortir. Nous avons donc pris le chemin de la noce… dans des voitures différentes. Mais, franchement, je ne me rappelle pas avoir vu l'intérieur de la demeure des Goetz plus de deux fois dans ma vie. »)

Au moment de quitter Mrs. Goetz, impossible de trouver son majordome – qu'elle se vantait d'avoir soustrait à Buckingham Palace. Il devait s'être endormi d'ennui quelque part. Mon hôtesse me raccompagna donc à la porte, dont la poignée, d'un modèle inusuel, me résista. Après m'être escrimé quelques secondes, je priai Mrs. Goetz de bien vouloir m'aider :

— Je ne peux pas, répliqua-t-elle, il y a toujours quelqu'un pour m'ouvrir les portes.

Irene s'en esclaffait encore des années après… et ne manquait jamais une allusion ironique quand je sortais de chez elle. Bien entendu, lors de nos entretiens, George Cukor faisait fréquemment mention de Kate. Il s'était incroyablement amusé en travaillant avec elle, comme avec aucune autre. Mais Kate avait toujours eu le sentiment de n'être que le second violon de son existence. Ils avaient fait ensemble une douzaine de films, il lui avait loué un pied-à-terre pendant des années, elle était la seule à avoir ses entrées chez lui sans devoir s'annoncer – que ce soit pour un dîner en semaine (« Il me faisait toujours asseoir au bout de la table, avec Irene Selznick »), les fameuses garden-parties du samedi où les acteurs venaient en toute simplicité s'échanger des tuyaux… ou même les réceptions privées du dimanche, entre hommes, autour de la piscine. Non. Pourtant, le premier rôle féminin de George n'était autre que Frances, l'épouse de Sam Goldwyn. Et Kate le savait.

George et Frances avaient fait leurs classes ensemble dans l'État de New York, vécu dans la même pension de famille et noué une amitié spontanée. Lui, le paria, du moins l'incompris, avait trouvé une admiratrice inconditionnelle. Elle ne jurait que par l'« ange de générosité » qui l'avait prise sous son aile et lui faisait partager ses trésors d'idées. Il appréciait quant à lui d'avoir en cette Galatée à la beauté glacée une disciple aussi douée qu'indéfectible. Leur amitié s'approfondit au fil des cinquante années suivantes, alors même que s'agrandissait le « harem de George », comme disait Frances Goldwyn à propos de sa coterie de vedettes hollywoodiennes. Le dévouement de George ne s'était pas démenti depuis les années 1930, ce qui n'empêchait pas Frances de penser qu'elle n'était « que la seconde favorite. La première, c'est Kate ». Elle s'inventait une rivale.

Kate trouvait cela ridicule.

« George et moi nous nous adorons. Mais quand il s'agit de problèmes personnels, je suis sûre que c'est à Frances qu'il s'adresse. Lui et moi avons de merveilleux rapports… mais tous deux ont une histoire commune. D'où cette confiance. Une confiance profonde. »

Mrs. Goldwyn et Miss Hepburn ne furent jamais amies, mais elles entretenaient des rapports cordiaux. À la mort de Sam Goldwyn, en 1974, son fils apprit qu'il y avait une place pour George Cukor dans le caveau de la famille. Lorsqu'il aborda le sujet avec sa mère, Frances rit gentiment et répondit :

« Eh bien… là, au moins, Kate ne viendra pas le chercher. »

Dans les quinze premiers mois de son veuvage, Frances fut atteinte d'un cancer des fosses nasales et de la trachée dont les métastases s'étendirent très vite au cerveau. Kate se souvenait avec attendrissement de l'attention que George portait à la malade. Alors qu'elle était beaucoup diminuée, elle les reçut plusieurs fois tous deux à dîner, sans avoir conscience que son nez coulait ni que des traces de nourriture lui glissaient au coin de la bouche. Chaque fois, George s'approchait pour l'essuyer avec un mouchoir. Elle mourut en 1976 et fut enterrée auprès de son mari.

George Cukor mourut à l'âge de quatre-vingt-trois ans, le 24 janvier 1983 – quelques mois avant que je fasse la connaissance de Katharine Hepburn. Kate ignorait que Samuel Goldwyn Junior avait immédiatement informé l'exécuteur testamentaire de Cukor des arrangements prévus par Frances pour les funérailles. Ils correspondaient aux dernières volontés du metteur en scène et furent suivis à la lettre. Il repose pour l'éternité aux côtés des Goldwyn (et de la mère de Frances, morte folle) au Forest Lawn Memorial Park de Glendale, au sein du Little Garden of Constancy, un banal espace privé à l'abri des murs du jardin d'honneur, lui-même protégé par deux portes de fer cadenassées et accessible seulement à la famille. J'étais venu visiter les lieux au cours de mon enquête, et j'avais remarqué que la tombe de Spencer Tracy était à quelques concessions de là.

— Incroyable, me dit Kate. Je ne savais pas... Je n'y suis jamais allée... Vous dites qu'il faut une clef pour entrer ? Extraordinaire !

Sur ce, elle concluait par la formule fataliste à laquelle elle avait recours quand il n'y avait plus rien à dire sur le sujet :

— Ah, la vie, la vie...


Les Hepburn commencèrent à reconstruire leur maison immédiatement après l'ouragan qui avait ravagé Fenwick.

« Nous avons compris la leçon des Trois petits cochons, disait Kate, et cette fois nous avons bâti en brique. »

Sur le même site mais en surélevant le bâtiment d'un bon mètre. Cinquante ans plus tard, Kate devait convenir qu'ils avaient mal calculé. Le rez-de-chaussée était inondé par les tempêtes qui chaque année grignotaient un peu plus de plage. Aux lendemains du grand ouragan, Kate avait fouillé le sable pour récupérer une douzaine de couverts de l'argenterie de sa mère et son service à thé au complet.

Après les épreuves de 1938, deux événements importants attendaient Kate. Cela faisait trois ans qu'elle se faisait escorter par un autre *beau*[1], de loin le plus passionnant et le plus compliqué, Howard Hughes. Héritier de la Hughes Tool Company, producteur de cinéma, aviateur célèbre et play-boy notoire, ce magnifique et grand jeune homme s'était amouraché de Katharine Hepburn dès sa première apparition à l'écran. Après avoir perdu ses parents à l'adolescence, il avait suivi son oncle Rupert, un auteur très couru de

---

1. En français dans le texte.

Hollywood travaillant pour Goldwyn. Vivant dans l'entourage des stars, il s'était épris de la reine du muet, Billie Dove, qui avait cinq de plus que lui. Mais, en 1935, ses regards se tournèrent vers Katharine Hepburn.

Début 1936, lors du tournage de *Sylvia Scarlett*, sur les hauteurs de Trancas Beach, Kate et George Cukor avaient l'habitude d'organiser des pique-niques en compagnie des principaux artistes et techniciens de l'équipe. Un jour, pendant la pause, un petit avion tourna au-dessus de leurs têtes, piqua vers eux et atterrit à quelques encablures de là. Kate remarqua l'air penaud de Cary Grant : « C'est Howard Hughes » avoua-t-il.

Hepburn savait que Hughes désirait faire sa connaissance, mais prit très mal que son ami Cary ait manigancé leur rencontre : « Je parie que les deux lascars s'étaient dit : "Ah, ça va faire un rendez-vous tout ce qu'il y a d'original", irrésistible, romantique et tout. Howard et moi nous nous sommes simplement serré la main. Tout était trop arrangé. De la mise en scène, du toc. Rien de spontané. J'étais tellement en colère que j'ai avalé mon déjeuner sans un regard pour aucun des deux. »

Quelque temps plus tard, Kate jouait au golf au Bel-Air Country Club quand Hughes se livra à une nouvelle cascade. Il atterrit sur le septième fairway : « Il sauta de son avion avec un sac de golf, racontait Kate, et finit le neuvième avec mon entraîneur et moi-même. C'était un très bon golfeur. Mais quel toupet ! C'est que, vous savez, Howard était un homme d'action, pas un beau parleur. C'était sa façon d'exprimer ses sentiments. »

Hughes avait le rêve réaliste et savait planifier ses « impulsions ». Il agissait sur un coup de tête… après avoir réfléchi à tous les détails de l'entreprise. En la circonstance, il avait posé son avion au milieu d'un terrain de golf suffisamment vaste pour atterrir mais pas assez pour décoller. Mais il n'était pas pris au dépourvu : « L'argent arrangeait tout. Il lui suffit de faire venir des mécaniciens qui dégagèrent l'appareil après l'avoir démonté. Quant à lui, il avait simplement prévu que je le ramènerais en voiture. Quel culot ! Bon Dieu ! c'était quelqu'un d'excitant. De quoi vous tourner la tête. »

Hepburn reconduisit Hughes au Beverly Hills Hotel. Elle apprit dans la foulée qu'il avait réalisé *Les Anges de l'enfer*[1], produit *The Front Page*[2] et *Scarface*[3], mais que le cinéma ne le passionnait pas : « Il était pourtant très doué, disait Kate, et pas si idiot que ça. »

En revanche, il avait la passion des stars.

Lors de la tournée théâtrale de 1936 pour *Jane Eyre*, Hughes arriva à l'improviste avant les représentations de Boston et de Chicago. Emportée par la tourmente, Kate rendit les armes : « Disons que nous étions tous deux des amateurs d'émotions fortes et que j'étais une fonceuse. Howard était toujours prêt pour l'aventure. Il réfléchissait aux détails, alors que j'agissais plus par instinct. Mais nous avions beaucoup d'intérêts communs. »

Et en particulier, comme Kate l'admettait, l'envie de « courir après la postérité » : « Quand je l'ai rencontré, l'homme qu'il admirait le plus était Lindbergh, pour sa notoriété plutôt que pour ses exploits. Howard cherchait à pulvériser de nouveaux records dans le domaine de l'aviation, avant tout, à mon avis, pour devenir célèbre. Or moi aussi je voulais être une star, je ne pensais qu'à cela. »

Paradoxalement, ni Hepburn ni Hughes ne supportaient la foule. Ils consacraient même une bonne part de leur énergie à fuir le public, à éviter les caméras et les photographes : « Cela faisait partie du jeu, disait Kate. Car, ensemble, la partie de cache-cache était beaucoup plus drôle. D'une certaine manière, ce fut le fondement de notre liaison. Nous étions tous les deux célèbres et venions tous les deux d'un milieu qui avait de l'argent. Nous nous comprenions. Nous avions le sentiment d'être faits l'un pour l'autre et pensions secrètement que le public le pensait aussi. Sortir ensemble rehaussait notre réputation. Mais il y avait une faille à la base... je suis naturellement quelqu'un de solitaire, ce qui n'est pas particulièrement propice à une relation sérieuse. »

---

1. *Hell's Angels*, de Howard Hughes, 1930. Deux Américains s'engagent comme pilotes de bombardier pendant la Première Guerre mondiale.

2. Littéralement, *Spéciale première*, comédie de Milestone, 1931. Billy Wilder en fera un remake du même titre, en 1974.

3. *Scarface*, de Howard Hawks, 1932.

Le plaisir, cependant, n'avait pas manqué à ces deux séducteurs. Je n'ai jamais entendu Kate parler de quelqu'un avec une telle lueur dans les yeux. Manifestement, ce fut la plus sensuelle de ses liaisons. Pas la plus profonde mais celle où l'attirance physique avait joué à plein. Éros était au rendez-vous.

Kate découvrit peu à peu que Hughes était lui aussi un solitaire. Cela s'expliquait, bien entendu, par le fait qu'il avait perdu ses parents au sortir de l'enfance. Mais il y avait autre chose, tout aussi important : « Personne ne se doutait de l'étendue de la surdité dont Howard était affligé depuis l'âge de quinze ans. Cela explique pour une bonne part le cours de son existence, en bien et en mal. Il était à la fois terriblement détaché et formidablement autonome, très volontaire. Mais ça l'a conduit aussi à se refermer sur lui-même et se couper complètement des autres. »

J'avais constaté que Kate exigeait que l'on s'exprime clairement, d'une façon concise et audible. Quand quelqu'un se perdait dans des digressions, elle lui coupait la parole : « Où voulez-vous en venir ? » Si on marmonnait, c'était : « Je ne vous comprends pas » ou « Parlez plus fort, je n'entends rien ». Un comportement dont Howard Hughes était incapable, ce qui l'a conduit à s'isoler. Ce n'était pas tant sa surdité, expliquait-elle, qui était sa grande faiblesse que son incapacité à la reconnaître en public. Du coup, il manquait une partie de la conversation ou alors se méprenait sur ce qu'il avait entendu. C'est bien simple, résumait Kate, « cela lui a gâché la vie ».

— C'est fou ce que ce genre de problème peut transformer quelqu'un, dirait-elle bien des années plus tard. Howard s'est replié dans son propre monde, de plus en plus obnubilé par les détails de sa vie quotidienne. Dès le début de notre liaison, déjà, il était obsédé par les microbes et les maladies. Il se lavait les mains ou prenait des douches sans arrêt et personne n'avait le droit d'utiliser sa douche personnelle. Il fallait la désinfecter après usage. Aujourd'hui, il faut reconnaître que certaines de ces précautions relèvent simplement du bon sens. Les médecins recommandent de se laver les mains souvent pour éviter la contamination. J'ai moi-même toujours pris beaucoup de douches. Mais dans sa solitude – et je crois qu'elle était insondable – il a peu à peu franchi la limite, celle qui distingue le comportement bizarre de ce qu'on peut appeler la « névrose ». Et il ne faut pas oublier son enfance, où il s'est retrouvé presque seul au monde... Sans compter cet accident d'avion, des années plus tard, après lequel il s'est adonné un temps à la morphine, cette drogue dure qui l'aidait à calmer ses terribles souffrances. Et puis sa surdité, encore et toujours. Il avait des bourdonnements d'oreille. Je suis sûre qu'il a entendu des voix. Nous sommes, voyez-vous, des créatures extrêmement fragiles... C'était un homme absolument *brillant*, je dis bien *brillant*, dans tout ce qu'il entreprenait, et pourtant il a toujours été près de perdre la boule.

Leur idylle, pour l'essentiel, fut une grande fête. Ils étaient « amoureux l'un de l'autre... ou du moins de *l'idée* qu'ils avaient l'un de l'autre ». Ils pilotaient ensemble (Hepburn fit un jour décoller son hydravion sous le pont de la Cinquante-Cinquième Avenue). Ils se baignaient nus dans le détroit de Long Island (en se servant d'une aile de leur avion comme plongeoir), jouaient au golf à Fenwick. Luddy les rejoignait souvent, son appareil photo perpétuellement à la main, au point que Howard se plaignit un jour, non seulement de sa présence envahissante mais aussi de l'intrusion de l'objectif dans leur vie privée. Ce à quoi rétorqua le père de Kate, présent sur les lieux : « Howard, Luddy a pris des photos de nous bien avant que vous arriviez et il en prendra encore des années après que vous serez parti. Il fait partie de la famille. Maintenant, jouez. »

Hughes ne s'était jamais senti à l'aise chez les Hepburn, pas plus, ferait remarquer Kate, que dans la famille de quiconque : « C'est difficile de comprendre ce qu'est l'esprit de famille quand on n'a pas été élevé dans cette ambiance. Vous, vous l'avez, me dit-elle en sachant que j'étais très proche de mes parents et de mes trois frères, et moi aussi. Mais Howard ne l'a jamais eu, et pour cause. »

Hughes possédait une grande maison, bâtie dans le style de Monterey, sur Muirfield Road, tout à côté du golf du Los Angeles Country Club. Ils aimaient s'y retirer. « Les balles de golf atterrissaient souvent dans la cour. » Quand il n'y avait pas trop de monde – ce que tous deux appréciaient –, ils se glissaient sous la clôture pour aller faire une partie.

Pendant ce temps, chacun poursuivait sa carrière, Hughes s'imposant de plus en plus dans le domaine de l'aviation tandis que Hepburn devenait le « poison » de l'industrie du cinéma. Plus il passait de temps avec elle, plus Hughes désirait épouser Hepburn. Il se disait que le déclin de l'actrice la rendrait plus réceptive à ses propositions. Il se trompait. L'insuccès la poussait à défendre toujours plus farouchement son indépendance, à faire ses preuves par elle-même.

— Vous comprenez, me confia Kate un après-midi, je pense que Howard m'aimait vraiment, et j'aimais beaucoup être avec lui. Mais, franchement, quel couple aurions-nous fait ? J'essayais de relancer ma carrière. Je ne pensais qu'à moi, à moi seule. D'ailleurs, même si ma carrière n'avait pas été dans l'impasse, je ne l'aurais pas épousé. Je ne le lui ai jamais caché. Mais Howard ne m'entendait pas.

— Peut-être ne pouvait-il pas vous entendre ?

— Howard entendait ce qu'il voulait entendre, corrigea-t-elle.

Elle avait déjà refusé une première fois en juillet 1938, quand il s'était envolé pour un tour du monde de trois jours, dix-neuf heures et dix-sept minutes, un record qui lui valut de parader le long du « Canyon des héros » de Broadway sous l'habituelle pluie de confettis. Cela n'empêcha pas les tabloïds de répandre la rumeur de son prochain mariage avec Katharine Hepburn.

En fait, cet été-là, Katharine fréquentait un autre soupirant qui était arrivé avec une proposition nettement plus alléchante que le mariage. Un jour, son vieil ami Philip Barry, lui aussi au creux de la vague, l'avait appelée du Maine et s'était invité à prendre le thé.

— Je fus très surprise, racontait Kate, car la dernière fois que j'avais entendu parler de lui, c'était quand il m'avait refusé l'emploi de doublure dans *The Animal Kingdom*.

Cela faisait huit ans. Sur la jetée de Fenwick, il lui parla des deux pièces qu'il avait sur le métier et pour lesquelles il pensait à elle. L'une, *Second Threshold (Le Second Seuil)*, contait l'histoire d'un père et de sa fille. L'autre avait pour sujet le mariage imminent d'une jeune femme riche et divorcée, avec un self-made man en mal de promotion sociale. L'ex-mari – dont le personnage rappelait Luddy – s'incruste et fait échouer les fiançailles. Tout en contemplant les voiliers, Barry et Hepburn discutaient du personnage de l'héroïne, en se faisant la réflexion que, dans son premier mariage, elle s'était montrée peu « manœuvrante[1] » – pour reprendre un terme de marine –, peu prompte à réagir au gouvernail. Kate choisit la seconde pièce qui lui semblait « plus amusante ». Les semaines suivantes, elle avait en main le premier acte d'*Indiscrétions*[2].

Puis arriva l'ouragan de 1938. La même semaine, Howard Hughes envoya un avion chargé d'eau potable à Fenwick ; en apprenant la proposition de Barry, véritable bouée de sauvetage, il conseilla à Kate d'acheter les droits d'adaptation au cinéma de la nouvelle pièce avant même son lancement. Si *Indiscrétions* était une réussite, ce serait un nouveau passeport pour Hollywood ; si c'était un four, l'acheter à ce stade ne représenterait pas une grosse perte. Sur sa lancée, Howard acheta lui-même les droits en guise de cadeau, non sans retenir un pourcentage à titre d'investissement personnel. C'est ainsi que Hepburn et Hughes resteraient à jamais partie liée grâce à *Indiscrétions*, même quand il se lancerait dans de nouvelles aventures financières et amoureuses.

Barry entreprit de terminer sa pièce et Hepburn se mit en quête d'un producteur. Elle se sentait redevable auprès de la Theatre Guild qui lui avait donné la vedette dans *Jane Eyre* sans pour autant l'empêcher de quitter la tournée. Mais Barry, qui avait fait une mauvaise expérience avec la même troupe, ne voulait pas en entendre parler. Ni lui ni elle ne savaient que la compagnie était au bord de la faillite. De son côté, la Theatre Guild ignorait que Hepburn avait été bannie de Hollywood : « Nous étions tous lessivés, disait Kate, mais aucun ne savait la vérité sur l'autre. C'était sans issue. »

À la fin, tout s'arrangea. Hughes et Hepburn avancèrent chacun le quart des frais, devenant du même coup actionnaires. Barry travaillait encore au dernier acte quand ils confièrent la direction à Robert B. Sinclair, qui venait de remporter un triomphe avec *Femmes*[3], la pièce de Clare Boothe. La distribution retenue s'avéra

---

1. En anglais, *yare*.
2. *The Philadelphia Story*, George Cukor, 1940.
3. *The Women* ; George Cukor en ferait un film en 1939.

remarquable. Ils persuadèrent Joseph Cotten, du Mercury Theatre, d'accepter le rôle de C. K. Dexter Haven, le premier mari de Tracy. Parce qu'elle se souvenait de son interprétation dans *La Rebelle*[1], Kate proposa à Van Heflin de jouer Macauley Connor, le reporter cynique qui couvre la noce. Shirley Booth, particulièrement brillante selon Kate, sut donner au personnage de la photographe assistante plus de consistance que le texte ne le suggérait. Et ils eurent la chance de découvrir une remarquable fillette de dix ans, Lenore Lonergan – « un vrai phénomène ». Elle incarnait la petite sœur délurée de l'héroïne, Tracy Lord. À la fin d'une représentation, Lawrence Langner vint dans les coulisses.

— Kate, dit-il, je crois que la môme prend modèle sur toi – tes gestes, ta façon de parler.

— Tu as tout faux, répondit-elle parfaitement sérieuse. C'est moi qui prends modèle sur elle.

Barry finit par venir à bout de la pièce, et Kate de claironner : « Cela va faire un malheur, je le sens. » L'œuvre alliait l'élégance d'une comédie – sans une once de vulgarité, mais pleine d'humour – à la solidité de l'intrigue.

« On imagine mal à quel point Phil Barry a fait preuve d'ingéniosité dans son portrait de ces trois hommes de tempéraments et de statuts différents. Jusqu'au dernier moment, chacun a ses chances auprès de Tracy. Quant à la chute, c'est la plus authentique… et la plus romanesque qui soit. »

Ultime bonheur, l'ensemble était taillé aux mesures de Hepburn. Entourée d'hommes domptés, elle pouvait à cœur joie dérouler ses tirades spirituelles.

« Une actrice n'a pas souvent de telles aubaines, reconnaissait Kate à propos de son rôle dans *Indiscrétions*. Il n'est d'ailleurs pas besoin d'en avoir beaucoup. »

L'arrivée de Tracy Lord dans la vie de Hepburn ne pouvait tomber mieux, pour une autre raison. À l'instar de bien des actrices de la fin des années 1930, elle avait le sentiment que le rôle de sa vie, Scarlett O'Hara, lui avait échappé – dans son cas, de très peu.

---

1. *A Woman Rebels* de Mark Sandrich, 1936.

Quelques années auparavant, elle avait cru être la première actrice à recevoir les épreuves d'*Autant en emporte le vent*[1], de la part de l'auteur elle-même, Margaret Mitchell. Elle avait adoré le rôle et se l'était immédiatement approprié. Mais, après s'être fait raconter le livre par son assistant, Pandro Berman avait estimé que Hepburn ne convenait pas au personnage de Scarlett, et la RKO n'avait donc pas pris la peine d'acquérir les droits qu'elle aurait pu obtenir pour presque rien.

Quelques semaines plus tard, Katharine Hepburn et George Cukor se rendirent à la maison de vacances de Myron Selznick, sur les bord du lac Arrowhead. Son fils vint leur ouvrir. Il venait de recevoir les épreuves du livre : « Pas la peine de le lire, David. Achète-le tout de suite. C'est sensationnel », lui dit Kate.

Il rassembla immédiatement la somme nécessaire, acheta les droits d'adaptation pour cinquante mille dollars et pressentit George Cukor pour la réalisation, lequel voulait confier le rôle à Hepburn… du moins, au début.

Puis toutes les actrices en vue de Hollywood (et leur imprésario) approchèrent Selznick. On a beaucoup dit que Selznick imaginait mal Clark Gable poursuivant Katharine Hepburn de ses assiduités pendant tout le temps de la guerre de Sécession. En réalité, ce fut George Cukor, le plus fidèle soutien de l'actrice, qui dissuada le producteur. Cukor, rapporterait Kate, pensait que « ce personnage de femme perverse et aguicheuse ne convenait pas à mon profil d'héroïne ». Puisque c'était l'opinion de son réalisateur, Selznick se sentit libre de chercher ailleurs.

Il n'arrivait pas à se décider. La « quête de Scarlett » devint une sorte de chasse au trésor internationale dont les cinéphiles suivaient avidement les péripéties. La date du premier tour de manivelle approchant, Hepburn alla trouver Selznick : « David, tu dois prendre une inconnue. Tu en as trop fait, à présent, il faut t'exécuter. Ni moi ni aucune autre célébrité ne répondra aux attentes du public. »

Ce qui ne l'empêchait pas de garder espoir ; elle fit une dernière tentative : « Écoute, c'est Walter Plunkett qui dessine les

---

1. *Gone With the Wind.*

costumes. Il me connaît de longue date et peut me confectionner cinq tenues différentes en une nuit. Si tu es coincé, il te suffit de m'avertir vingt-quatre heures à l'avance. »

Ce n'était pas le genre de Hepburn de se placer ainsi en seconde (voire en dixième) position, mais elle savait que sa seule chance était de rester le recours de dernière minute. Moins d'une semaine après, Selznick faisait la connaissance de Vivien Leigh. La compétition était terminée.

1939 allait marquer l'apogée de Hollywood. Cette année-là, celle du tournage d'*Autant en emporte le vent*, la plupart des vedettes se produiraient dans leurs meilleurs films : Greta Garbo dans *Ninotchka*[1] ; Joan Crawford dans *Femmes*[2], avec son premier grand rôle de « garce » antipathique, aux côtés de Norma Shearer, Rosalind Russell, Paulette Godard et Joan Fontaine ; Greer Garson dans *Goodbye Mr. Chips*[3] ; Bette Davis dans *La Vie privée d'Élisabeth d'Angleterre*[4], *Victoire sur la nuit*[5], *La Vieille Fille*[6] (avec Miriam Hopkins) et *Juarez* (en impératrice Charlotte) ; Jean Arthur dans *Monsieur Smith au Sénat*[7] avec James Stewart et *Seuls les anges ont des ailes*[8] avec Cary Grant ; Irene Dunne dans *Love Affair* avec Charles Boyer. Ginger Rogers tournoyait avec Fred Astaire dans *La Grande Farandole*[9] tandis que Judy Garland chevauchait l'arc-en-ciel dans *Le Magicien d'Oz*[10]. On vit même Blanche-Neige gambader sur les écrans avec les sept nains[11].

---

1. D'Ernst Lubitsch, 1939.
2. *The Women* de George Cukor, 1939.
3. De Sam Wood, 1939.
4. *The Private Lives of Elizabeth and Essex*, de Michael Curtiz, 1939.
5. *Dark Victory*, drame psychologique d'Edmund Goulding, d'après la pièce de George Brewer Junior et Bertram Bloch, 1939.
6. *The Old Maid* d'Edmund Goulding, 1939.
7. *Mr. Smith Goes to Washington*, de Frank Capra, 1939.
8. *Only Angels Have Wings*, de Howard Hawks, 1939.
9. *The Story of Vernon and Irene Castle*, de Hank C. Potter, 1939.
10. *The Wizard of Oz*, de Victor Fleming, d'après le roman pour enfants de Frank L. Baum, 1939.
11. *Snow White and the Seven Dwarfs* (Blanche-Neige et les sept nains), de Walt Disney, fut le premier long métrage d'animation à triompher sur les écrans. Il était sorti en 1937.

134

Mais pas de Katharine Hepburn. Après quinze films en six ans, elle était revenue au théâtre. Dans *Indiscrétions*, elle brûlait les planches à Wilmington, Washington, Boston et Philadelphie. Cinq semaines de délire, au point que la star, misant sur le bouche à oreille, demanda aux producteurs de prolonger la tournée avant de se produire à Broadway.

« Les critiques en ont de bonnes, ils ont l'air de me découvrir », tenta-t-elle d'expliquer à Philip Barry et à la Theatre Guild, ses partenaires financiers dans l'aventure. Malgré ses protestations, ils passèrent outre et *Indiscrétions* débuta au Shubert Theatre le 29 mars 1939.

D'après Kate, la pièce fut un « énorme succès », y compris financier. Mais elle dut patienter avant d'atteindre son objectif véritable : porter le rôle à l'écran. Elle loua les services de Harold Freeman – agent d'auteurs dramatiques et de quelques comédiens (comme les Lunt) – mais en lui interdisant de révéler à quiconque qu'elle avait acquis les droits d'adaptation. De fait, tous les grands studios se mirent sur les rangs au profit de leurs propres vedettes. Sur les instructions de sa cliente, Freeman les fit lanterner. En attendant, Hepburn faisait chaque soir un triomphe à Broadway. Il y eut plus de quatre cents représentations (auxquelles il faudrait ajouter les deux cent cinquante de sa nouvelle tournée). En fin de compte, la pièce lui rapporta près d'un demi-million de dollars en salaire et bénéfices. Mieux, l'adaptation théâtrale d'*Indiscrétions* avait réconcilié le public avec Hepburn, dans tout le pays. Le feu reprenait.

Après un an de relâche, Howard Hughes entreprit d'approcher les divers studios en tant que copropriétaire des droits. Il commença naturellement par Samuel Goldwyn, chez qui il avait un bureau personnel. Goldwyn fut assez intéressé pour dépêcher auprès de Hepburn, à New York, son réalisateur numéro un, William Wyler. Dans le jardin de Turtle Bay, Kate lui répéta ce qu'elle avait déjà dit à Goldwyn : elle était disposée à conclure dans l'heure s'ils s'assuraient les services de Gary Cooper pour le rôle de C. K. Dexter Haven. Il ne s'agissait pas d'un nouveau stratagème pour faire monter la mise. Simplement, après avoir quitté Hollywood avec la réputation de « poison du box-office », il lui fallait un antidote, à savoir un (ou deux) partenaire d'envergure. Cooper était alors sous contrat avec Goldwyn, mais il refusa néanmoins de donner la réplique à Hepburn.

La Warner Brothers se mit sur les rangs. Elle offrait à Kate non seulement le rôle, mais beaucoup d'argent et Errol Flynn. Hepburn envisageait d'accepter quand elle reçut le coup de fil qu'elle avait tant attendu, celui de Louis B. Mayer lui-même, le grand patron de l'industrie du cinéma. Après avoir assisté à une représentation d'*Indiscrétions*, Norma Shearer à son bras, il vint féliciter la vedette dans les coulisses. Il l'appela le lendemain. Il lui proposait de se rendre auprès d'elle pour discuter du film : « Oh, non, Mr. Mayer, dit-elle en pensant à la façon dont sa mère réussissait à circonvenir les notabilités de Hartford, j'irai vous voir. »

Dans ses bureaux new-yorkais, avec force cajoleries, L. B. Mayer tenta de lui soutirer les droits dans le but de confier le rôle à Norma Shearer. « Mr. Mayer, finit par lui dire Hepburn, vous me faites du charme, je le vois, et le plus étonnant est que vous y réussissez. Vous êtes un véritable artiste. Mais mon propos ici n'est pas de faire de l'argent. Je vends au prix exact que j'ai payé, sans un centime de profit, et pour ce qui est du salaire, je ne veux qu'une somme raisonnable. Non, ce que j'attends vraiment de vous, c'est deux grandes vedettes pour partenaires. »

Lesquelles ? demanda Mayer.

« Clark Gable et Spencer Tracy. »

Elle ne pouvait viser plus haut. Mayer doutait de leur consentement mais promit d'essayer. Il lui fit savoir très vite que l'un n'était pas libre (Tracy, comme elle l'apprendrait) et que l'autre ne voulait pas. En fait, en dépit de la renommée de Clark Gable, son refus l'arrangeait dans la mesure où elle trouvait « qu'aucun des deux rôles ne lui convenait, au mieux celui du journaliste, mais c'était celui destiné à Spencer ». Mayer fit une proposition : « Je peux vous donner James Stewart (qui n'avait pas encore le choix de ses rôles)… et cent cinquante mille dollars pour celui que vous trouverez. »

C'était beaucoup d'argent, pensa Hepburn, assez pour lui permettre de faire appel à son ami Cary Grant. Celui-ci fut ravi de la proposition et choisit le rôle de C. K. Dexter Haven – il reversa finalement ses trois semaines de salaire au Fonds britannique de secours de guerre. Mayer confia la production à Joseph L. Mankiewicz – un des plus formidables talents de Hollywood.

Ayant l'autorisation de choisir le metteur en scène, Hepburn nomma évidemment George Cukor.

« George avait vu le spectacle à Chicago et l'avait trouvé exécrable, tout simplement exécrable – pas la pièce, qu'il aimait, mais la mise en scène. Bien entendu, c'était en partie parce qu'elle n'était pas de lui. Mais pas seulement. George était un metteur en scène brillant qui savait comment garder le rythme. Il ne croyait pas aux fioritures. Il était persuadé que chaque personnage doit aller de l'avant, qu'une bonne pièce est comme le système solaire : toutes les planètes tournent sur leur orbite sans jamais s'arrêter. Et puis, bien sûr, ajoutait-elle, George *me* connaissait et désirait faire de ce film une démonstration en ma faveur, une opération de prestige. »

En fait, Hepburn et Cukor se comprenaient : « Quand il fallut s'attaquer au film, je lui dis "attends. Pas question que je fasse une entrée fracassante, cette fois. Cela fait un an que les cinéphiles ne m'ont pas vue, et leur opinion est faite : je suis une bêcheuse, j'en fais trop, et pas mal de gens aimeraient bien me voir m'étaler face contre terre" ; "ou sur les fesses", corrigea Cukor. »

Tenant compte de la suggestion, Donald Stewart, le scénariste qui avait adapté la pièce, imagina une entrée « ingénieuse ». Si Cukor avait fait « un boulot formidable » en sachant « présenter » Hepburn dans *Héritage*, il releva lui-même le défi en « recréant Katharine Hepburn » dans *Indiscrétions*. La scène d'ouverture montre Tracy Lord mettant son mari à la porte, avec ses clubs de golf et tout le reste. Quand elle entreprend de casser un des clubs sur son genou, Dexter revient sur ses pas pour lui flanquer un coup de pied au derrière : « Ah, c'était formidable. Très exactement ce que méritait Tracy – et moi aussi. »

Lors de sa précédente apparition sur les écrans, à la fin de *Vacances*, Katharine Hepburn s'enfuyait avec Cary Grant. Elle pensait que la scène avait fait rire aussi bien les fans que les allergiques : « Autant vous le dire, j'étais persuadée que tout le monde m'adorait ; si j'avais été le "poison du box-office", ce ne pouvait être que la faute des scénarios. Bref, l'ouverture d'*Indiscrétions* suggérait qu'une fugue avec moi, ça pouvait être des "vacances", mais le mariage, certainement pas. La vie imite l'art ! » conclut-elle avec un grand rire.

Hepburn n'avait jamais eu l'occasion de se plaindre de la qualité de la production de la RKO et de la Columbia. Mais elle était sans comparaison avec celle qu'offrait l'équipe légendaire de la MGM. Pour reprendre ses termes, « il n'y avait que le dessus du panier ». Joseph Ruttenberg, le directeur de la photographie, venait de remporter le premier de ses quatre oscars pour *Toute la ville danse*[1] ; Cedric Gibbons, le directeur artistique, avait gagné sept de ces statuettes en or dont il avait été le créateur ; Adrian, costumier de Garbo, entre autres, avait conçu pour Hepburn des tenues de rêve. Franz Waxman écrivit l'une de ses partitions les plus raffinées. Tous les seconds rôles faisaient des numéros de star – Henry Daniell, Roland Young et Ruth Hussey dans le rôle de Shirley Booth : « Nous étions bien tombés, pour la petite fille – interprétée cette fois par la petite Virginia Weidler, qui me faisait mourir de rire. Elle était si drôle que j'avais du mal à tourner une scène avec elle. Je ne pouvais la regarder, tellement elle était impayable. »

John Halliday, un vétéran du théâtre et du cinéma muet, tenait le petit rôle de Seth Lord, père de Tracy, sur lequel reposaient les instants les plus émouvants du scénario : il récapitule les qualités exceptionnelles de sa fille puis conclut : « Tu as tout pour être une femme merveilleuse sauf l'essentiel – l'intelligence du cœur. Faute de quoi tu ne seras qu'une poupée de bronze. »

Ce furent évidemment les premiers rôles d'*Indiscrétions* qui emportèrent le morceau. Hepburn n'avait jamais eu autant d'éclat ni joué avec autant d'autorité. Elle incarnait la femme moderne, sûre d'elle-même. Cukor surveillait son jeu de très près ; s'il permettait qu'on rie à ses dépens, c'était, au bout du compte, pour la rendre plus sympathique. La plupart des critiques louèrent l'originalité de son jeu et parlèrent de la naissance d'une « nouvelle Hepburn ». Mais elle savait, en fait, qu'elle revenait simplement à sa première source d'inspiration : « Je pensais à Hope Williams, à

---

1. *The Great Waltz*, de Julien Duvivier, 1938.

sa façon de rendre séduisants les défauts, et je m'efforçais de réinventer ses trucs de métier pour que Tracy ne se réduise pas à une lamentable snob. »

Cary Grant était au mieux de sa forme, charmant, plein d'humour et d'insouciance. Quant à James Stewart, ce fut une révélation. En raison de la suppression d'un personnage de la pièce (le frère de Tracy), son rôle avait pris de la consistance. Son Macauley « Mike » Connor était un chef-d'œuvre de cynisme, sans rapport avec ce qu'il avait interprété auparavant.

« Jimmy [James], commentait Kate, avait toujours été beau garçon, mais c'était la première fois, je crois, qu'il se montrait en véritable séducteur. Certes, il était un des célibataires les plus courus de Hollywood mais, hors du monde du spectacle, son image était celle du voisin sympa, sans plus. »

Son inconsistance avait inspiré à Cukor une directive de mise en scène géniale. Cela faisait plusieurs fois que Stewart s'essayait au monologue clé du film, celui où il déclare son amour à l'héroïne – « Le feu brûle en toi... » – sans trouver le ton juste. Cukor le prit à part : « Écoute, Jim, oublie que tu es le gosse qui s'est sauvé pour aller au cirque. Joue la scène au premier degré, comme si ta vie en dépendait. » Kate disait que, le plus souvent, on ne comprend pas tout ce qu'un réalisateur peut apporter à un acteur. Ce rapide conseil en était la parfaite illustration, « une divine inspiration ».

Les habitués de la cérémonie des oscars prétendent volontiers que la récompense remportée par James Stewart cette année-là – devant des concurrents comme Laurence Olivier, pour *Rebecca*[1], et Henry Fonda, pour *Les Raisins de la colère*[2] – n'était qu'un prix de consolation destiné à compenser ce qu'il n'avait pas obtenu l'année précédente pour *Monsieur Smith au Sénat*[3]. Hepburn n'était pas d'accord.

---

1. Même titre dans la version française que l'original. Film d'Alfred Hitchcock, 1940. Oscar du meilleur film.

2. *The Grapes of Wrath*, l'un des chefs-d'œuvre de John Ford, d'après le roman de John Steinbeck, 1940.

3. *Mr. Smith Goes to Washington*, film politique à grand succès de Frank Capra, 1939, plusieurs fois sélectionné mais finalement éclipsé par *Autant emporte le vent*.

« À mon avis, Jimmy fut extraordinaire dans *Indiscrétions* et totalement inattendu. Je crois que c'est son grand monologue qui l'a hissé au sommet. »

Hepburn passa à côté de l'oscar la même année au profit de Ginger Rogers pour *Kitty Foyle*[1]. En public, elle déclarait que Ginger avait mérité de gagner ; en privé, elle disait autre chose : « C'est un rôle idiot dans un mélo à l'eau de rose. Je suis contente de l'avoir refusé. »

Le succès retentissant d'*Indiscrétions* (près de six cent mille entrées en six semaines pour le seul Radio City Music Hall) remit Hepburn au hit-parade, notamment celui des grands producteurs.

« Mon père était tout bonnement fou de Kate, me confierait Irene Mayer Selznick. Elle représentait à ses yeux tout ce que l'Amérique avait de bon. Sa famille était très soudée, elle avait fait des études supérieures, elle avait de l'élégance, de la classe, tout en restant simple. Sans compter qu'elle avait la tête sur les épaules et le sens des affaires. Elle avait son franc-parler, sans jamais renoncer à sa féminité. »

Plus d'une fois, Mr. Mayer appela Katharine Hepburn à la rescousse pour l'aider « à remettre d'aplomb » l'enfant prodige de son studio, Judy Garland. Celle-ci avait désespérément essayé de se sortir de la spirale infernale des amphétamines et des barbituriques que les médecins du studio lui avaient prescrits pour perdre du poids et dormir. Mayer expliqua à Hepburn que le problème de la jeune vedette tenait à son manque de caractère, et que la seule présence de Hepburn, par son exemple, pourrait l'aider à surmonter ses faiblesses. George Cukor m'apprendrait que « Judy vénérait Kate, comme la plupart des actrices travaillant pour la MGM ». Mais Hepburn mit des années à comprendre la responsabilité du studio dans la toxicomanie qui conduisit Judy Garland à la mort : « Quand je fis la connaissance de Judy, expliquait Kate, j'avais du mal à saisir ce qui ne tournait pas rond chez elle. Et lorsque j'ai fini par comprendre, il était trop tard pour intervenir. »

---

1. Mélodrame de Sam Wood, 1940.

Les deux stars eurent au moins le temps de se vouer une admiration mutuelle. Au début des années 1940, lorsque Louis B. Mayer posa pour une photo célèbre qui le montrait au premier rang de son écurie d'acteurs – réunissant « plus d'étoiles qu'il n'y en avait dans le ciel » –, le producteur avait insisté pour que Katharine Hepburn prenne place à sa droite (Greer Garson figurait la seconde rose de l'épineux Mayer).

Irene comprenait volontiers l'engouement de son père pour Kate, même si elle ne le trouvait pas très conséquent. Mayer privait ses enfants de ce qu'il admirait tant chez Hepburn. Irene, par exemple, dont les dons étaient manifestes, n'avait pas eu le droit d'aller à l'université – parce que cela l'aurait rendue « trop intelligente pour trouver un mari ». Là où le docteur Hepburn avait misé sur l'indépendance et la liberté, Mayer avait écrasé ses filles dans un carcan de règles, toutes issues de ses lubies et manies. La liberté de parole de Kate tenait à ce qu'elle s'était taillé elle-même sa place à Hollywood. Contrairement à bon nombre d'actrices, toujours flanquées de leurs mères en guise de chaperon ou de manager, Hepburn allait et venait seule, sans la protection d'un mari ni même, à l'époque, d'un agent artistique. Mais le père d'Irene s'emportait chaque soir de voir ses filles encore célibataires à vingt ans, et s'exclamait en tapant du poing sur la table : « Je m'appelle tout de même Louis B. Mayer, qu'est-ce qu'il faut de plus ? »

En réalité, cela faisait plusieurs années qu'Irene et David Selznick désiraient se marier, mais Mayer refusait de donner son autorisation tant qu'Edie, l'aînée, ne l'était pas. L'union d'Irene et de David se déroula donc dans la plus grande discrétion un mois seulement après les noces grandioses – les plus grandioses de l'histoire de Hollywood – d'Edie et du producteur William Goetz, « le bon à rien le plus grossier de la ville », commentait Irene. Ce fut au cours d'une de mes soirées tardives au Pierre Hotel, après moult verres de « l'aquavit de Cary », qu'Irene fondit soudain en larmes en me racontant comment elle avait manigancé de bout en bout les fiançailles de Goetz et d'Edie. Elle m'avoua avoir inventé de toutes pièces des propos engageants que chacun aurait tenus sur l'autre, tout en incitant son père, mine de rien, à faire avancer la carrière de Goetz.

— La fin justifie les moyens, lui dis-je pour l'apaiser. Après tout, le mariage des Goetz a duré longtemps – en tout cas selon les critères de Hollywood. Edie affirme qu'ils sont très heureux. En fait, elle peut même se vanter de ce que William ait mieux réussi que votre père.

— Cela ne résume-t-il pas toute la situation ? conclut Irene. C'est ce qui me donne le plus de remords. Mais avais-je le choix ?

Les Mayer passèrent le reste de leur existence à se quereller. Irene et Edie ne se parlèrent plus pendant des décennies ; Irene fut perpétuellement brouillée avec l'un ou l'autre de ses deux fils. Louis B. Mayer, quant à lui, fit un testament qui ne laissait rien à Edie ni à aucun de ses enfants.

Mais en affaires, précisait Kate, « c'était l'homme le plus honnête qu'il m'ait été donné de rencontrer à Hollywood. Il allait droit au but. Nos contrats se concluaient par une poignée de main dans son bureau. Il me suffisait ensuite d'aller voir Benjamin K. Thaw [le vice-président de la société Loews à laquelle appartenait la MGM] pour discuter des détails. Lorsque le contrat était rédigé, j'allais voir Mr. Mayer : "Bon, je n'ai pas d'avocat et je sais que vous ne voulez pas m'escroquer, aussi pourriez-vous transmettre ceci à l'un de vos juristes pour vérifier que tout est en règle ?" Il s'exécutait ».

« C'est ce que mon père appréciait le plus chez Kate, finit par me dire Irene – la confiance. Elle lui faisait exprimer ce qu'il avait de meilleur. » « Ah, ces hommes-là, ajoutait Katharine – les Mayer, les Goldwyn et tous les autres –, ne vous y trompez pas, c'étaient des pirates, de vrais flibustiers. Mais ils étaient également joueurs et romanesques, n'avaient pas peur d'exprimer leurs opinions et de placer leur argent en conséquence. Parce qu'ils croyaient dans le cinéma. Le cinéma, c'était *leur* rêve. Quant à moi, Greer, Joan [Crawford] et Garbo, nous faisions partie de ce rêve. »

Suite au triomphe d'*Indiscrétions*, Hepburn et Mayer décidèrent de continuer à travailler ensemble. La direction du studio proposa même à la star de devenir réalisateur ou producteur : « Je n'ai qu'une corde à mon arc, expliquerait Kate. Le rôle de star me plaisait trop pour vouloir m'embourber dans les détails du reste de la production. »

Ce qui ne l'empêchait pas de donner son avis sur tous les aspects, même infimes, de chaque film, qu'elle soit ou non directement concernée. Elle travailla avec Mayer à dix reprises au cours des quinze années suivantes – avec des contrats successifs de trois ans aux conditions largement satisfaisantes.

Après le tournage d'*Indiscrétions*, Kate tint à honorer son engagement auprès de la Theatre Guild : elle termina la tournée – elle savait qu'elle ne pouvait que servir le film. Les producteurs de la pièce firent en sorte de donner la dernière représentation à Philadelphie (le titre anglais du film est *The Philadelphia Story*), le jour même de la première cinématographique. Le 15 février 1941, au Forest Theatre, juste avant de gagner la scène pour la représentation finale, Hepburn vint voir le régisseur : « Si je vous fais signe avant la fin de la pièce, ne baissez pas le rideau. Laissez une pause. » Au vu des réactions, la star put constater qu'en effet, le public avait déjà vu la pièce et lui « était acquis d'avance ». Au moment des rappels, ce fut le déchaînement. Hepburn se détacha alors des bras de Joseph Cotten pour une dernière révérence, songeant que, décidément, il était douloureux d'arrêter un spectacle. Elle fit signe au régisseur, demanda le silence et dit : « Le rideau ne tombera jamais sur cette pièce. » La troupe quitta les planches, la foule abandonna le théâtre pour les rues de Philadelphie, les accessoiristes éteignirent les spots et démontèrent le décor.

Quelques semaines plus tard, on rapporta à Kate ce qu'Helen Hayes – « la plus grande dame du théâtre américain » – avait dit à un ami : « Cette sacrée Kate s'est commise avec cette petite troupe sans le sou, quand elle pouvait s'adresser à un million d'acteurs bien plus célèbres. »

Ce que Kate commenta avec un grand éclat de rire : « J'aurais été dégoûtée de moi-même si je ne l'avais pas fait. »

Au début de la nouvelle décennie, néanmoins, elle se sentait d'autres ambitions. Elle était à nouveau très demandée. En 1940, Franklin D. Roosevelt l'invita à Hyde Park, où, à l'occasion d'une émission de radio, elle apporta son soutien à un troisième mandat du président. Quelques mois plus tard, Eleanor Roosevelt demandait à Hepburn de prêter sa voix au texte d'un documentaire des services de propagande de l'armée intitulé *Women in Defense (La Femme et l'Effort de guerre)*. Dès son retour à Hollywood, non seulement Louis B. Mayer lui proposa de faire un nouveau film, mais les auteurs de scripts se remirent à écrire en pensant à elle.

Ring Lardner Junior, par exemple, travaillait sur l'histoire d'une célèbre chroniqueuse, inspirée de Dorothy Thompson, qui tombe amoureuse du reporter sportif de son journal. Le duo classique de la guerre des sexes, avec le comique de situation suscité par l'attraction des contraires. Le clou de l'histoire était un match de base-ball auquel le couple assistait – un terrain aussi étranger à l'héroïne que l'était la politique mondiale à son amant. Lardner livra l'idée à son ami Garson Kanin – un jeune auteur de Hollywood marié à Ruth Gordon, avec lequel Hepburn entretenait des relations cordiales – dans l'espoir de rédiger le script avec lui. Hepburn appréciait Kanin, le trouvait « extrêmement intelligent » quoique passablement « imbu de lui-même ». Il avait au moins quinze ans de moins que sa femme, ce qui rendait Hepburn légèrement circonspecte à son égard. « Ce sont des princes qui recherchent une mère », disait-elle des maris gâtés beaucoup plus jeunes que leur femme. Cela dit, l'idée lui plaisait. Kanin travailla sur le sujet avec Lardner avant de s'enrôler dans l'armée – on était à l'approche de l'entrée en guerre des États-Unis – et proposa de confier la corédaction du script à son jeune frère.

Nos deux auteurs novices, Michael Kanin et Lardner, écrivirent plusieurs projets en taillant le personnage de Tess Harding à la mesure de Hepburn. Tout aussi important, celle-ci posa comme condition qu'on donne au reporter sportif, Sam Craig, un profil susceptible de convenir à l'acteur qu'elle voulait comme partenaire – Spencer Tracy. Kate prétendrait par la suite que son but avait été strictement professionnel. Elle pensait, tout simplement, que « c'était le meilleur acteur du moment ».

En 1940, c'était l'avis général. Spencer Tracy s'était déjà produit dans plus de quarante films, avait tout interprété, des gangsters aux prêtres ; il avait remporté deux oscars d'affilée, pour le personnage de Manuel, le pêcheur portugais de *Capitaines courageux*[1], et celui de père Flanagan dans *Boys Town*. C'était déjà plus qu'un acteur, plus qu'une star. Son naturel, ses personnages au franc-parler en avaient fait l'archétype de l'Américain fiable et solide. Il était, dirait Kate dans un instant d'abandon, « la virilité incarnée ».

Ce qui ne l'empêchait pas d'avoir un profil romantique, laissant deviner sous ses dehors bourrus une grande sensibilité. Elle estimait que sa prestation dans *Furie*[2] de Fritz Lang, où il jouait le rôle d'un brave type qui, de victime se transforme en bourreau, était « une des plus remarquables de l'histoire du cinéma, admirable de simplicité ». D'ailleurs, me confia-t-elle un soir, « j'ai vu *Capitaines courageux* au moins sept fois sans pouvoir aller jusqu'au bout car je fonds en larmes quand Spence meurt sans dire au môme qu'il a perdu ses deux jambes ».

Dès que Hepburn jugea que Kanin et Lardner avaient suffisamment travaillé le sujet pour le mettre sur le marché, elle envoya le script à Joe Mankiewicz – sans indiquer le nom des auteurs. Elle lui donna vingt-quatre heures pour répondre : l'intrigue était-elle valable, et le rôle masculin était-il susceptible de plaire à Tracy ? « De toute façon, ce sera lui, ou la MGM se passera de moi », ajoutait-elle. Mankiewicz l'appela pour donner son feu vert et, aussitôt, elle partit pour Los Angeles rencontrer Mr. Mayer.

Comme pour *Indiscrétions*, Hepburn avait la main sur le scénario. Mayer lui demanda combien elle voulait pour le script et qui l'avait écrit. Elle exigea cent vingt-cinq mille dollars pour elle et autant pour les auteurs. Elle refusa de révéler leurs noms, sachant que des débutants ne pouvaient prétendre à une telle somme. Mayer insista et Hepburn sentit que l'amour-propre du producteur risquait de compromettre la négociation. Elle se rappela une fois de plus comment sa mère s'y prenait avec les notables de Hartford, sans jamais laisser son propre ego entraver la cause : « Kath, contente-toi de lui verser le thé », se disait-elle.

---

1. *Captains Courageous*, de Victor Fleming, 1937, d'après le roman de Rudyard Kipling.
2. *Fury*, 1936, premier film tourné aux États-Unis par Fritz Lang.

Aussi, avant d'acculer Mayer dans ses retranchements, Hepburn ajouta qu'elle n'était pas venue pour signer le contrat mais simplement pour savoir si la MGM et Spencer Tracy étaient intéressés. Manifestement, Mayer l'était suffisamment pour que Hepburn encourage ses jeunes auteurs à peaufiner le script. Malheureusement, Tracy était pris en Floride par le tournage de *Jody et le faon*[1], d'après le roman de Marjorie Kinnan Rawlings.

Hepburn ne savait pas encore que le tournage en question subissait toutes sortes d'aléas : le temps était exécrable et les moustiques, non contents de dévorer les acteurs, grouillaient sur l'objectif, de sorte que la plupart des séquences étaient inutilisables. On arrêta l'aventure (pour ne la reprendre que cinq ans plus tard, cette fois avec Gregory Peck), ce qui était providentiel. Spencer Tracy devint disponible. « Les mômes », ainsi Kate appelait-elle Kanin et Lardner, terminèrent le script à toute vitesse. Tracy l'apprécia et accepta.

Au début d'août 1941, Hepburn sortait de l'immeuble de la MGM, le Talberg Building, quand elle aperçut Joe Mankiewicz et Spencer Tracy qui partaient déjeuner. Les deux vedettes jouaient pour le même studio mais ne s'étaient jamais rencontrées. Mankiewicz fit les présentations. C'était superflu. Kate tendit la main tout en détaillant son nouveau partenaire de la tête aux pieds. Juchée sur ses hauts talons, elle lui fit remarquer avec coquetterie :

— Mr. Tracy, vous n'êtes pas aussi grand que je me l'imaginais.

— Ne t'inquiète pas, Kate, intervint Mankiewicz, il te fera vite descendre à sa hauteur.

---

1. *The Yearling.* Le film, de Clarence Brown, ne sortirait qu'en 1946.

# 7

## Subjuguée

« Comment va votre amie Irene ? » ne manquait pas de demander Kate lors de nos conversations téléphoniques ou de mes visites. Ce n'était pas une question posée à la légère. On sentait un intérêt réel, empreint d'une certaine mélancolie.

Après tout, Katharine Hepburn et Irene Mayer Selznick avaient été amies durant plus de cinquante ans. Kate avait connu Irene peu après son mariage. David Selznick marchait à la benzédrine et, de ce fait, leurs quinze années de vie commune furent passablement agitées. Les deux femmes devinrent plus intimes quand Irene, à la suite de son divorce, entreprit une nouvelle carrière qui l'imposa à Broadway. Celle-ci avait fidèlement soutenu Kate dès son arrivée à Hollywood, pendant son exil, à son retour, puis tout au long des cinquante glorieuses qui suivirent. Elle avait été témoin des nombreuses aventures de son amie, dans les années 1930 ; puis l'avait vue se consumer pour le seul grand amour de sa vie tout au long du quart de siècle suivant. « Sœur Kate », quant à elle, était devenue la « tante » préférée des deux fils d'Irene, Jeffrey et Dany, presque constamment en froid avec leur mère, ensemble ou séparément. En dépit de leur intimité passée, les deux femmes avaient pratiquement cessé de se fréquenter au début des années 1980. Cela dit, j'ai peine à me souvenir d'une seule conversation téléphonique ou visite au cours de laquelle Irene n'ait pas demandé : « Comment va votre amie Kate ? »

Ce fut moins une rupture qu'un lent décrochage. Leurs existences avaient progressivement divergé. Les deux octogénaires, nées à un mois d'écart, étaient devenues trop différentes l'une de l'autre. Irene, éternelle hypocondriaque (seule façon d'attirer l'attention quand on grandit auprès d'une sœur souffreteuse), était fière de son âge. Elle aimait se plaindre de maux et de douleurs échappant à tout diagnostic, mais se vantait « d'avoir toute sa tête » et travaillait sans faiblir à ses Mémoires. Kate, de son côté, ne se plaignait jamais de son pied, qui pourtant la tourmentait. Elle y appliquait stoïquement de la glace et continuait ses exercices physiques du mieux qu'elle pouvait. Elle acquiesçait à toutes les propositions professionnelles qui se présentaient. Elle se plaignait seulement de sa mémoire, moins sûre que jadis. Je lui avais suggéré pendant des années de coucher ses souvenirs sur le papier – ce qu'elle entreprit discrètement, comme je l'appris plus tard. Mais leur publication lui aurait semblé sonner le glas de sa carrière d'actrice. Elle ne célébrait pas son anniversaire bien que, tous les ans – en général à une fausse date, celle qu'elle avait donnée en 1932 à des fins publicitaires – la presse se répandît en balivernes à son propos. En mai 1989 – son quatre-vingt-deuxième anniversaire – un journal annonça qu'elle venait d'avoir soixante-dix-neuf ans. Irene lui envoya un petit mot : « Vieillir un peu plus chaque année me semble déjà assez difficile. Comment supportes-tu de rajeunir ? » Elle ne reçut jamais de réponse : « La Kate que j'ai connue m'aurait appelée pour en rire » me fit-elle remarquer quelques jours plus tard.

Sans qu'elles aient évoqué directement le sujet entre elles ni avec moi, leurs chemins semblaient ne plus devoir se croiser. Irene ne sortait guère. Elle était toujours prête « à pisser du vinaigre » (selon sa propre expression) à tout propos, qu'il s'agisse de politique, de Broadway ou de ses enfants, mais sa vie sociale se réduisait à de longues conversations téléphoniques avec ses intimes – Kitty Carlisle Hart, Leonora Hornblow, Jean Kerr et surtout Mr. Paley – et des dîners chez elle en tête à tête. Il pouvait lui arriver de dire « je prendrais bien une soupe aux haricots à la Post House » ou « ce soir, j'ai envie de manger chinois ». Nous foncions sans barguigner à Chinatown pour avaler cinq ou six plats, chacun chez un restaurateur différent, l'un spécialisé dans le dim ou la soupe de Seu-tch'ouan, l'autre dans le canard à la pékinoise. Mais de telles soirées se firent de plus en plus rares ; je lui sentais de moins en moins à chaque visite l'envie de s'aventurer à l'extérieur.

Kate, affirmait Irene, « avait honte de vieillir ». Après des années d'une retraite discrète, elle se montrait partout – dans le simple but de refaire la une des journaux. Elle avait assisté à une représentation de *Candide* où les bancs réservés au public s'étaient révélés si inconfortables qu'elle avait été contrainte de prendre une chaise... sur la scène ! Au cours d'une autre pièce, écrite par sa nièce Katharine Houghton, elle s'était évanouie, non de sa faute mais sous l'effet des émanations de la peinture fraîche des décors. Elle avait été l'invitée d'honneur d'un concert de Michael Jackson au Madison Square Garden. Elle alla même jusqu'à se commettre dans une de « ces petites horreurs », comme disait Irene, de séries télévisées. « Mon père disait toujours que Garbo avait vu juste : quittez la scène tant que vous êtes encore une idole », ajoutait-elle pour souligner son propos.

Ce qu'Irene avait peut-être encore plus de mal à accepter, c'était que Hepburn semblait avoir trouvé une nouvelle bande d'amis, en général beaucoup plus jeunes qu'elle. Anthony Harvey, qui l'avait dirigée dans *Le Lion en hiver*[1], se révélait aussi attentionné en tant qu'ami que réalisateur ; à bien des égards, il avait pris la place de George Cukor dans la vie de Kate. Laura Fratti, qui avait entraîné Kate au piano à la scène comme à l'écran, venait chez elle en compagnie de son intellectuel de mari et leur fille. Sally Lapidus, régisseur de *The West Side Waltz*[2] pendant la tournée de Kate, la raccompagna à New York en tant qu'assistante personnelle et devint son amie, avant de se faire connaître comme producteur et auteur à succès pour la télévision.

« Je me souviens de l'époque où son numéro de téléphone était un secret d'État connu seulement de certains d'entre nous, se rappelait Irene, non sans nostalgie. Désormais, tout le monde le possède. »

---

1. *The Lion in Winter*, d'après une comédie de James Goldman, 1968.
2. D'Ernest Thompson, 1981. Katharine Hepburn y interprétait le rôle d'une pianiste.

Mme Selznick, quant à elle, était dans l'annuaire (« Si vous voulez réellement qu'on ne puisse pas vous trouver, inscrivez-vous dans l'annuaire de Manhattan », m'avait-elle confié). Toujours est-il qu'Irene était toujours au courant de qui entrait ou sortait de la vie de Kate. J'ai toujours soupçonné que c'était grâce à Norah, la cuisinière, qu'elle aimait beaucoup et qui était toujours prête à papoter.

— Et qui est Cindy ? me demanda Irene au téléphone un soir de 1983.

— Pour être franc, répondis-je, je n'ai pas encore fait sa connaissance.

— Vous feriez mieux, car je crois qu'elle occupe votre chambre au 244.

Il s'agissait de Cynthia McFadden, une jeune femme originaire du Maine qui avait fait son chemin de l'université Bowdoin jusqu'à Manhattan, où elle faisait ses classes de journaliste sous l'autorité du légendaire Fred Friendly. Il lui confierait l'organisation de séminaires radiophoniques sur les médias et les problèmes de société. Il était à l'origine de ces stimulantes émissions qui consistaient en une sorte de dialogue socratique entre un professeur de droit et une équipe de spécialistes sur des thèmes juridiques et éthiques. Diplômée de la faculté de droit de l'université Columbia, Cynthia produirait également une émission littéraire pour Lewis Lapham.

Marion, la sœur de Kate, lui avait d'abord ménagé une rencontre avec Kathy Houghton, laquelle l'avait présentée à Kate. Une profonde amitié s'ensuivit. Un soir que j'appelais Kate de Los Angeles, je tombai au milieu de ce qui semblait un dîner très animé.

— Dommage que vous ne soyez pas là, dit-elle. Je vous avais même trouvé une compagne de table, une brillante jeune fille. Elle a de grands yeux magnifiques, une peau superbe et des cheveux… eh bien, des cheveux relevés et noués en un chignon comme…

J'entendis alors une voix jeune crier de l'autre bout de la pièce :

— Dites-lui que je vous ressemble.

— Eh bien, oui, fit Kate comme si elle s'en rendait compte pour la première fois, ça doit être ça.

Lors de ma visite suivante à New York, j'eus l'occasion de dîner avec Cynthia et la trouvai aussi séduisante que Kate l'avait décrite, quoique différente de ce que j'avais imaginé. Kate s'excusa et me proposa une autre chambre mais j'avais pris mes dispositions chez quelqu'un d'autre, en ville. Leur relation s'épanouirait au cours des années, au fil de la réussite professionnelle de Cynthia. Celle-ci était extrêmement attentive, traitant son aînée avec respect et tendresse. Cette jeune femme qui démarrait une carrière à Manhattan avait sur l'actrice un effet tonique évident. Kate préférait le plus souvent que nous dînions en tête à tête, mais quand Cynthia, Kathy Houghton ou Tony Harvey se joignaient à nous, c'était la fête. Un soir, Kate, Cynthia et moi nous rendîmes chez Nancy Hamilton, une vieille amie de théâtre. Nous fêtions l'inscription de Cynthia au barreau de New York, qui avait eu lieu le jour même. Après le dîner, Nancy – qui, parmi ses nombreux talents, composait des chansons – voulut passer un disque de Kirsten Flagstad chantant Wagner. Très peu pour Kate. Elle suggéra à son hôtesse d'arrêter la musique et de reprendre la conversation, mais Nancy ne voulait rien savoir. Kate me lança alors un regard désespéré, implorant une intervention de ma part. À la fin d'une aria, je m'assis au piano et commençai à jouer, contraignant Nancy à rendre les armes. Le premier air qui me vint à l'esprit était *Coco*[1], une chanson que Kate avait interprétée des centaines de fois. À la fin du morceau, Kate me demanda d'un air intrigué :

— Voulez-vous rejouer ça ?

Je m'exécutai. De plus en plus intriguée, elle demanda :

— Quel est cet air ? Je sais que je l'ai déjà entendu.

J'éclatai de rire jusqu'à ce que je comprenne qu'elle ne plaisantait pas.

— Entendu ! Mais vous l'avez chanté au moins quatre cents fois ! C'est *Coco*.

— Mon Dieu ! Je savais bien qu'il y avait une raison pour laquelle je n'arrivais pas à m'en souvenir. Je n'ai jamais pu sentir cette chanson.

Cynthia, très liante et sociable, poussa Kate à sortir de sa réserve. Non seulement il lui arrivait désormais d'accepter des

---

1. Dans la comédie musicale *Coco*, d'Alan Jay Lerner (1969), où Katharine Hepburn incarne Coco Chanel.

invitations à dîner, mais elle prenait plaisir à se rendre « en ville ». Tous les prétextes étaient bons. Un jour, nous devions trouver le parfait économe pour carottes. Son chauffeur nous conduisit à trois magasins différents avant de dénicher une quincaillerie détenant le modèle de la taille voulue. Je fus sidéré de l'intérêt soudain des clients de ce magasin proche d'Union Square pour les couteaux à éplucher et de la feinte indifférence de Kate. Du grand art.

Je fis la queue à la caisse avec Kate et Phyllis, qui sortit la monnaie de son porte-monnaie – Kate n'avait jamais de liquide sur elle, juste un carnet de chèques. Onze clients sur douze s'agglutinèrent :

— C'est elle, non ? Elle est toujours formidable. Ma grand-mère l'adore ; ma mère ne jure que par elle ; c'est elle que je préfère...

— J'ai toujours pensé qu'elle en faisait trop, intervint une femme d'âge mûr au tailleur strict.

Je rapportai les résultats de mon sondage d'opinion. Et voilà ! s'écria Kate. J'aurais dû dire qu'elle était ma tante, les gens auraient été plus polis, ils auraient hésité à la critiquer, du moins devant nous.

Kate reprit goût à courir les théâtres de Broadway. Elle proposait souvent d'aller au cinéma mais, en fait, peu de films l'intéressaient. Elle évitait les films d'action. Sylvester Stallone et Arnold Schwarzenegger, des stars internationales ? Incroyable. « Je ne le comprends pas » dit-elle du second au sortir d'une avant-première.

J'entrepris bravement d'expliquer le sex-appeal de ce culturiste d'origine autrichienne. Elle m'interrompit : « Ce que je veux dire, c'est que je ne comprends pas... ce qu'il dit ! »

Elle trouvait la plupart des films de Merchant-Ivory[1] « casse-pieds » bien qu'elle ait apprécié Vanessa Redgrave dans *Les Bostoniens*, comme d'ailleurs dans tous les rôles où elle avait pu la voir.

---

1. Le grand réalisateur américain James Ivory (*Le Propriétaire*, 1963, *Les Européens*, 1979, *Chaleur et Poussière*, 1983, *Les Bostoniens*, 1984... *Les Vestiges du jour*, 1993...) avait découvert l'Inde en 1960 pour y séjourner plusieurs années. Il s'y était lié avec le producteur local Ismaïl Merchant.

Elle s'était entichée de John Travolta dans *La Fièvre du samedi soir*[1] et admirait beaucoup Sally Field dans *Norma Rae*[2] et *Les Saisons du cœur*[3]. Elle avait aimé Harrison Ford dans *The Mosquito Coast* ou encore *Working Girl*. La star de ce film, Melanie Griffith, lui rappelait Judy Holliday, mais risquait de n'être qu'un météore, craignait-elle. Elle ne supportait pas les films de Woody Allen, bien que *La Rose pourpre du Caire* lui rappelât le parfum des vieux films de la RKO. Après avoir vu Julia Roberts dans *Mystic Pizza*, elle prédit qu'elle deviendrait « la grande star du cinéma, la première depuis des années ». Meryl Streep était l'actrice actuelle qu'elle aimait le moins – « Click, click, click » faisait-elle en mimant les rouages tournant dans la tête de l'actrice.

Côté théâtre, elle n'appréciait guère Glenn Close : « Elle a de très vilains pieds, énormes, me déclara-t-elle au retour d'une matinée de *The Real Thing*, la pièce de Tom Stoppard où Close partageait la vedette avec Jeremy Irons. Elle réussit presque à tout démolir rien qu'en se baladant pieds nus sur la scène. »

Irons, en revanche, lui avait fait une forte impression quoique manquant de métier : « Il joue son personnage, prend des poses, a un charme fou – comme moi. »

Elle admirait la femme d'Irons, Sinead Cusack, une actrice absolument fascinante, disait-elle, qui, à l'époque, jouait à New York *Beaucoup de bruit pour rien*[4] et *Cyrano de Bergerac* avec Derek Jacobi, pour la Royal Shakespeare Company.

En dépit des pieds de Glenn Close, Kate insista pour que je voie *The Real Thing*. Stoppard, un auteur plutôt froid, y avait mis plus d'émotion que d'habitude. Elle réserva deux places pour une matinée du mercredi, l'une pour moi, l'autre pour « votre amie Irene ». Celle-ci s'enthousiasma pour l'interprétation d'Irons, l'une des trois meilleures qu'elle ait jamais vues, à l'égal de Brando dans

---

1. *Saturday Night Fever*, John Badham, 1977.
2. De Martin Ritt, 1979, sur l'éveil de la conscience ouvrière dans une usine. L'ouvrière Norma Rae contribue à la création du syndicat en déclenchant une grève.
3. *Places in the Heart*, de Robert Benton, 1984.
4. *Much Ado About Nothing*.

*Un tramway nommé Désir.* La troisième était celle de John Lithgow dans l'adaptation théâtrale de *Requiem for a Heavyweight (Requiem pour un poids lourd)* d'un téléfilm de Rod Serling, qui ne fit que quelques représentations à Broadway.

Kate ne se contenta pas des places de théâtre. Elle nous invita à dîner chez elle. Irene en fut enchantée et nous passâmes une très agréable soirée. J'écoutais silencieusement les deux vieilles amies arpenter un demi-siècle de monde du spectacle, passant en revue toutes les célébrités de Hollywood, en y ajoutant quelques amis communs de Broadway – le producteur Hugh « Binky » Beaumont, l'agent Audrey Wood, Lillian Hellman, Tallulah Bankhead…

— Et tu te rappelles comment Myron pariait toujours sur ce satané cheval, celui qui s'appelait Malicieux ? demandait Irene. Un coup risqué mais qui a payé à chaque fois.

Le lendemain matin, Kate se félicitait d'avoir revu Irene, mais « il n'y en a que pour ses bobos, ses maladies et les morts ». Irene était tout aussi enchantée d'avoir vu Kate, « mais vous êtes bien le seul de ses amis que je peux souffrir ». Sans avoir jamais rencontré Cynthia McFadden, elle ne la supportait pas. L'extrême intérêt que Kate portait à la carrière de la jeune femme la hérissait. Il lui arrivait de me faire parler de mes séjours à Fenwick avec envie : « Qui fait les lits ? » Chacun semblait faire le sien… et si je lambinais trop, Kate venait le faire elle-même. « C'est bien ce que je craignais ! »

Irene ne reviendrait qu'une fois au 244 de la Quarante-Neuvième Rue Est.

J'achevai ma biographie de Goldwyn à la fin du printemps 1988, dans un moment difficile pour les éditions Alfred A. Knopf. L'emblème de la maison, Robert Gottlieb (éditeur de mes livres), venait de démissionner pour le poste de rédacteur en chef du *New Yorker*. Il fut remplacé par un brillant gentleman venu de Londres, Sonny Mehta, et l'on confia mon livre à une protégée de Gottlieb. Je lui remis un manuscrit de douze cents pages sur lequel j'avais travaillé pendant huit ans, accompagné d'une recommandation plutôt inhabituelle : « Je vous en prie, coupez tout ce que vous pouvez. Il y a quatre cents pages de trop. Cochez les passages où vous hésitez. Je me chargerai éventuellement de le faire. »

Elle me retourna le manuscrit quatre mois plus tard avec douze pages en moins ! Au moment où elle s'apprêtait à mettre le livre en fabrication, j'en adressai une copie à Irene, qui m'appela le lendemain : « Vous vous êtes trompé. J'ai reçu un de vos brouillons. »

La version revue et corrigée ? Impensable ! Le contenu y était, mais la forme, pas du tout. Si c'était tout ce que Knopf était capable de faire, autant qu'elle se charge elle-même de l'édition de mon livre. Irene se mit au travail pendant les dix jours qui suivirent, en pesant chaque mot du manuscrit. Elle m'appelait deux fois par jour, avec tel ou tel sujet d'indignation :

« Vous parlez de Zsa Zsa Gabor et pas de Pearl White ! »

J'avais en effet oublié la plus célèbre héroïne des films à suspense du cinéma muet. Elle me rendit une version dont les marges étaient bourrées de notes, toutes très précises. Par exemple, devant le paragraphe relatif à Jon Hall, la star de *Hurricane*[1], de chez Goldwyn, elle avait simplement ajouté : « Sonny Tufts », allusion à une autre vedette du même film qui n'avait pas attiré beaucoup l'attention.

Le Pierre Hotel inaugurant cette semaine-là un nouveau chef, Irene nous fit monter un échantillon de son talent. Autour d'un turbot sauce homard, elle me fit réduire des anecdotes de plusieurs pages à quelques paragraphes, des paragraphes à quelques lignes et des phrases à deux mots. Quand nous arrivâmes aux pages consacrées à *Si bémol et fa dièse*[2], un film exécrable produit par Goldwyn, je proposais de couper, tout simplement. Irene s'empara d'un morceau de pain et sauça vigoureusement son assiette.

— Qu'est-ce qui rend cette sauce si bonne ? – Elle répondit elle-même sans me laisser le temps de réagir : – On l'a faite réduire.

Le lendemain matin, Irene m'appela pour me faire savoir qu'elle venait de téléphoner à « son altesse » – Bob Gottlieb, qu'elle considérait comme son troisième fils – et lui avait fait « toute une

---

1. *The Hurricane*, de John Ford et Stuart Heisler, 1937.
2. *A Song is Born*, comédie musicale de Howard Hawks, 1948. Les rois du jazz ont raison d'une bande de gangsters.

scène ». Il fallait que je reprenne le manuscrit le plus vite possible et que j'envoie la nouvelle version directement à Bob, même s'il avait déjà pris ses fonctions au *New Yorker*.

Les commentaires d'Irene me permirent de réduire le manuscrit de trois cents pages. Bob Gottlieb travailla officieusement pendant quelques jours et, fidèle à sa réputation, coupa encore une centaine de pages. Une fois le livre enfin prêt pour l'impression, je me mis en quête d'un nouveau sujet.

Un éditeur de chez Knopf me présenta à l'exécutrice testamentaire de Tennessee Williams, Maria Grenfell devenue lady St. Just. Elle recherchait un biographe pour Williams. Une aubaine. Peut-être le plus grand auteur dramatique américain (le débat fait toujours rage entre les partisans de Williams et ceux d'O'Neill), Williams a laissé une énorme quantité de travaux non publiés. Sur la vie de cet homme, aucune histoire qui fût à la fois bien documentée et bien écrite n'était encore parue.

Lady St. Just était un personnage haut en couleur : ancienne actrice ayant épousé un héritier de la banque Morgan, elle passait pour avoir servi de modèle à la Maggie d'*Une chatte sur un toit brûlant*[1]. À la mort de son vieil ami Tennessee, elle avait été chargée de superviser son legs littéraire : « Je me rappelle quand elle faisait le trottoir » me dit Irene lorsque je lui appris que j'allais dîner avec elle.

L'entrevue se passa si bien que, dès le lendemain, lady St. Just me conduisit à deux cabinets juridiques pour discuter de mes droits d'accès aux archives de Williams avec les autres exécuteurs testamentaires. Un de mes amis, Lyle Leverich, homme au demeurant charmant, travaillait lui-même à une biographie de Williams depuis des années, avec l'autorisation de Williams en personne. Mais les héritiers lui mettaient des bâtons dans les roues. Ils menacèrent même de lui interdire toute citation de l'écrivain. Je pensais les amadouer à son égard, sachant que j'aurais un accès à des documents qu'il n'avait pas eus et que mon livre serait publié au moins dix ans après le sien. Quand tout fut réglé pour que je

---

1. *Cat on a Hot Tin Roof.* Pièce de Tennessee Williams.

puisse me mettre à la biographie officielle – un peu trop vite même, me dis-je, surtout après qu'un des avocats m'eut montré l'autorisation de Leverich en remarquant : « Ce n'est pas exactement écrit sur une serviette en papier usagée, contrairement à ce que prétend Maria » – je me précipitai au Pierre Hotel apporter la bonne nouvelle.

— Félicitations, dit Irene. Maintenant, foncez !

Je n'avais pas à expliquer à la productrice théâtrale d'*Un tramway nommé Désir* l'importance de mon sujet. Irene se sentit tout de même obligée de me prévenir : j'allais « mettre les pieds dans un nid de vipères ». Elle me fit comprendre que je ne sortirais pas indemne d'une collaboration avec « cette femme », Maria St. Just, et que les affaires de Tennessee Williams étaient un véritable « égout », avant comme après sa mort. J'étais content de pouvoir discuter de tous les aspects du problème avant de signer un engagement de dix ans ; je me fis l'avocat du diable et plaidai la cause de Williams en invoquant le drame qu'avait été sa vie. « Le troisième acte est nul. », fut son verdict.

En me raccompagnant, elle me pressa de discuter de l'affaire avec mon « amie Kate ». Hepburn, après tout, avait interprété deux des personnages les plus savoureux de Tennessee Williams, Violet Venable et Amanda Wingfield ; sans compter celui de Hannah Jelkes dans *La Nuit de l'iguane*[1], qu'il avait initialement écrit pour elle. Je fis un saut au 244 dès le lendemain.

— J'ai bien peur qu'Irene n'ait raison, me dit Kate. La vie de Tennessee a été un cauchemar, un vrai cauchemar, dont vous ne pourrez jamais vous sortir. Je vous vois mal passer des années avec ces gens-là – son entourage.

Kate venait de lire le manuscrit définitif de *Goldwyn*, pour lequel elle avait proposé à ma maison d'édition, sans que je la sollicite, une préface promotionnelle.

— Goldwyn était un pirate, continua-t-elle, mais sa vie a quelque chose d'enthousiasmant. Sa mort m'avait laissée de marbre mais dans votre livre, quand il meurt, j'ai été émue. Je ne pense pas

---

1. *Night of the Iguana*. Huston en ferait un film, en 1964, avec Ava Gardner et Richard Burton.

que vous aurez le même sentiment à propos de Tennessee. Sa vie a été un long suicide. Il entraînait les gens dans le caniveau avec lui, et je crains qu'il ne vous y emporte aussi.

Cela me fit réfléchir. Mais avant que je puisse faire part de mes hésitations à quiconque, lady St. Just – dont on se moquait en disant d'elle qu'elle n'était « rien des trois, ni lady, ni sainte, ni juste » – annonça brusquement qu'elle annulait sa proposition parce qu'elle avait entendu dire que j'étais « incompétent ». L'affaire était classée. Il me restait à repartir à la pêche d'un autre sujet.

Avais-je du nouveau en perspective ? me demanda Kate un soir. Trois maisons d'édition différentes avaient eu vent de notre amitié et me proposaient d'écrire sur elle.

— Vous pourriez, en effet, dit-elle. Mais pas de mon vivant.

Je continuai à prospecter. Quand j'expliquai à mon éditrice, chez Knopf, que j'aurais aimé pour sujet une grande figure de la culture américaine qui n'appartiendrait ni à l'édition ni au cinéma – dans la mesure où j'avais déjà écrit sur Perkins et sur Goldwyn –, elle me proposa Luchino Visconti, italien et metteur en scène. Je me sentis libre de chercher ailleurs.

Sur les instances de Phyllis Grann, alors à la tête de G. P. Putnam's Sons, je cherchai à acquérir les droits sur les papiers de Charles Lindbergh. Cela me prit plus d'un an. Irene, en apprenant la chose, s'écria : « Aaah, *goyishkeit* ![1] » Mais elle vit aussi l'intérêt de raconter l'histoire de ce héros passé du statut de victime à celui de traître[2].

---

1. En yiddish dans le texte : « C'est bien une idée de goy ! »

2. Après sa traversée de l'Atlantique à bord de son monoplan dans le sens New York-Paris en 33 heures 29 minutes en mai 1927, il devint, à vingt-cinq ans, une idole nationale. En mai 1929, son bébé de vingt et un mois est enlevé. On retrouve le petit cadavre malgré le versement de la rançon. Il quitte les États-Unis. En 1938, il est invité par Hermann Goering, fêté et décoré en Allemagne. Rallié aux idées nazies, il rentre aux États-Unis et mène une farouche campagne contre l'intervention américaine dans le conflit. Il dirige le mouvement isolationniste America First en 1941 et démissionne de la réserve. Après Pearl Harbor, il considère de son devoir de servir à nouveau et réussit à faire cinquante missions comme pilote d'essai sans être réintégré dans l'US Air Force, sur l'intervention de Roosevelt. Après la guerre, il se consacre à la défense de la nature et des animaux.

— Je ne l'aime pas, dit-elle. Mais j'aimerais en savoir plus sur lui. Et, à mon âge, je ne peux pas en dire autant de beaucoup de gens.

Kate adora l'idée avant même que je ne la formule.

— Je suis impatiente de le lire, dit-elle. Il y a tout là-dedans : le spectacle, la tragédie, la controverse, le mystère et l'histoire d'amour. Vous devez le faire.

J'expliquai qu'il ne serait pas facile d'acquérir les droits car, au moment de mourir, Lindbergh avait interdit qu'on mette le nez dans ses papiers jusque longtemps après la mort de sa femme… Or Anne Morrow Lindbergh était encore pleine de vie. J'avais ménagé quelques ouvertures auprès des enfants Lindbergh, mais tout dépendait de Mrs. Lindbergh elle-même.

— Écoutez, me dit Kate. Trouvez-moi son adresse et je lui écrirai. Vous pensez que ça pourrait aider ?

J'acquiesçai sans trop de certitude.

— Vous la connaissez ? demandai-je.

— Non, mais nous avons eu le même médecin pendant des années. Et je pense qu'elle sait qui je suis.

— Bien sûr qu'elle sait qui vous êtes ! interrompit Phyllis avec sa charmante façon d'affirmer l'évidence. Tout le monde sait qui vous êtes. Dans le monde entier.

— Oui, chérie. Bien sûr. Mais c'est une situation délicate. Pensez-y. J'écrirai une lettre demain et vous déciderez si je l'envoie.

C'était une bonne idée, des plus généreuses… mais nous devions tous garder le silence sur le sujet, précisai-je.

— Oh, ne vous inquiétez pas à propos de Phyllis, m'assura Kate. C'est une vraie tombe. Elle promène toutes sortes de secrets. Et elle perd la tête. Dieu seul sait ce dont elle se souvient encore.

— Ce n'est pas vrai, protesta Phyllis. Je me souviens de tout ce dont je me souviens.

— Oui, bien sûr, ma chérie.

Le lendemain, Kate me montra la lettre qu'elle avait demandée à Cynthia de taper. C'était direct et concis. Je donnai mon accord. Cela pouvait toujours aider. Quelques jours à peine après l'envoi de la lettre, j'apprenais que Mme Lindbergh était prête à me rencontrer ; c'était un premier signe d'ouverture pour une biographie de feu son mari. Quelques semaines plus tard, j'avais les autorisations voulues.

J'eus d'un seul coup un accès exclusif à quelque deux mille cartons de papiers divers, la plupart entreposés au Sterling Memorial Library à l'université Yale, dans le New Haven, à soixante-dix kilomètres de Fenwick par l'autoroute. J'installai mon quartier général dans le Connecticut pour plusieurs années. J'allais pouvoir consacrer du temps à Kate.

Hepburn continuait de se montrer en public beaucoup plus que par le passé. Elle participa au gala de la Maison des acteurs dans le New Jersey, accepta un prix d'élégance (« Êtes-vous sûre qu'ils n'ont pas confondu avec Audrey ? » demandai-je alors qu'elle ouvrait l'invitation, ce qui me valut son cornet de glace dans la figure), fut l'hôtesse d'honneur du banquet annuel du planning familial, pour lequel elle écrivit un long discours émouvant (je lui avais proposé de conclure : « Je crois fortement au planning familial parce que j'ai eu le privilège d'avoir une mère et un père qui ont planifié leur progéniture » ; elle repoussa la suggestion, la jugeant vraiment « trop tarte »). En 1990, elle accepta une distinction du prestigieux centre Kennedy, qu'elle avait refusée plusieurs fois. Pourquoi l'avoir acceptée cette année-là ? Elle ne pouvait la refuser une fois de plus à George Stevens Junior – un des fondateurs du prix et fils de son ex-amant : « Et puis, ajouta-t-elle, j'attendais que les Reagan quittent la Maison Blanche, parce que je ne voulais pas avoir affaire à ces deux-là. »

Elle se mit également à permettre à des réalisateurs de films documentaires de jeter un coup œil sur sa vie, ses résidences, son histoire. Il lui arrivait de m'appeler la veille d'un tournage sous un quelconque prétexte pour au bout du compte discuter de ce qu'elle dirait face aux caméras. Katharine Hepburn n'avait guère besoin d'être conseillée, mais se demandait, je crois, s'il était bienséant, à son âge, de parler de sa vie privée, en particulier du sujet qu'elle avait toujours évité : Spencer Tracy. Elle avait longtemps invoqué la veuve de Tracy. Mais Louise Tracy était morte en 1983. Depuis, Kate avait rencontré leur fille, Susie, pour laquelle elle s'était prise d'une réelle sympathie. Elle ne perdait pas une occasion de parler de leur amitié.

J'émis l'opinion que, si elle devait parler de Spencer Tracy dans un documentaire, elle ne devrait pas le faire à mots couverts. Que voulais-je dire par là ? Bien des gens subodoraient leur relation mais n'en connaîtraient que les rumeurs tant qu'elle n'en parlerait pas elle-même. Elle seule connaissait ses véritables sentiments. Si elle envisageait de les « rendre publics », autant être explicite.

Elle demanda dans quelle mesure elle devait être franche. Venant de quelqu'un qui avait si farouchement maintenu le secret pendant des décennies, cette question me déconcerta. Elle semblait inquiète : comment se livrer sans abuser de l'image de Tracy ? Je lui suggérai de parler de ses propres sentiments plutôt que de parler de ceux de Tracy. Si vous le pouviez, lui demandai-je, que lui diriez-vous aujourd'hui ? Voilà qui ferait comprendre au public ce qu'il avait représenté pour elle, avec vingt ans de recul. Elle écrivit cette nuit-là une lettre à Tracy, qui mit de l'ordre dans ses pensées et sentiments. À ma grande surprise, le lendemain, elle la lut devant la caméra, d'une manière plutôt théâtrale.

Mon amie Irene me dit un jour : « J'aimais bien Spence mais ne l'ai jamais compris, et je comprenais encore moins la nature de sa liaison avec Kate. »

À bien des égards, Kate non plus. Sa lettre ouverte n'était pour l'essentiel qu'une longue litanie de questions : pourquoi ne pouvait-il trouver le sommeil ? Qu'aurait-il aimé faire ? Quels étaient ces démons qui le tenaillaient ? Pourquoi se réfugier dans l'alcool et « fuir tout ce qu'il y avait de remarquable en toi ? Qu'est-ce qu'il y avait, Spence ? » Encore plus révélateur : « Je voudrais tant savoir. »

Spencer Bonaventure Tracy, né le 5 avril 1900 à Milwaukee, était le second fils de Carrie Brown, une protestante devenue scientiste chrétienne, et de John Tracy, un catholique irlandais dont les parents s'étaient exilés à la suite de la grande famine de la Pomme de terre. John était devenu directeur général des ventes d'une société de camionnage et, en une génération, les Tracy s'étaient hissés dans la classe moyenne du Middle West. D'après Kate, qui ne l'avait pourtant jamais rencontré, « John travaillait dur et buvait sec » tout en imposant à ses deux fils une discipline que Spencer supportait difficilement.

D'une intelligence et d'un physique tout à fait ordinaires, semble-t-il, sa jeunesse se passa cahin-caha. Il fut exclu de plusieurs écoles et servit un temps dans la marine, avant d'achever ses études secondaires et d'entrer au Ripon College. Il ne trouva sa voie que lorsqu'un camarade de chambrée lui fit connaître les cours de théâtre de l'université. Tracy révéla une prodigieuse mémoire et un style de jeu parfaitement naturel. Enfin à son affaire, il devint une personnalité du campus.

Les compagnies new-yorkaises passaient souvent à Milwaukee pour y présenter les succès de Broadway. C'est ainsi que Tracy eut l'occasion de voir pour la première fois une représentation faite par des professionnels, en l'occurrence une comédie populaire follement sentimentale, *Peg o'My Heart (Peg de mon cœur)*, dans laquelle Laurette Taylor tenait depuis dix ans son rôle fétiche.

« Spence disait toujours que c'était la pièce la plus exaltante qu'il ait jamais vue », se rappelait Kate.

À la fin de sa première année, Tracy sauta sur la proposition de se joindre à l'équipe des étudiants conférenciers de Ripon. C'était une occasion unique de faire un voyage à New York, où il assista à de nombreuses représentations théâtrales et passa une audition à l'Académie américaine des arts dramatiques. Il fut admis et laissa tomber Ripon pour des études théâtrales, avec l'approbation inattendue de son père, manifestement due au fait que Spencer subvenait à ses besoins grâce à sa pension d'ancien de la marine. Il partagea une petite chambre avec un ami de Milwaukee, Pat O'Brien, qui suivait les mêmes cours et trouva rapidement des rôles de figurant, dont celui, muet, d'un robot, dans une production de la Theatre Guild of R.U.R.

En 1923, son diplôme de l'Académie en poche, Tracy décrocha de petits engagements pour la saison estivale. À White Plains, dans l'État de New York, il fit la rencontre de Louise Treadwell, vedette féminine de la troupe. À fin de la saison, Louise n'accepta un poste équivalent dans une troupe de Cincinnati... qu'à la condition qu'ils embauchent Spencer Tracy comme vedette masculine. Ils se marièrent en septembre.

Neuf mois et demi plus tard, naissait John, leur premier enfant. Ils s'aperçurent au bout d'un an qu'il était sourd. L'infirmité du garçon resta un sujet pénible que Katharine Hepburn elle-même abordait rarement : « Spencer en ressentit un sentiment de culpabilité pour le restant de sa vie. Dieu ne pouvait avoir laissé venir au monde une innocente créature dans cet état, ce ne pouvait donc qu'être sa faute. Ce fut sa croix, et quand il ne pouvait plus la porter, il se mettait à boire. »

Des quelques descriptions de Kate, j'ai déduit que le mariage de Tracy se fondait sur un sentiment de gratitude envers sa femme – qui avait cru en lui et en son talent – plus que sur un amour véritable. La reconnaissance et la culpabilité étaient ce qui préservait leur couple.

Pendant quelques années, la carrière de Tracy ne fut guère gratifiante. Il obtint un rôle prometteur dans une pièce qui n'a pas laissé de souvenir, *A Royal Fandango (Le Fandango du roi)*, avec Ethel Barrymore pour vedette, et le jeune Edward G. Robinson. Les représentations cessèrent bien vite (j'ai pu voir le programme de la pièce encadré dans la bibliothèque de la chambre de Kate, le nom d'Ethel Barrymore en tête… et celui de Tracy tout en bas). Il cherchait le réconfort dans la bouteille et au bordel, et sa femme fermait les yeux.

Après presque sept années de bon travail dans de mauvaises pièces – c'était le seul moyen de rester dans la carrière –, Spencer Tracy obtint le rôle principal de Killer Mears dans un drame sur l'univers carcéral, *The Last Mile (Le Dernier Kilomètre)*. Les représentations commencèrent en février 1930. Le succès fut énorme, la critique dithyrambique, et l'acteur devint « du jour au lendemain » la star de l'année.

Cela éveilla l'intérêt de Hollywood. John Ford était à New York en quête d'acteurs pour un film sur les prisons, *Up the River (En remontant la rivière)*, qu'il allait mettre en scène pour la Fox. Tracy lâcha la pièce pour un congé de six semaines afin de pouvoir figurer dans le film – au côté d'un nouveau venu nommé Humphrey Bogart. Puis il revint à Broadway.

À la suite du succès de *Up the River*, la Fox lui proposa un contrat de cinq ans. L'acteur s'installa à Hollywood avec sa femme et son fils. Il y tourna deux douzaines de films, la plupart sans aucun intérêt. Contrairement à Katharine Hepburn, qui devint immédiatement une star, Tracy comme la plupart des acteurs de cinéma dut besogner sur des scripts dont le seul intérêt était de pouvoir être réalisés sans délai afin que les salles, possédées par les mêmes compagnies de cinéma, ne désemplissent pas. Tracy continuait à noyer son chagrin dans l'alcool et les aventures d'une nuit. Sa réputation d'ivrogne coureur de jupons fut vite faite. Louise Tracy ne réagit publiquement qu'une seule fois, à l'occasion d'une liaison apparemment plus sérieuse que d'habitude. Les Tracy se séparèrent et lui-même annonça son intention d'épouser Loretta Young qui, finalement, repoussa la proposition. Louise récupéra son mari.

Le studio ne fut pas aussi magnanime. En dépit de ses bonnes prestations – en particulier dans le film de Preston Sturges, *The Power and the Glory (La Puissance et la Gloire)* – les frasques et l'ivrognerie de Tracy fatiguèrent la Fox. Lors d'une trop longue absence pendant un tournage, on avait dû le remplacer au pied levé. En avril 1935, la compagnie ne renouvela pas son contrat.

La MGM ne perdit pas de temps pour lui en offrir un meilleur, avec l'opportunité de jouer dans des films d'une autre qualité, aux côtés d'acteurs en vue. Au cours des cinq années suivantes, Tracy tourna deux fois avec Clark Gable, dans *San Francisco* et *Test Pilot (Pilote d'essai)*, qui leur valut un oscar à tous deux. Il mêla l'aventure au tournage avec Myrna Loy (*Whipsaw*) et Joan Crawford (*Mannequin*). En dépit de ses fredaines et des ragots, tout Hollywood le considérait comme le meilleur acteur du moment. Quant à Louise, elle se contentait de jouer son rôle de Mrs. Spencer Tracy, qui supposait désormais de s'occuper aussi de leur deuxième enfant, une petite fille prénommée Louise mais qu'ils appelaient Susie. En 1941, Tracy accepta sans enthousiasme d'apparaître dans un remake MGM du classique *Dr. Jekyll and Mr. Hyde*. Il espérait jouer les deux rôles avec un minimum de maquillage et exprimer par son seul jeu la double personnalité du personnage. Le producteur et le metteur en scène, Victor Fleming, ne voyaient pas les choses ainsi. Ce fut pour lui une expérience malheureuse, son plus grand échec et l'une des rares fois où la critique fut exécrable. Sa seule consolation fut l'affaire de cœur qu'il noua avec la vedette féminine, Ingrid Bergman. Rares étaient les films américains où l'actrice était apparue, mais, comme Hepburn, avec son allure nette et saine, sa voix bien particulière, elle connut une ascension météorique à Hollywood. Bien que Bergman fût mariée et mère de famille, sa liaison avec Spencer Tracy survécut au tournage. Il dut partir pour la Floride tourner *Jody et le Faon*[1], mais, après l'échec du tournage, les amants reprirent leur idylle là où ils l'avaient laissée.

Au fil des années, j'ai fini par me rendre compte que Kate avait une mémoire très sûre pour tout ce qui portait sur les moments décisifs de son existence, sauf sur ceux qu'elle avait choisis d'ignorer. Elle évoquerait dans ses Mémoires les détails du tournage de *Dr. Jekyll and Mr. Hyde* (précédant leur rencontre). Spencer Tracy se rendait sur le plateau et en repartait en limousine, rideaux tirés, tellement l'accoutrement théâtral qu'on exigeait de lui l'embarrassait : « Ingrid Bergman interprétait la prostituée, ajoutait-elle avec exactitude, en ajoutant : cela lui a même valu un prix. »

Là, Kate se trompait. Elle enjolivait le passé de l'actrice qu'elle admirait tant. Bergman ne reçut le premier de ses trois oscars qu'avec *Hantise*[2], quelques années plus tard.

Le tournage de *La Femme de l'année*[3] commença à la fin août 1941.

« C'était l'événement du moment, se souvenait Joe Mankiewicz. Tout le monde en parlait. Bien entendu, cela tenait à la présence de Spence, et au retour éclatant de Kate. Mais la glace était mince et une nouvelle carrière ne se bâtit pas sur un seul film. »

Comme pour ajouter aux rumeurs, c'était Kate qui avait choisi le metteur en scène. Pas George Cukor, à qui elle devait son récent succès. Mais George Stevens, qu'elle retrouvait.

Et dont elle retrouva également les bras, pour une brève période. Tracy et Cukor deviendraient très proches au fil des années. Mais, pour l'heure, Hepburn, en somme la productrice occulte du film, préférait que Tracy se sente « parfaitement à l'aise » avec le metteur en scène : « Il lui fallait un homme véritable dans l'équipe, quelqu'un avec qui il pourrait parler de base-ball. »

---

1. *The Yearling*, repris en 1946 avec Gregory Peck.
2. *Gaslight*, de George Cukor, 1944.
3. *Woman of the Year*, de George Stevens, 1942.

Toujours est-il qu'en quelques jours se produisit sur le plateau quelque chose d'extraordinaire. L'idylle du film – un gars simple et sans prétention tombe amoureux fou d'une hyperactive séduisante et cosmopolite – prenait vie sous les yeux de toute l'équipe du tournage. Mankiewicz, le producteur, se demanda d'abord si son imagination ne lui jouait pas des tours. Mais au fil des jours, tous ceux qui visionnaient les rushes eurent la même impression.

— Le plus incroyable, c'est que tout cela est là, gravé sur la pellicule, à la vue du monde entier, affirmerait-il des années plus tard.

Ce n'était pas le seul effet de leur talent. Tracy n'avait jamais été aussi séduisant, avec un je-ne-sais-quoi de léger dans sa démarche chaloupée. Quant à Hepburn, elle réussissait le tour de force d'être à la fois réservée et sensuelle. Fini, le temps du maniérisme de ses personnages d'ingénues. Elle était devenue une éblouissante femme moderne.

— Elle était magnifique et ils étaient amoureux, expliquait Mankiewicz... et vous pouvez revoir le film, ces deux-là vous font toujours le même effet.

Le plan où Sam Craig se trouve en présence de Tess Harding rajustant ses bas, celui où elle le surprend à la suivre, cet autre encore où elle assiste pour la première fois à un match de base-ball, tous sont devenus des scènes d'anthologie.

*La Femme de l'année* était une comédie romantique d'un genre inédit. Une histoire moderne et sophistiquée dont le personnage féminin était au moins aussi élaboré que le héros masculin, lui-même à la fois fort et vulnérable. Contrairement à Rosalind Russell dans *La Dame du vendredi*[1] ou à Jean Arthur dans *Monsieur Smith au Sénat*, Hepburn tenait à montrer que Tess Harding « n'essayait pas d'être un homme. Elle n'essayait même pas de réussir dans un monde d'hommes. Elle était comme moi, quelqu'un qui réussit sans le chercher, simplement en travaillant dans un

---

1. *His Girl Friday*, de Howard Hawks, 1940. (Une satire de milieux journalistiques.)

166

monde masculin. Et comme ma mère… qui soutenait la comparaison sans compromettre sa féminité ».

En réalité, pour ce qui est du féminisme, le film se concluait sur une concession de taille que Kate ne s'est jamais totalement pardonnée. Au cours de l'intrigue, Tess et Sam se marient, mais Tess étant trop prise par son travail, Sam finit par faire sa valise. Elle le regrette et, en assistant aux secondes noces de son père, se dit qu'il y a quelque chose de sacré dans une relation bâtie sur les concessions mutuelles. À l'origine, la scène finale devait montrer Tess en train d'assister avec plus de ferveur que son mari à un autre match de base-ball. Mais en 1941 – « alors que les hommes étaient les hommes et la plupart des femmes à leurs casseroles », expliquait Kate – la direction des studios pensa que cela indisposerait le public. Il ne fallait pas que Hepburn donne l'impression de critiquer l'immense majorité des femmes au foyer.

On imagina donc une autre fin, presque une farce, au cours de laquelle Tess tente de confectionner le petit déjeuner de son mari et se révèle incapable de préparer des toasts ni du café. Une façon de suggérer qu'on récolte ce qu'on a semé, de permettre, commentait Kate, « à toutes les femmes qui verraient le film de se dire "au moins, moi, je sais faire ça" et à tous les hommes "j'ai quand même de la chance avec ma femme… Quant à cette Katharine Hepburn, elle peut bien se donner de grands airs, il n'empêche que ce qu'il lui faut, c'est l'amour d'un brave type" ».

Pour une bonne part, l'admiration que suscitait Hepburn venait de ce qu'elle semblait avoir conduit sa carrière sans faire de compromis. Loin de l'amuser, cette réputation la mettait plutôt en colère. Non seulement c'était faux, mais c'était oublier les batailles qu'elle avait dû mener.

— J'ai fait des concessions de toutes sortes, mais j'ai choisi soigneusement mes combats pour ne livrer que les plus importants, ceux que j'espérais gagner, même si j'ai souvent perdu et, à vrai dire, souvent eu tort.

C'était incontestable… elle faisait des tas de concessions. Mais, le plus souvent, elle ne pliait que pour vaincre.

Sorti juste après l'entrée en guerre des États-Unis, au moment où bon nombre de femmes durent quitter leur foyer pour travailler, *La Femme de l'année* connut un énorme succès. Le film donnait un avant-goût de l'essor féministe du demi-siècle à venir. Mieux, il était fort drôle. Sa formule de base, l'alchimie des deux vedettes, servirait de canevas à huit autres films communs réalisés en vingt-cinq ans. Tracy et Hepburn deviendraient ainsi le couple romantique le plus stable de l'histoire du cinéma.

— Seigneur ! me fit remarquer un jour Kate dans un grand éclat de rire, je pense que nous avons dépassé Abbott et Costello[1].

Tracy a toujours été le mieux payé. « C'était normal, expliquait Kate, je venais juste de faire mon retour à Hollywood quand nous avons commencé à travailler ensemble. Spence était le meilleur dans sa partie et n'avait jamais levé le pied. J'avais une chance inouïe qu'il veuille bien me prendre pour partenaire. »

À un moment, toutefois, Joe Mankiewicz discuta des tarifs avec Tracy.

— Les femmes et les enfants d'abord, non ? avait-il suggéré.

— Bon Dieu, avait répondu l'acteur, c'est un film, pas un navire en perdition.

Lors de ma première conversation avec Kate, en 1983, je lui avais rappelé ce qu'elle avait dit un jour de la collaboration entre Fred Astaire et Ginger Rogers et lui avait demandé si l'on pouvait remplacer leurs noms par ceux de Spencer Tracy et de Katharine Hepburn.

— Oh, je ne crois pas que ça fonctionnait de la même manière, avait-elle répondu. Tracy était toujours égal à lui-même et moi très versatile, ce qui nous exaspérait l'un et l'autre. C'était une sorte de défi entre nous, tout le sel de nos rapports. La vérité, c'est que nous formions un beau couple.

À la fin du tournage de *La Femme de l'année*, on disait de Hepburn et Tracy, suivant la formule de l'époque, qu'ils « se fré-

---

1. Bud Abbott et Lou Costello. Les deux comiques se rencontrèrent en 1925 et devinrent très célèbres pendant les années de guerre. Ils firent plus de dix films ensemble, jouant de leurs différences physiques, Abbott figurant « le maigre » et Costello « le gros ».

quentaient ». En fait, Tracy quittait plus ou moins définitivement son foyer, le ranch d'Encino.

Hepburn s'abandonna à l'amour comme jamais auparavant. À trente-quatre ans, après avoir brisé tant de cœurs, et capable de les briser encore, elle avait l'impression – pour reprendre la formule qu'elle avait employée le premier soir à Fenwick – « d'avoir reçu un coup de poêle en fonte sur la tête ». Sans être beau garçon, Spencer avait un style rude qui plaisait à Hepburn – « quelqu'un de viril », comme elle disait de temps à autre à propos de John Ford ou de George Stevens. Tracy était un grand roux, très naturel – qui rappelait les photos du docteur Thomas Norval Hepburn. Elle était persuadée, sans l'ombre d'une réserve, que Spencer Tracy était le meilleur acteur au monde. « Bon comme une pomme de terre au four » disait-elle de son talent – simple, direct et essentiel. Sa vie privée ne faisait mystère pour personne, à Hollywood, et son succès auprès des actrices en vue le rendit certainement très séduisant aux yeux de Hepburn.

Mais ce qui avait ému particulièrement Kate était que Tracy semblait avoir besoin d'elle. Il émanait de lui un sentiment de tristesse et de solitude presque tragique, au point de susciter en elle une vocation de missionnaire. Après avoir vécu trente-quatre ans « pour moi, moi et moi seule », selon sa formule, elle comprit qu'il était temps de vivre pour quelqu'un d'autre. Pour la première fois, reconnaissait-elle, elle se rendait compte qu'elle pouvait aimer quelqu'un pour ce qu'elle lui apportait et non pour ce qu'elle en obtenait.

Elle décida de se consacrer désormais aux besoins et volontés de Tracy, quitte à y sacrifier ses propres aspirations et sa personnalité. Hepburn – toujours sur la brèche, irritante à force d'énergie, grisante et parfois fatigante – assuma désormais le rôle le plus difficile de son existence. Amante et compagne de Tracy, elle le soutint sans défaillance au point de paraître servile, d'une patience et d'une abnégation qui frisaient la mortification. Il l'humiliait régulièrement, parfois en public. Elle se retrouvait à ses pieds, au sens littéral du terme, sur le plateau comme dans son salon.

Leurs meilleurs moments le furent en tête à tête. Ils vivaient comme un couple marié : dîner de grillades et de pommes de terre ; lecture du journal du dimanche ; balade en voiture jusqu'à la mer ;

peinture. Jamais très expansif, Tracy pouvait être tendre quand ils étaient seuls ou en compagnie d'amis intimes – George Cukor, Garson Kanin, Ruth Gordon, et, plus tard, Humphrey Bogart et Lauren Bacall. Ils continuèrent à avoir des résidences officielles séparées et arrivaient généralement chacun de leur côté aux réceptions. Il maintint des relations cordiales et régulières avec sa femme.

Dans un milieu où les commérages étaient paroles d'évangile, l'influence de la horde des chroniqueurs et surtout des chroniqueuses était grande, dépassant même les frontières. Louella Parsons, Hedda Hopper, Sheilah Graham et leur cortège d'imitatrices étaient à la fois craintes et courtisées. Hepburn et Tracy les ignoraient. D'habitude, le simple fait de refuser de ramper devant « ces chamelles à torchons », comme disait Kate, engendrait des articles si venimeux qu'ils étaient capables de faire sombrer une carrière. Curieusement, on laissa en paix Hepburn et Tracy. Très peu d'échos de presse évoquèrent leurs relations extra-professionnelles. Le mépris mutuel que se vouaient les deux camps s'exprimait par cette tacite hostilité.

À mon avis, comme j'en fis part un jour à Kate, la discrétion des échotières tenait en partie à leur secrète admiration pour ses capacités à s'imposer dans un monde d'hommes. Beaucoup plus tard, lors d'une réception à Hollywood, Hedda Hopper s'approcha de Hepburn la main tendue :

— N'est-il pas temps d'enterrer la hache de guerre et d'être amies ? demanda la journaliste, célèbre pour ses immenses chapeaux.

— Oh, Hedda, répliqua Hepburn, il y a si longtemps que nous ne nous parlons plus. Pourquoi gâcher une si parfaite inimitié ?

Bien longtemps après la sortie de *La Femme de l'année*, les amis de Tracy et Hepburn – puis leurs admirateurs – expliquaient doctement pourquoi ils n'avaient jamais pu se marier : sa femme n'avait jamais voulu accorder le divorce à Spencer ; et, de toute façon, ce catholique marqué par un sentiment de culpabilité envers son fils handicapé n'en aurait pas voulu. On oubliait une autre raison majeure : « Je n'ai jamais voulu épouser Spencer Tracy » m'avait confié Kate lors de notre première soirée à Fenwick.

On a avancé également que Hepburn a toujours été attirée par des hommes sinon mariés, du moins liés à une autre femme. C'est en partie vrai. Mais cela tenait surtout, à mon sens, à ce qu'elle était attirée par des hommes qui ne pouvaient pas être candidats au mariage. Ces arrangements lui plaisaient car ils lui permettaient de vivre « comme un homme », c'est-à-dire seule, payant elle-même ses factures et sans rien devoir à personne.

En ces temps-là, une carrière de star dépassait rarement dix ans. Cette réalité a obligé nombre d'actrices à certains expédients. La plupart d'entre elles s'accoutumaient très vite à vivre dans un luxe qu'elles risquaient de devoir abandonner du jour au lendemain. Cela explique pourquoi toutes, quasiment, se sont mariées à maintes reprises et toutes au moins une fois pour l'argent (Joan Crawford, Bette Davis, Myrna Loy, Greer Garson ou Jennifer Jones ont compté des magnats des affaires parmi leurs nombreux maris). Pas Hepburn. Luddy lui a certes mis le pied à l'étrier et Howard Hughes, aidée à atteindre les sommets. Mais elle les avait quittés pour ne pas être leur débitrice. Elle tirait le minimum de ses hommes, pas le maximum.

Avec Spencer Tracy, pendant un quart de siècle, elle put mener sa vie à sa guise tout en jouissant d'une relation intense. Ils connurent les hauts et les bas de tout couple marié ; mais en ne légalisant pas leur liaison, ils purent garder l'impression sans doute un peu fausse que ni l'un ni l'autre n'avait abandonné sa liberté. À bien des égards, les moments passés en commun leur donnaient le sentiment d'une « réunion » et non pas d'une « union » ; ils se ménageaient à chacun une porte de sortie. Tracy s'éloignait régulièrement pour s'abandonner à ses démons, faire la noce ou courir les femmes. Hepburn, de son côté, fit souvent ses valises, ne serait-ce que pour des raisons professionnelles. Mais il fut vite évident que même les plus courtes absences de Kate rejetaient Spencer dans le cercle infernal de l'alcoolisme.

Leurs chemins se séparèrent une première fois après le tournage de *La Femme de l'année*. Hepburn décida d'honorer son contrat avec la Theatre Guild et d'apparaître dans la nouvelle pièce de Philip Barry, *Without Love (Sans amour)*. Contre la volonté de Tracy. Celui-ci, enrôlé par la MGM dans *Tortilla*

*Flat*[1], d'après John Steinbeck, s'enfonça dans la déprime. Quand Hepburn eut vent qu'il en était à mélanger l'alcool et les barbituriques, elle se sentit obligée de suspendre sa tournée pour passer l'été avec lui en Californie. Elle promit à la Guild de retourner à New York pour la première de la pièce à Broadway.

En cet été 1942, leur arriva un nouveau projet. L'entreprise fut l'une des plus bizarres de leur carrière commune mais, vu les circonstances, Kate considérait que c'était un don de la Providence. Donald Ogden Stewart, qui avait adapté avec tant de succès pour l'écran les deux pièces de Philip Barry, venait d'écrire un scénario inspiré du roman de I.A.R. Wylie, *La Flamme sacrée*[2]. C'était un thriller politique et mélodramatique, bien dans l'air du temps, dans lequel un journaliste démasque la veuve d'un grand héros américain – rappelant Lindbergh – dont le patriotisme fanatique cache l'adhésion au fascisme. Il fut facile pour Hepburn d'amener George Cukor, toujours prêt à faire la preuve qu'il pouvait diriger des drames comme des comédies, à accepter ce travail. Elle persuada Tracy de faire ainsi œuvre politique utile.

Le film avait pour ambition d'égaler *Rebecca*[3] ou *Soupçons*[4] de Hitchcock mais, cette fois, le métier de Cukor ne fut pas à la hauteur. Les lourdes allusions psychologiques et sociologiques écrasèrent le message antifasciste du film. *La Flamme sacrée* n'eut guère d'autre mérite que de permettre à Tracy et à Hepburn de retravailler ensemble et de profiter de la maison qu'elle avait louée à Malibu, d'où, le soir, elle le reconduisait au Beverly Hills Hotel.

Depuis l'époque de D. W. Griffith, les plateaux ont été témoins de bien des histoires d'amour. La plupart ressemblaient à ces aventures de croisière qui finissent au port. À la fin de l'été 1942, celle de Hepburn-Tracy semblait destinée à s'échouer de la même façon. Son retour à Broadway dans *Without Love* la faisait hésiter. Elle était déchirée entre deux engagements : l'ancien, qui la liait à ses amis de théâtre grâce auxquels elle avait relancé sa carrière, et le

---

1. De Victor Fleming, 1942.
2. *Keeper of the Flame*, de George Cukor, 1942.
3. Avec Laurence Olivier et Joan Fontaine. Oscar du meilleur film 1940.
4. *Suspicion*, avec Cary Grant et Joan Fontaine, 1941.

nouveau, envers l'homme qui « lui avait appris à aimer ». Tracy voulait qu'elle abandonne la pièce.

Au même moment, Louise Tracy, dont le mari n'avait pas déserté le foyer aussi longtemps depuis son aventure avec Loretta Young, décida de jouer ses cartes maîtresses. Au lieu de cacher son jeu comme dix ans plus tôt, elle fit preuve d'audace et trouva le moyen de se rendre populaire en se montrant au côté de son mari. L'université de Californie du Sud annonça à l'automne la création de la clinique John Tracy, une fondation dédiée aux sourds et à leur famille, largement subventionnée par Mr. et Mrs. Spencer Tracy. L'engagement de Louise Tracy pour cette cause avait toujours été réel. Kate estima le moment choisi pour l'afficher plutôt suspect dans la mesure où il obligeait Spencer à jouer le rôle du mari admiratif tout en renforçant son sentiment de culpabilité en tant que père.

Dans le même temps, Tracy se plaignait de voir Hepburn continuer d'entretenir la flamme de ses anciens admirateurs. Leland Hayward venait régulièrement s'enquérir de sa carrière et lui donner des conseils ; divorcé de Margaret Sullavan, il affirmait que le grand regret de sa vie était d'avoir perdu Kate. George Stevens restait en très bons termes. Presque jusqu'à la fin de son existence, John Ford parla de se retirer en Irlande en emmenant Kate. Quant à Howard Hughes, il confierait à Irene Selznick qu'il avait commis « sa plus grande faute » en n'ayant pas su la convaincre de l'épouser.

Hughes garda d'ailleurs le contact avec Hepburn presque jusqu'à la fin de sa vie. Au début, il lui téléphonait régulièrement à propos des retombées financières d'*Indiscrétions*, puis il continua bien après que la question fut réglée. C'est ainsi que dix ans plus tard, lors d'une de ses conversations téléphoniques, Hughes indiqua à Kate, qui cherchait un logement temporaire à Los Angeles, l'ancienne demeure de Charles Boyer, que la RKO lui avait rachetée quelques années auparavant selon l'une des clauses de l'accord mettant fin à son contrat. Elle était vide et, comme à cette époque Hughes était propriétaire de la RKO, la maison lui appartenait. Il offrit également à Kate de disposer gratuitement des réserves de meubles et d'accessoires de la maison de production.

Elle se présenta aux entrepôts de la RKO un après-midi de 1951, après le départ du personnel du studio. Elle déambulait dans

173

une allée en examinant des lampes et des vases quand elle entendit une voix familière l'appeler par son nom. « Howard ? C'est toi ? » répondit-elle à la silhouette en chapeau, treillis et chemise blanche qui s'approchait. Il avait un aspect tout à fait ordinaire et aurait pu passer pour un magasinier, n'était le mouchoir dont il se couvrait la bouche pour se protéger de la poussière. Ils s'étreignirent, échangèrent quelques mots et s'assirent un moment – elle sur une simple chaise de bois, lui (Kate jurait que c'était vrai) sur un trône doré. « Howard, éclata-t-elle de rire, je vois que tu n'as pas perdu ton sens de la mise en scène. » Hughes lui demanda « si tout allait bien ». En effet. Sa carrière comme sa liaison avec Tracy. Elle tenait à être claire. « Rien de vraiment extraordinaire dans cette rencontre, se rappelait Kate, si ce n'est qu'elle ait eu lieu et qu'il était déjà devenu le personnage excentrique que l'on connaît. Il commençait à déraper, politiquement parlant mais pas seulement. Il était devenu farouchement anti-communiste. » Ils furent très contents de se revoir, mais « il m'a paru très triste. Je me souviens m'être dit que cette rencontre avait quelque chose de pathétique tant il semblait… détaché, ajoutait-elle après avoir hésité sur ce dernier mot. Howard me dit que je n'avais qu'à faire part au directeur des entrepôts de ce que je désirais et qu'on me le livrerait le lendemain matin. » Elle le remercia, il partit et « ce fut la dernière fois que nous nous sommes vus en tête à tête ».

Ils continuèrent à se téléphoner, de plus en plus irrégulièrement, puis elle suivit l'évolution de son excentricité par le biais de son médecin, Lawrence Chaffin. Au cours d'un de ses derniers appels, Hughes demanda à Kate quelle heure il était : « Quatre heures, dit Kate regardant son réveil, à moitié endormie. – Matin ou après-midi ? » demanda Hughes.

Mais pourquoi, « bon sang », Luddy restait-il dans le paysage ? demandait sans arrêt Tracy. Comme Hughes avant lui, il ne comprenait pas que cet ex-mari pût se présenter quand bon lui semblait à Fenwick et pourquoi Kate n'avait jamais divorcé en bonne et due forme devant un tribunal américain.

— Je ne m'étais pas rendu compte, reconnaîtrait Kate, que Luddy me servait de filet de sécurité. C'est Spence qui me fit prendre conscience que je lui donnais de faux espoirs en le gardant dans les parages et que je faisais preuve d'un sacré égoïsme en l'empêchant de mener sa vie.

En septembre 1942, le docteur Hepburn parut au nom de sa fille devant le tribunal de grande instance de Hartford, lequel prononça le divorce entre Katharine et Ludlow Ogden Smith. Luddy se remaria dans les mois suivants.

Hepburn finit par honorer son engagement et joua *Without Love* à Broadway sous la pression de la Theatre Guild, qui l'avait menacée d'un procès. La pièce et les critiques ne furent pas fameuses, ce qui ne l'empêcha pas de jouer seize semaines à guichets fermés sous un tonnerre d'applaudissements. Ces quatre mois lui firent comprendre qu'elle aspirait plus à l'adoration d'un seul homme qu'à l'adulation des foules. Son dévouement à Spencer Tracy la fit renoncer à la scène jusqu'au début des années cinquante.

À un moment, elle pensa ramener Tracy au théâtre. Elle lui fit rencontrer l'auteur dramatique Robert Sherwood et, à la fin de la guerre, l'accompagna sur la côte est où il devait figurer dans *The Rugged Path (Un chemin accidenté)*. Mais ce drame boursouflé sur le thème d'un journaliste de guerre était trop insatisfaisant, en dépit de l'excellente prestation de Tracy. Celui-ci ne remonta plus jamais sur scène.

Dès lors, Tracy se considéra comme un acteur de cinéma et rien de plus. Profitant du fait que de nombreuses vedettes étaient mobilisées – dont Clark Gable, James Stewart, Henry Fonda et Tyrone Power – il devint le favori de la décennie. Il faisait au moins un tournage chaque année et devint très populaire grâce à des films de guerre comme *A Guy Named Joe*[1] *(Un gars nommé Joe)*, *La Septième Croix*[2], *Trente secondes sur Tokyo*[3]. Hepburn se produisit beaucoup moins au cours de la même période, sa vie

---

1. *A Guy Named Joe,* de Victor Fleming, 1944.
2. *The Seventh Cross*, de Fred Zinnemann, d'après le roman d'Anna Seghers, 1944. Sept hommes s'évadent d'un camp de concentration. Six sont repris et torturés. Le rescapé trouve refuge chez un ami.
3. *Thirty Seconds Over Tokyo*, de Mervyn LeRoy, 1944, d'après le livre du capitaine Ted W. Lawson et de Robert Considine : l'aviation américaine prépare sa revanche quelques mois après Pearl Harbor.

personnelle, autrement dit son dévouement à l'homme de sa vie, passant avant sa carrière professionnelle. Elle refusa bon nombre de rôles intéressants.

C'est ainsi qu'elle ne fit qu'une seule et brève apparition au cours de toute l'année 1943, dans *Le Cabaret des étoiles*[1], une sorte de fable sur les sacrifices de la population pour l'effort de guerre. Y figuraient des dizaines d'acteurs dont Tallulah Bankhead, Helen Hayes, Harpo Marx et Ed Wynn. Le rôle de Hepburn consistait à tirer la morale de l'histoire à l'intention des jeunes hôtesses du cabaret... et, au-delà, à destination de l'ensemble du public féminin américain. L'année suivante, elle ne tourna qu'un seul film, *Le Fils du dragon*[2], d'après un best-seller de Pearl Buck. Ses pommettes saillantes étaient censées lui donner un vague air asiatique, du moins par comparaison avec ses partenaires, Walter Huston, Hurd Hatfield, Agnes Moorehead et Aline MacMahon. En 1946, elle apparut dans un mélodrame mineur, *Lame de fond*[3], dirigé par Vincente Minnelli, aux côtés de Robert Taylor et Robert Mitchum. L'année suivante, elle incarnait Clara Schumann aux côtés de Paul Henreid et Robert Walker qui interprétaient Robert Schumann et Johannes Brahms, dans *Passion immortelle*[4], un des films les plus médiocres de Hepburn. Ce fut l'une des rares fois où elle a joué le rôle d'une mère, à la tête d'une bruyante nichée de sept rejetons. À noter toutefois qu'elle fit preuve dans ce film d'une réelle virtuosité au piano, qu'elle devait à plusieurs mois d'entraînement. Au cours de la décennie, elle ne réussit à glisser que ces deux navets entre les films qu'elle tournait avec Spencer Tracy, lesquels furent eux-mêmes de qualité inégale. Elle voulut recréer l'enchantement de leur première rencontre en persuadant Tracy d'apparaître dans une version cinématographique de *Sans*

---

1. *Stage Door Canteen*, de Frank Borzage, 1943. Film de propagande à grand spectacle. Count Basie, Benny Goodman, Xavier Cugat et leurs rythmes réalisaient l'accompagnement musical.

2. *Dragon Seed*, de Harold S. Bucquet et Jack Conway, 1944. Sur la révolte des paysans chinois contre l'envahisseur japonais en 1937.

3. *Undercurrent*, de Vincente Minelli, d'après un récit de Thelma Strabel, 1946.

4. *Song of Love*, de Clarence Brown, 1947.

*amour.* Don Stewart, qui avait adapté à l'écran deux autres œuvres de Barry avec Hepburn comme vedette, pimenta le script, sachant qu'il disposait des scénaristes les plus doués de Hollywood. Le résultat fut un divertissement un peu bébête et truffé de longueurs.

Le film suivant s'éloignait encore davantage du plan de carrière qu'ils s'étaient dressé. *Le Maître de la prairie*[1] était tiré d'un roman de Conrad Richter. Il s'agissait d'un drame familial se déroulant dans les plaines du territoire du Nouveau-Mexique (avant qu'il ne soit un État). L'héroïne abandonne son mari, grand propriétaire terrien et éleveur de bétail, pour un avocat de Denver incarné par Melvyn Douglas : « Tout était réuni pour faire un mauvais film, confierait Kate. Nous y croyions pourtant, ou du moins croyions que nous y croyions. »

Malheureusement, l'aventure commença alors que Tracy s'était remis à boire. Il faisait chaque soir la tournée des bars de Hollywood – The Trocadero, Ciro's, The Mocambo, The Players – jusqu'à ce qu'il tombe ivre mort, et ne se réveillait que dans une chambre du Beverly Hills Hotel.

Kate pensait qu'un travail en commun pourrait le remettre sur le droit chemin. Elle guettait si bien l'occasion qu'elle ne se rendit même pas compte que « le script était tout simplement mauvais ».

Sachant qu'un bon metteur en scène peut parfois masquer la faiblesse du scénario, le producteur Pan Berman loua les services du plus prometteur de la jeune génération américaine, Elia Kazan, l'*enfant terrible*[2] du Group Theatre, qui venait de triompher à Hollywood avec la version cinématographique de *Le Lis de Brooklyn*[3]. Malheureusement, à son arrivée à la MGM, « Gadg » (raccourci de « Gadget », sobriquet de sa jeunesse que lui avaient valu son adresse et sa débrouillardise), Kazan comprit qu'il devrait renoncer au vigoureux réalisme qu'il avait en tête. La compagnie avait déjà décidé que Walter Plunkett dessinerait ses

---

1. *The Sea of Grass*, d'Elia Kazan, 1946.
2. En français dans le texte.
3. *A Tree Grows in Brooklyn*, d'après le roman de Betty Smith, 1945. La vie d'une famille ouvrière à Brooklyn.

habituels jolis costumes et que les prises de vues se feraient en studio et non en extérieurs.

Au lieu de tenir tête – ou de renoncer au projet –, Kazan s'installa avec sa famille dans l'environnement luxueux de Malibu. L'artiste avait jeté l'éponge avant même le début du tournage et s'était plié passivement aux exigences de la compagnie, sans plus. Il rentra plutôt honteux à New York, pour se lancer dans le montage de pièces qui feraient de lui la vedette de Broadway, comme un *Un tramway nommé Désir* ou *La Mort d'un commis voyageur*[1]. Des années plus tard, il retournerait à Hollywood pour diriger, avec cette fois plus d'intégrité et de courage artistiques, des films comme *Le Mur invisible*, *L'Héritage de la chair*, *Viva Zapata !* ou *Sur les quais*[2]. À l'époque, Hepburn lui fut reconnaissante de lui permettre de travailler avec Tracy sur un projet qui se déroulait sans anicroche. Rétrospectivement, elle remarquerait : « J'aurais aimé que Gadg se batte davantage. J'ai beaucoup discuté avec lui de la mise en scène, mais il ne s'est jamais réellement mouillé… ce qui est le minimum pour un cinéaste. S'il l'avait fait, nous aurions obtenu un film de meilleure qualité. »

Kate fut toute sa vie une femme de gauche. À la fin des années 1940 et au début des années 1950, elle prit publiquement position contre la chasse aux sorcières. Je lui demandai un jour ce qu'elle pensait du rôle d'Elia Kazan, une des plus grandes célébrités du monde du spectacle à avoir accepté de « donner des noms » au cours de cette période.

« Écoutez, je ne jetterai pas la pierre à celui qui a livré des informations pour continuer à travailler. Mais celui qui livre des informations qui empêchent les autres de travailler, celui-là a passé les bornes. C'est ce qu'a fait Gadg. J'ai toujours pensé qu'il aurait pu trouver une façon de poursuivre sa carrière sans faire du mal aux autres. Son talent était immense mais c'était un faible. Je l'avais

---

1. *A Streetcar Named Desire*, de Tennessee Williams, et *Death of a Salesman*, d'Arthur Miller.
2. *Gentleman's Agreement*, 1947 ; *Pinky*, 1949 ; *Viva Zapata !*, 1952 ; *On the Waterfront*, 1954.

compris avec *Le Maître de la prairie*. J'y ai souvent repensé pendant la période de McCarthy. »

L'année suivante, Tracy et Hepburn furent à nouveau réunis à l'écran, mais cette fois pour quelque chose de mieux, *L'Enjeu*[1]. L'ironie de l'histoire, c'est qu'au départ on n'avait pas du tout pensé à eux. Inspiré d'une pièce de Howard Lindsay et Russel Crouse qui avait remporté le prix Pulitzer, le film était un projet de Liberty Films, une société de production appartenant en partie au metteur en scène Frank Capra. En fait, Capra avait envisagé de reprendre les vedettes de sa comédie d'avant-garde *New York-Miami*[2] : Clark Gable et Claudette Colbert. Clark Gable devait jouer Grant Matthews, un candidat républicain à la présidence, et Claudette Colbert sa femme Mary dont il est séparé mais qui accepte de rester à ses côtés pour accroître ses chances politiques. Quand celle-ci comprend qu'elle a perdu définitivement son mari pour une intrigante, héritière d'un groupe de presse (jouée magistralement par Angela Lansbury), Mary fait un éclat. Au cours d'un dîner, elle reproche avec violence aux politiciens présents de faire fi de leurs valeurs. Grant est le seul à s'en émouvoir. Il comprend qu'il a trahi son idéal et se retire de la course. La MGM ne voulait pas libérer Gable mais, ayant acheté des parts dans Liberty Film, elle proposa de le remplacer par Tracy. Claudette Colbert n'avait jamais été enthousiasmée par le projet ; quelques jours avant le début du tournage, elle mit des conditions – par exemple l'arrêt de la journée de travail à cinq heures de l'après-midi – qui équivalaient à une rupture du contrat.

Hepburn entra en lice, avec des arguments. Elle connaissait bien le scénario et pouvait jouer sur-le-champ.

« C'était merveilleux de pouvoir jouer pour Capra, sans compter que c'était le moyen de tourner une fois de plus avec Spence. »

Et puis Tracy s'était psychologiquement préparé au personnage ; elle craignait sa déception si le rôle lui échappait. Elle sentait

---

1. *State of the Union*, de Frank Capra, d'après la pièce de Howard Lindsay et Russel Crouse, 1948.
2. *It Happened One Night*, 1934.

son anxiété et savait qu'une déconvenue le renverrait à ses tristes habitudes. Hepburn appela Claudette Colbert, qu'elle appréciait à l'écran comme à la ville, et lui dit :

— Écoute, Claudette, tu te doutes qu'on envisage de te remplacer...

— À toi de jouer, lui répondit gentiment l'actrice.

Le film, qui passe encore aujourd'hui sur les écrans – avec une faute dans le prénom inscrit au générique, « Katherine » au lieu de Katharine – pratique le mélange des genres. La mièvrerie sentimentale et patriotique de Capra y apparaît en léger décalage avec le badinage plus sophistiqué de Spencer Tracy et Katharine Hepburn. S'il ne gagna aucun prix, il rappela au public que le tandem Tracy-Hepburn était imbattable. Son apparition devint dès lors un événement en soi. *L'Enjeu* confirmait aux deux stars que la comédie romantique était bien ce qui leur convenait le mieux.

Ce fait acquis, Hepburn et Tracy atteignirent de nouveaux sommets l'année suivante pour leur sixième film en commun, de nouveau sous la direction de George Cukor. Dans *Madame porte la culotte*[1], une avocate féministe défend une blonde idiote qui a tué son mari infidèle face à son propre mari, substitut du procureur de district chargé de l'affaire. Le script de Garson Kanin et Ruth Gordon pétillait de reparties dont le cadre était aussi bien la chambre conjugale que la cour, émaillées d'arguments féministes qui restent subversifs cinquante ans après la sortie du film. Hepburn avait passé la quarantaine et Tracy approchait les cinquante ans, mais ils formaient toujours « un beau couple », comme disait Kate. Chaque réplique ayant été écrite pour eux, les dialogues semblaient donner un aperçu de leur vie hors écran. Les instants d'improvisation – échange de diminutifs, regards complices, tapes dans le dos – renforçaient cette impression. Ce faisant, ils devinrent un duo fétiche, alliant l'intelligence et la réussite à l'entraide et la séduction.

Durant le tournage, Hepburn avait repris ses habitudes autoritaires, critiquant le moindre détail qui ne lui convenait pas, mais sans l'égocentrisme de naguère. Depuis 1941, son premier souci

---

1. *Adam's Rib*, 1949.

était d'abord de mettre Tracy à l'aise. Lui-même discutait rarement avec les metteurs en scène. Il donnait ses répliques, puis quittait la scène. S'il avait des objections importantes, il n'avait même pas à les formuler. Kate bataillait pour sa cause sans désemparer, du moins jusqu'à ce qu'il tire sur la bride et la ramène à l'écurie.

En fait, Kate mettait son assurance au service du film.

— J'ai toujours pensé que, dans le cinéma, seuls les meilleurs survivent. Sans qu'il soit question ici d'individus ; il s'agit de travailler en équipe, de collaborer, pas de démocratie, m'expliqua-t-elle un jour dans son appartement new-yorkais. Je me suis toujours considérée moi-même comme très compétente, avec l'intuition de ce qui marchait ou pas auprès du public. C'est pourquoi je disais tout haut ce que je pensais. Après quoi, je savais me taire. J'écoutais les bons metteurs en scène, bien solides… et j'apprenais d'eux. J'étais assez futée pour savoir que, si tout le monde était bon autour de moi, alors je serais bonne.

*Madame porte la culotte* illustre parfaitement le propos de Hepburn, en particulier en ce qui concerne un des personnages secondaires, l'accusée à la tête de linotte, Doris Attinger. Hepburn, Tracy et George Cukor s'étaient tous trois entichés de Judy Holliday, une actrice qui faisait sensation à Broadway dans *Comment l'esprit vient aux femmes*[1] de Garson Kanin. Judy Holliday qui, jusque-là, avait vivoté au théâtre et fait quelques figurations au cinéma, avait mis tellement d'âme et de cœur dans cette pièce à succès qu'elle avait fait du rôle conventionnel de la blonde et ravissante idiote un personnage unique. Harry Cohn s'était assuré les droits d'adaptation de la pièce avec l'idée d'en faire un rôle fétiche pour sa vedette, Rita Hayworth. La beauté de Judy Holliday ne lui paraissait pas suffisamment ravageuse pour un premier rôle de cinéma.

Les stars, les scénaristes et le metteur en scène de *Madame porte la culotte* se mirent au travail pour lui prouver qu'il avait tort. Non seulement ils offrirent à Judy le rôle de Doris dans *Madame porte la culotte*, mais ils se proposèrent de l'étoffer. Cela

---

1. *Born Yersterday* (littéralement, « née d'hier »). Comédie sur le thème de Pygmalion. La pièce sera adaptée au cinéma par George Cukor en 1950.

vaudrait tous les bouts d'essai que Harry Cohn, de toute manière, lui refusait. Hepburn restait sur le plateau pendant les gros plans sur Holliday, même quand elle-même ne jouait pas. C'était d'une rare courtoisie de la part d'une grande vedette, et un soutien moral d'importance. Elle ne s'en tint pas là.

Elle suggéra à Cukor de prendre, dans les scènes principales, quelques gros plans supplémentaires de Holliday que l'on ne garderait pas forcément au montage. Lui-même choisit de faire filmer Hepburn le dos tourné à la caméra.

« Tout le monde savait à quoi je ressemblais, expliquait Kate. C'était le moyen qu'il avait trouvé de "présenter" Judy comme il m'avait présentée dans *Héritage*[1]. »

Puis Hepburn alla trouver Howard Stickling, le directeur de la publicité à la MGM, et lui glissa quelques fausses informations croustillantes, qu'il s'empressa de faire passer à la presse, comme quoi « Kate et Spencer étaient en rogne parce que Judy Holliday leur volait la vedette ». Dès que la rumeur commença à circuler, Harry Cohn demanda à voir des séquences de *Madame porte la culotte*. Cukor lui envoya une scène entièrement montée – complétée des « ravissants » gros plans superflus sur Judy Holliday. Du coup, Cohn engagea l'actrice sur-le-champ pour le rôle qu'elle avait créé à Broadway et *Comment l'esprit vient aux femmes* fit un tabac en 1950[2]. En concurrence avec Gloria Swanson dans *Boulevard du crépuscule*[3] et Bette Davis dans *Eve*[4] (toutes deux des « revenantes »), sans parler de Hepburn qui ne fut pas sélectionnée, Judy Holliday remporta l'oscar de la meilleure actrice. Le succès de *Madame porte la culotte* fut tel que Kate put souffler un moment, aussi rassurée pour Spencer Tracy que pour son propre avenir professionnel.

Ayant relégué ses ambitions professionnelles au second plan, Hepburn disposa de beaucoup de temps durant toutes ces années-là.

---

1. *A Bill of Divorcement*.
2. Mis en scène par Cukor, le film était une véritable satire des institutions en pleine paranoïa maccarthyste. Le physique et le style de Judy Holliday préfiguraient ceux de Marilyn Monroe.
3. *Sunset Boulevard*, drame de Billy Wilder, 1950.
4. *All About Eve*, de Joseph Mankiewicz, 1950.

Elle en profita pour cultiver des relations amicales avec plusieurs actrices plus âgées, en particulier Ethel Barrymore et Constance Collier. Ce n'était pas parce qu'elle se produisait moins qu'il fallait cesser de s'entraîner. Elle consacrait plusieurs heures par semaine à lire et à répéter les grandes pièces classiques avec de grandes dames du théâtre, notamment Miss Collier. Hepburn s'appliqua pour le rôle de Rosalind dans *Comme il vous plaira*[1] que montait la Theatre Guild. Après quelques semaines de répétitions et une tournée en avant-première, on donna la pièce au Cort Theatre à la fin janvier 1950. Le verdict de la critique allait de passable à merveilleux. Mais tout le monde convenait que Katharine Hepburn était la seule vedette de cinéma susceptible de jouer Shakespeare sur une scène à ce niveau-là : « J'avais le sentiment de m'amollir, disait-elle en guise d'explication, et ça m'a redonné du tonus. »

Comme on pouvait s'y attendre, Tracy sombra dans un nouvel accès de déprime alcoolique. Il arrêtait de boire quand il tournait, pour *Malaya* (*Malaisie*) et *Le Père de la mariée*[2], avec Elizabeth Taylor dans le rôle de sa fille ; et aussi quand il partait retrouver Hepburn dans les villes où elle était en tournée ; mais avant et après, il se soûlait à mort. Chaque fois que Kate me parlait de Spencer Tracy, je ne pouvais m'empêcher de penser qu'ils avaient formé le couple typique de l'alcoolique encouragé par la faiblesse de sa compagne. Je l'imaginais avec peine dans ce rôle misérable. Un soir, à Fenwick, après avoir siroté avec moi plusieurs scotchs au coin de la cheminée, elle me demanda d'attiser le feu. Une gerbe d'étincelles colorées jaillit des bûches salées par les embruns. Retournant m'asseoir, je lui demandai, sans oser la regarder en face :

— L'un de vous a-t-il jamais songé aux Alcooliques anonymes ?

— Bien sûr que j'y ai pensé, répondit-elle. Mais c'était alors quelque chose de tout à fait nouveau et d'un peu mystérieux.

Pour elle, cela évoquait de petites salles enfumées bourrées de « poivrots ».

---

1. *As You Like It*, de William Shakespeare.
2. *Father of the Bride*, de Vincente Minelli, 1950.

— Spencer Tracy était une star mondiale. Je ne pense pas qu'il serait resté anonyme très longtemps. La nouvelle aurait ruiné sa carrière.

Elle avait fait le tour de plusieurs cliniques privées où des célébrités pouvaient faire une cure à l'abri des regards.

— Mais il pouvait parfaitement se contrôler et s'arrêter de boire quand il le voulait. Il pensait que, tant que cela ne nuisait pas à son travail, ce n'était pas un problème. Et il semblait aller bien quand j'étais avec lui.

En fait, durant la période où Kate remonta sur les planches, il confia à des amis qu'il essayait de s'en sortir de peur qu'elle ne le quitte pour de bon.

À minuit passé, les yeux fixés sur les dernières flammes, je balbutiai la question que, à mon avis, Kate attendait :

— Est-ce qu'il vous a jamais… frappée ?

Je risquai un regard vers elle, qui se contenta de contempler les dernières braises.

— Une fois.

Et elle entreprit de me raconter une abominable soirée au Beverly Hills Hotel. Alors qu'elle essayait de le mettre au lit, il l'avait frappée d'un revers de main à travers la figure. Il était tellement ivre qu'elle ne pensait pas qu'il ait eu conscience de son geste, ni qu'il s'en fût souvenu par la suite. Elle ne lui en parla pas, le lendemain, par souci de sa dignité – pas la sienne, celle de Tracy. Elle fit donc la paix toute seule, dans son for intérieur. Elle lui pardonna, mais n'oublia jamais.

— Avez-vous pensé le quitter ?

Je posai cette fois la question en la regardant bien en face.

— Et pourquoi donc ? Je veux dire, je l'aimais. Je désirais être avec lui. Si je l'avais abandonné, nous aurions été malheureux tous les deux.

Je me souvins alors que Kate m'avait expliqué que Tracy n'avait jamais été à l'aise à Fenwick. Le clan Hepburn, si cultivé, politisé, disert, était trop différent de sa propre famille. De plus, il n'avait aucun goût pour les merveilles de la nature, ni pour l'heureuse solitude qu'elle procure. En cet instant où Kate exprimait sa passion pour cet homme profondément désemparé, je compris

184

qu'elle n'était pas la victime que j'avais imaginée. Elle possédait une qualité qui manque à la plupart des épouses qui supportent un mari alcoolique : elle prenait soin d'elle-même. En fait, elle n'avait pas décidé de revenir au théâtre pour des raisons strictement professionnelles. Dans les périodes d'égarements alcooliques de Tracy, elle avait trouvé la force de s'éloigner pour jouer Shakespeare. Elle savait trop bien « qu'un homme joue bien des rôles en une vie » et elle avait appris à prendre le large – vers Fenwick ou vers Broadway – afin d'interpréter les siens.

— À votre avis, quel était le problème de Spencer ? me demanda Kate cette nuit-là au moment où j'éteignais le feu et refermais les lourdes grilles de l'âtre. Pourquoi buvait-il, d'après vous ?

— Oh, Kate, je n'en sais rien. Enfin, je n'ai jamais rencontré Spencer Tracy. Tout ce que je pourrais vous répondre serait une explication psychologique à deux sous.

— Mais vous avez toujours une opinion sur tout. Pourquoi pas sur ce sujet précis ?

— Bon. D'accord. Allons-y.

Et je me lançai dans un développement aussi long qu'embarrassé.

— J'ai le sentiment que Spencer Tracy a été élevé dans une famille plutôt dure avec un père qui buvait sec, un type qui n'était probablement pas très content de son sort et qui le faisait payer à sa femme et à ses mômes. Il s'enivrait, gueulait et cognait un peu autour de lui. Il répétait probablement à Spencer que celui-ci ne faisait rien de bien, que c'était un nul, un bon à rien. Et le jeune Spencer rêvait en cachette de devenir quelqu'un. Chaque fois qu'il tentait d'exprimer ses aspirations, son père l'écrasait d'un "pour qui tu te prends ? Tu n'es pas très futé, pas très beau, tu ne vaux rien, faudra bien t'y faire".

« Il s'est pourtant accroché à ses rêves, a fait son chemin dans le théâtre, a épousé la première femme qui lui a réellement souri. Et juste quand l'avenir se profilait, voilà son enfant qui vient au monde atteint de surdité. Du coup il se dit : "Mon père avait raison. *Je* ne vaux rien. Pour qui je me prenais en fondant une famille, en faisant du théâtre ?" Il s'est donc mis à boire, poussé par une prédisposition génétique, avec la volonté de se couper des siens. Il se mit à courir les femmes parce que cela lui donnait un sentiment de pouvoir et de séduction tout en installant un écran entre lui, sa femme et ses enfants. C'était un cercle vicieux : on lui avait prédit qu'il serait un pauvre type et sa vie justifiait la prophétie. Il ne lui restait plus qu'à boire.

« Il continua néanmoins de s'accrocher à son rêve et voilà le succès au rendez-vous. Un succès immense. Mais lui "savait" qu'il ne valait rien et n'attachait donc guère d'importance à toute cette célébrité et cette richesse qui lui tombaient dessus. Qu'est-ce que les autres en savaient, eux ? Ses différents rôles lui permettaient de s'oublier, mais il avait le sentiment de ne pas mériter les gratifications de son travail d'artiste, une occupation pas vraiment virile. Pour que la réussite tombe sur un minable comme lui, il devait y avoir quelque chose qui ne tournait pas rond dans le système, dans la vie elle-même. Et il se remettait à boire.

« Et puis vous êtes arrivée, la plus belle et la meilleure créature qu'il ait jamais rencontrée. Vous meniez une vie sensationnelle. Il n'arrivait pas tout à fait à croire que quelqu'un comme vous puisse s'intéresser à quelqu'un comme lui. Comment être à la hauteur ? Voilà pourquoi il essayait si souvent de vous détruire, de briser vos élans. Il se moquait de votre famille, de votre éternel enthousiasme. Il essayait de vous diminuer. Et quand il n'y parvenait pas, il se disait qu'au fond il n'était pas si nul pour avoir réussi à garder quelqu'un comme vous. Mais il n'arrivait pas à y croire et se remettait à boire. Et si vous le laissiez pour un tournage ou une tournée théâtrale, il se disait : "Tu vois, je te l'avais dit, je ne vaux pas un clou." Et il buvait encore plus.

« Mais, au bout du compte, vous avez tenu bon ensemble. Et cela – je ne parle pas de vos films – c'est ce qu'il y a de plus important dans vos deux existences. Voilà ce que je pense. »

Il y eut un long silence.

Kate, le visage impénétrable, se leva. Nous avons éteint la lumière, gravi l'escalier sans un mot, son mauvais pied traînant sur les marches en bois. Une fois sur le palier, elle vint dans ma chambre défaire le lit. Elle semblait abasourdie, un peu blessée, peut-être. Elle m'embrassa pour me souhaiter bonne nuit et ouvrit enfin la bouche en passant la porte :

— Vous allez écrire maintenant ?

— Je ne pense pas, il est très tard.

— Bon. Alors, à demain matin. Mais vous feriez mieux d'écrire tout ça.

Puis elle referma la porte.

# 8

## Devine qui est venu dîner

Cela faisait vingt-cinq ans qu'elle jouait la comédie dont vingt – un record – comme star de cinéma. Mais elle allait vivre les moments les plus prodigieux de sa carrière au cours des quinze années suivantes.

En ces années 1950, elle se consacrait à Spencer Tracy, devenu le centre de ses préoccupations, sans pour autant lui être enchaînée. Elle débordait de sollicitude, précédant ses moindres besoins. Elle veillait à l'empêcher de boire ou réparait les dégâts quand elle intervenait trop tard. Elle admit s'être même endormie une nuit dans le couloir du Beverly Hills Hotel devant la chambre d'où il l'avait jetée, ivre mort. Voilà ce qu'elle était prête à faire par amour. Mais là était la limite.

Car cette décennie fut aussi celle des voyages et des investigations artistiques. Elle découvrit d'autres horizons, physiques et émotionnels. Les dix ans qu'elle venait de passer avec Tracy lui avaient du moins donné la force d'affronter toutes sortes de défis professionnels et les rôles qu'elle interprétait prenaient de plus en plus d'envergure.

Peut-être ai-je trop regardé *Comment l'esprit vient aux femmes*, dans lequel la jeune écervelée Billie Dawn devient une femme de tête le jour où son amant la frappe. Mais j'ai le sentiment que Hepburn a ouvert les yeux le soir où Tracy a porté la main sur elle. Entre 1950 et 1962, quand la plupart des vedettes féminines de son

188

âge étaient mises au rancart, elle se montra de plus en plus exigeante dans le choix de ses personnages ; ses interprétations de l'époque sont inestimables. Paradoxalement, ce fut dans ces années d'existence pour ainsi dire « maritale » qu'elle se révéla la meilleure.

Les représentations de *Comme il vous plaira* s'interrompirent à l'été 1950, ce qui donna à sa vedette un peu de temps libre avant la nouvelle tournée d'automne. Elle retourna à Los Angeles et s'installa, à la suggestion de George Cukor, chez Irene Selznick, dans une magnifique propriété de Beverly Hills avec piscine, tennis, salle de projection et personnel. Tant qu'à faire, elle suggéra à Cukor de jouer lui-même les logeurs en installant Spencer Tracy dans le petit pavillon d'hôte de sa propriété, avenue St. Ives. Le bungalow était sans prétention, ce qui plairait à Tracy. Elle l'aménagea confortablement mais sans excès. « Rien de luxueux ! » avait averti Tracy. Elle en tint compte. Après tout, c'était lui le locataire. Le luxe véritable, elle l'avait chez Irene.

C'est là qu'elle reçut l'appel d'un producteur qu'elle n'avait jamais encore rencontré, un impresario d'origine polonaise, Sam Spiegel. Il avait déjà plusieurs films à son actif ; le genre de type qui courait les rues à Hollywood – « une gueule et des projets aussi énormes que le ventre », résumait Kate. Il lui demanda si elle avait lu le roman de C.S. Forester (auteur de la série des Horatio Hornblower) intitulé *The African Queen* (La Reine africaine). Non, et le livre datait de quinze ans. Spiegel allait le porter à l'écran avec John Huston et pensait que le rôle féminin lui conviendrait à merveille.

Le producteur lui envoya le livre. Hepburn fut aussitôt conquise par l'héroïne de cette histoire dont le cadre est l'Afrique pendant la Première Guerre mondiale. Rosie Sayer est une vieille fille anglaise, sœur d'un missionnaire. Elle convainc un marginal alcoolique à l'accent cockney, Charlie Allnut, de descendre les rapides du Congo à bord de son rafiot, l'*African Queen*, dans le but de faire sauter un navire de guerre allemand. Pour entretenir l'intérêt de Hepburn, Spiegel vint discuter avec elle de ses éventuels partenaires. Ils firent la liste de tous les Anglais qui leur venaient à l'esprit, de Ronald Colman et Errol Flynn jusqu'à David Niven et James Mason. Mais leur élégance collait mal au

189

personnage mal dégrossi de Charlie. Spiegel avança alors le nom d'Humphrey Bogart ; il suffirait de faire de Charlie un Canadien.

Après avoir ferré Hepburn, Spiegel s'en servit d'appât pour l'autre gros poisson. « C'est ça, le travail de production », disait Kate en évoquant une espèce en voie de disparition, celle qui savait comment ficeler de grands films. (Une autre des caractéristiques de Spiegel réjouissait Kate : ce self-made man, qui aimait aussi passionnément l'Amérique que les anciens nababs producteurs d'innombrables films patriotards, utilisait pour pseudonyme le nom S. P. Eagle[1] « N'est-ce pas merveilleux ? » jubilait-elle). Ce qui attirait Hepburn, dans le projet de Spiegel, était précisément ce qui pouvait effrayer les autres vedettes, surtout les *prima donna* habituées à se laisser dorloter sur les plateaux : l'occasion de travailler dans les contrées sauvages de l'Afrique.

Finalement, le réalisateur et coauteur John Huston rendit visite à son premier rôle féminin : « Un des êtres les plus exaspérants qu'il m'ait été donné de rencontrer, décréta Kate. Il avait un charme fou et en était très conscient. Ce qui aurait dû amoindrir son pouvoir de séduction, eh bien non. »

Un véritable moulin à paroles, ce John Huston. Chaque fois qu'elle abordait la question du script, il engloutissait la question sous un déluge verbal. Mais elle le trouvait également envoûtant et talentueux. Elle admirait tout particulièrement *Le Trésor de la Sierra Madre*[2], où il avait dirigé son père, Walter, qui avait été primé : « Son ego était colossal, il était absolument imbu de lui-même. Mais d'une certaine manière, cela m'a rassurée. C'était le genre à pouvoir faire face à tous les obstacles qu'on pourrait rencontrer pendant un tel tournage. »

Hepburn finit sa tournée de *Comme il vous plaira* (où elle interprétait Rosalind) sans avoir vu le script retravaillé d'*African Queen*. Puis, quelques semaines avant son départ pour l'autre rive de l'Atlantique, sa mère, alors âgée de soixante-treize ans, mourut le

---

1. S.P. Eagle, ce qui se prononce comme Sp-iegel. Eagle : l'aigle, mais aussi la pièce de dix dollars, ou l'insigne de grade de colonel.
2. *The Treasure of the Sierra Madre*, d'après le roman de B. Traven, avec Walter Huston et Humphrey Bogart, 1948.

jour même où Kate lui rendait visite à Hartford. L'actrice pouvait invoquer de sérieuses raisons personnelles pour renoncer à ce projet « farfelu » qui l'envoyait aux antipodes : « Mais, voyez-vous, disait-elle, la mort soudaine de ma mère m'a fait prendre du recul. C'était une femme énergique ; peu de temps avant sa mort, elle faisait encore des tas de projets. Le film semblait promis au désastre, mais je voulais voir l'Afrique, travailler avec Bogie… et John Huston. »

Et elle pensait qu'elle pourrait donner toute sa mesure dans le personnage de Rosie Sayer, une personnalité si proche de la sienne.

Elle prit un bateau pour la Grande-Bretagne avec Constance Collier et Phyllis Wilbourn, qui faisait fonction de secrétaire. À Londres, elle rencontra le producteur et le metteur en scène. Elle s'impatientait au sujet du script définitif, mais Huston se voulait rassurant ; il lui dit seulement de ne pas s'inquiéter. « S.P. Eagle » et lui partirent en reconnaissance pour l'Afrique tandis que Hepburn se rendait en Italie où séjournaient Bogart et sa femme Lauren Bacall. Spencer Tracy se joignit au groupe pour une visite si secrète que ni la presse ni le public ne devinèrent jamais la présence du couple. Ce furent de splendides vacances. Elles se terminèrent lorsqu'un appel à son hôtel apprit à Kate que Tracy était retourné à Londres sans avertissement, incapable d'affronter les adieux.

Hepburn prit l'avion, puis un train tiré par une locomotive chauffée au bois pour finalement rejoindre en radeau le village désolé de Biondo, à près de quatre-vingts kilomètres de Ponthierville, au Congo belge. Sa case de palmes et de bambous n'avait rien du confort américain. La plomberie était rudimentaire, pour ne pas dire inexistante. Mais le seul souci de Hepburn était le script, lequel, apprit-elle, n'était toujours pas terminé. Kate s'adapta rapidement aux difficultés de la vie en brousse. Elle mit un peu plus de temps à comprendre qu'il n'y avait pour elle qu'une manière de réussir le film : s'en remettre à l'instinct de Mr. Huston, même lorsqu'il disparaissait pour un safari sans donner la date de son retour.

Au cours des mois suivants, Hepburn eut le sentiment « qu'il se passait quelque chose de fantastique. On m'avait dit que Bogie buvait beaucoup, ce qui fut le cas. Mais, dans le boulot, c'était un professionnel de la tête aux pieds. Un homme merveilleux, viril et attentionné, un vrai gentleman ».

Elle s'aperçut également que Huston savait très exactement ce qu'il voulait faire d'*African Queen* ; il y avait réfléchi jusqu'aux moindres détails. En outre, il avait suffisamment la maîtrise de l'équipe pour tirer parti des imprévus. Il faut reconnaître que la réussite d'*African Queen* tient pour une bonne part au naturel des comédiens, à leurs réactions spontanées : « Nous nous sommes tous mis au diapason de John. Nous avons compris qu'au lieu de combattre les insectes, les serpents, la boue et le mauvais temps il fallait au contraire travailler *avec*. De toute façon, c'était impossible. Le film fut une extraordinaire aventure », concluait Kate. Ce fut aussi l'une de ses plus grandes réussites. En dépit de tous les obstacles, Huston fut capable de faire passer l'extraordinaire jubilation qui la caractérisait. Grâce à la façon désormais légendaire dont il l'avait dirigée. Au deuxième jour de tournage, après la scène de l'enterrement du frère missionnaire, Huston vint voir Hepburn dans sa case sous prétexte de prendre un café : « John me fit comprendre gentiment qu'il avait quelques remarques à faire sur mon interprétation. Je venais de jouer avec une grande solennité. Mais lui, voyez-vous, ne pensait pas que Rosie était une vieille fille lugubre. Il trouvait que ça gâcherait le plaisir si elle tirait cette tête-là pendant tout le film. »

En substance, Huston lui expliquait la différence entre être digne et être guindé : « Avez-vous jamais vu aux actualités Mrs. Roosevelt visitant les soldats dans les hôpitaux ? » lui avait-il demandé. Oui, en effet, elle avait vu. « Elle se montrait grave, avait-il continué, mais jamais lugubre, Katie chérie. C'est parce qu'elle avait ce sourire merveilleux. Vous avez le même charme dans l'arc de vos lèvres, et il y a quelque chose de vaillant dans vos sourires. »

En termes galants, il suggérait à Hepburn d'adopter l'attitude d'Eleanor Roosevelt. Elle devait se dire : « Courage, ma vieille, redresse la tête. Tout va s'arranger. Garde confiance. Et le sourire, toujours. Les gens bien élevés sourient. »

Huston sortit de la case sans autre commentaire. Il s'était contenté de jeter un galet dans la mare, dont les ondes se propagèrent dans chaque scène du film. Il avait permis à Hepburn de forger son personnage.

— Vous savez, disait Kate, les gens se demandent souvent en quoi consiste le travail des metteurs en scène. Bien sûr, chacun travaille différemment. Mais ce petit conseil de John était un trait de génie. C'est le meilleur qu'on m'ait jamais donné, avant comme après.

Compte tenu des dangers que présentait l'environnement, on peut affirmer que le tournage d'*African Queen* se déroula au mieux. Hepburn fut enchantée de travailler avec Bogart ; elle ne pouvait imaginer un autre partenaire pour le rôle.

— Quand vous faites un film, expliquait-elle, vous ne savez pas s'il plaira ou non. Vous donnez simplement le meilleur de vous-même en priant que d'autres l'apprécieront autant que vous. Mais pour *African Queen*, nous avons eu le sentiment de faire quelque chose d'exceptionnel. Personne n'avait jamais rien fait de semblable auparavant. Quant à Bogie et moi, eh bien, nous nous accordions parfaitement. Nous sympathisions et chacun éprouvait de l'estime pour l'autre.

L'autre heureuse conséquence de l'aventure fut une amitié de cinquante ans entre Hepburn et Lauren Bacall : « C'est une fille bien », disait souvent Kate à son propos ; elle restait pleine d'admiration pour la façon qu'elle avait eue de veiller sur Bogart et sur elle-même. « Une fille très drôle, et qui aime son travail », deux qualités que Hepburn a toujours appréciées.

Vers la fin du tournage en extérieurs, Hepburn et plusieurs membres de l'équipe souffrirent d'une sévère dysenterie. La maladie lui fut d'autant plus difficile à endurer qu'elle avait critiqué Huston et Bogart sur les quantités d'alcool qu'ils ingurgitaient – elle restant scrupuleusement accrochée à ses bouteilles d'eau minérale. Le médecin de l'équipe finit par découvrir que l'eau en bouteille était polluée quand l'alcool absorbé par le metteur en scène et sa vedette masculine était stérile ou « du moins assez fort pour tuer les microbes qui pouvaient s'y être glissés ». Lorsqu'elle quitta l'Afrique, Hepburn avait perdu dix kilos. Elle ne put se faire soigner qu'une fois arrivée à Londres où l'équipe resta pour six semaines de tournage en studio. Spencer l'y attendait. Sorti juste avant la fin de l'année, *The African Queen* fit un malheur. Bogart, qui avait pourtant affaire à forte concurrence, obtint son premier et

193

dernier oscar. Hepburn reçut sa cinquième nomination mais dut s'incliner devant Vivien Leigh pour son interprétation dans *Un tramway nommé Désir*. Cinquante ans plus tard, dans le cadre d'une enquête, l'Institut du film américain demanderait à des cinéastes, critiques et historiens de citer les plus grandes légendes du cinéma. Ils placèrent en numéro un le tandem Bogart-Hepburn, alors que les deux stars n'avaient travaillé ensemble que dans *African Queen*. De retour en Californie à l'automne, Hepburn loua une maison retirée au-dessus du Beverly Hills Hotel (où elle descendait souvent jouer au tennis, parfois avec « Big Bill » Tilden, parfois avec Chaplin, sur son court privé). Tracy s'était installé dans le bungalow de George Cukor. Tous deux furent ainsi à nouveau réunis, non seulement à la ville mais aussi à l'écran, dans une nouvelle comédie de Garson Kanin et Ruth Gordon, dirigée cette fois encore par Cukor. *Mademoiselle Gagne-tout*[1] était le film que Kate préférait parmi les neuf qu'elle et Tracy tournèrent ensemble. Cette histoire de manager sportif qui mise sur une athlète exceptionnelle a produit un des rares films où il est donné à une femme de faire la preuve de sa supériorité physique. Ce fut l'occasion pour Hepburn d'exhiber ses talents d'athlète à la course, à la nage, au golf, au basket-ball ou au tennis. À quarante-quatre ans, elle avait un corps de vingt-cinq. « Pas beaucoup de chair, dit le manager de son poulain, mais de premier choix. » Quant à Tracy, enroué et ventripotent, il faisait à cinquante-deux ans dix ans de plus que son âge.

L'intrigue de *Mademoiselle Gagne-tout* n'est guère vraisemblable. Elle ouvre sur une héroïne incapable de se concentrer quand son terne fiancé assiste à la compétition. Mais cette première niaiserie avait l'avantage de souligner le féminisme contenu dans la scène aux yeux d'un public alors convaincu – c'était les années Eisenhower – que le bonheur de la femme se trouvait au foyer. Pour s'assurer le succès commercial du film, George Cukor intégra dans la distribution des athlètes connus comme Babe Didrikson Zaharias, Gussie Moran et Don Budge. Le film rencontra la faveur

---

1. *Pat and Mike*, 1952.

de la critique et du public. Tracy espérait que ce succès garderait Hepburn à Hollywood pour un bon moment.

Mais elle songeait déjà à repartir. Lors de son séjour à Londres, elle s'était entretenue avec des producteurs qui voulaient monter *La Milliardaire*[1] de George Bernard Shaw, lequel avait espéré avoir Hepburn pour interprète dix ans auparavant. Soudain, le personnage d'Epifania plaisait à l'actrice. Riche héritière trop gâtée – selon Shaw la version capitaliste de la force vitale –, cette héroïne se débarrasse d'un prétendant stupide (Cyril Ritchard) pour un médecin égyptien intelligent (Robert Helpmann). La pièce exigeait une grande énergie physique car presque toutes les scènes donnaient lieu à de longs dialogues.

« J'avais toujours trouvé Epifania trop autoritaire et sans humour, disait Kate pour expliquer pourquoi elle avait longtemps repoussé le rôle. Ce n'est pas tant son autoritarisme qui me gênait que son côté sérieux. Dès que j'ai trouvé le moyen de la rendre drôle, j'ai pensé que le rôle serait parfait pour moi. Toute actrice devrait s'essayer à jouer Shaw, trop peu comprennent cela. Je pense que le vieux GBS[2] m'aimait bien pour ma vivacité, physique et orale. Il faut l'être pour incarner ses héroïnes. Je regrette d'être venue trop tard à cet auteur pour avoir pu jouer Ann dans *L'Homme et le Surhomme*[3], parce que c'est un rôle formidable et je pense que j'aurais pu faire un bon travail. Ma mère, bien entendu, connaissait toute l'œuvre de Shaw par cœur, et nous avons grandi avec lui. C'est sans doute pourquoi je ne l'ai redécouvert que si tard dans ma vie », hélas, quand Kit Hepburn n'était plus.

Celle-ci aurait été fière de sa fille. Certes, les critiques londoniens (et plus tard new-yorkais quand la Theatre Guild monta la pièce à Broadway) jugeaient que *La Milliardaire* était du Shaw de second ordre et que Hepburn en faisait un peu trop. Mais personne

---

1. *The Millionaires*. Katherine Hepburn y interprète Epifania en 1952.
2. George Bernard Shaw.
3. *Man and Superman*, 1903. La pièce où Shaw commence à élaborer sa philosophie de la « force vitale ». Malgré son allure de don Juan, c'est l'homme qui est pris en chasse par la femme, poussée par la force de l'instinct vital de la nature, qui tend à élaborer une espèce supérieure, le surhomme.

195

ne niait que son tour de force était divertissant, voire éblouissant. Le public en était fou.

Spencer Tracy, lui, broyait du noir. Il connaissait l'une de ses rares éclipses professionnelles, consécutive à une série de films inintéressants, et se sentait abandonné, une fois de plus : « Dès que Kate partait, il boudait dans son coin comme un petit garçon » m'avait confié George Cukor. Pendant que Hepburn jouait *La Milliardaire*, il tourna *Capitaine sans loi*[1], une version plutôt sinistre de l'épopée du *Mayflower*, ce mythique navire qui transporta les premiers émigrants anglais en Amérique... et se laissa entraîner dans une aventure avec Gene Tierney, fascinante héroïne de *Laura*[2], et l'un des plus beaux visages jamais apparus sur les écrans.

Kate ne m'a jamais parlé de cette liaison avec Gene Tierney, mais d'autres s'en sont chargés. Le couple abordait à l'époque sa seconde décennie. La carrière de Hepburn prenait un nouveau départ ; elle mettait les bouchées doubles pour rattraper les rôles perdus. Elle restait prête à tout sacrifier à Tracy, sauf sa carrière. C'est ainsi qu'elle s'investit corps et âme dans l'adaptation cinématographique de *La Milliardaire*, qu'elle travailla avec Preston Sturges – « un homme très brillant, qui malheureusement buvait beaucoup trop... Je crois qu'il a écrit un des scripts les plus drôles que j'aie jamais lus, un vrai joyau ». Pourtant, même après avoir renoncé à toute rémunération et accepté de payer Sturges sur ses propres deniers, elle ne trouva personne pour souscrire au projet : « Voilà un homme, pestait-elle, qui avait dirigé une demi-douzaine des plus intelligentes comédies de l'histoire du cinéma... et, passé ses cinquante ans, personne n'a plus voulu l'embaucher. Regardons les choses en face, ajoutait-elle. Je connaissais une nouvelle passe difficile. Les gens m'aimaient bien quand je paraissais à l'écran, mais les studios courtisaient une nouvelle génération de stars, les Elizabeth Taylor, Doris Day, Marilyn Monroe ou Audrey Hepburn (avec qui je n'ai aucun lien familial), pour n'en citer que quelques-unes... »

---

1. *The Plymouth Adventure*, de Clarence Brown, 1952.
2. D'Otto Preminger, 1944.

Au même moment, Joan Crawford se débattait pour obtenir des rôles dans quelques mélodrames anémiques. Quant à Bette Davis, après le succès de *Eve*[1] en 1950, elle ne tourna que neuf films en dix ans, ce qu'elle bouclait en un an ou deux à sa belle époque. *La Milliardaire*[2] ne sera porté à l'écran qu'en 1960, avec Sophia Loren et Peter Sellers, dans une version abâtardie sans rapport avec l'œuvre de Shaw.

La carrière de Tracy rebondit avec *Bad Day at Black Rock (Sale journée à Black Rock)*, un film provocant tourné dans l'Arizona, qui lui valut une nomination aux oscars. La vie de Katharine Hepburn trouva son équilibre. Elle se partageait entre Tracy, à qui elle restait fidèle, et son travail, pour lequel elle n'acceptait que des rôles d'importance. À l'été 1954, elle repartit à l'étranger pour une prestation qui resterait inoubliable.

L'ancien monteur David Lean avait fait ses preuves de réalisateur avec *Brève rencontre*, *Les Grandes Espérances* et *Olivier Twist*[3]. Il travaillait à Venise sur un drame contemporain, sa propre adaptation de la pièce d'Arthur Laurents, *The Time of the Cuckoo (Le Temps du coucou)*. Sous le titre *Summertime (Vacances à Venise* dans la version française, et *Summer Madness – Folie d'été –* en Grande-Bretagne), le film raconte l'histoire de Jane Hudson, une cinquantenaire du Middle West, encore demoiselle et romantique, qui part en vacances à Venise. Elle s'y éprend d'un antiquaire qu'elle découvre marié et père de famille. Son amant fait tomber ses inhibitions et l'emmène vivre quelques jours passionnés dans l'île de Murano. Elle comprend vite que leur liaison ne peut durer et qu'elle doit rentrer. Mais elle est une autre femme. Le film est une déclaration d'amour de David Lean à Venise, ses canaux, ses ponts et les merveilles de la place Saint-Marc. Mais la ville ne met jamais la vedette au second plan. On y voit Katharine Hepburn évoluer dans le site de tournage le plus somptueux du monde – seule au début, amoureuse ensuite –, photographiée comme personne ne l'avait fait

---

1. *All About Eve*, de Joseph L. Mankiewicz, 1950.

2. D'Anthony Asquith, sous le titre *Les Dessous de la millionnaire* dans la version française.

3. *Brief Encounter*, 1946 ; *Great Expectations*, 1946 ; *Oliver Twist*, 1948.

jusque-là. Il est des instants où elle paraît son âge, presque cinquante ans : belle mais marquée de quelques rides, les cheveux simplement tirés, le visage à peine maquillé. Lean était un perfectionniste. Il composait soigneusement chacun de ses plans. Jamais un metteur en scène n'avait autant exigé de l'actrice ; souvent, elle n'avait que quelques secondes pour tirer une force dramatique du nuage qui allait disparaître ou des derniers rayons de soleil plongeant entre les maisons.

La main ferme de Lean lui permettait de sonder des profondeurs encore inconnues d'elle. Elle donne du personnage neurasthénique de Jane Hudson une interprétation très naturaliste. Quand elle parle d'amour devant un coucher de soleil à son *innamorato* – Rossano Brazzi, onctueux à souhait – la vulnérabilité de sa voix trahit le désir sexuel avec une crudité qui jusque-là lui était étrangère. Hepburn me parlait de ce film avec une certaine gêne. Son embarras réapparaissait chaque fois que je faisais remarquer que sa prestation y était différente du reste de son œuvre. Quand j'insinuai que, de tous ses rôles, celui-ci pourrait être le plus révélateur de sa personnalité, elle se défaussa et mit le personnage au crédit du metteur en scène : « De toute ma carrière, je n'ai jamais travaillé avec quelqu'un qui comprenne mieux, vraiment mieux, un film que David. Je crois franchement que les monteurs, qui réagissent si vivement au choc des images, font les meilleurs metteurs en scène. »

Ou alors, elle répétait la même anecdote. Une scène montrait Jane Hudson tombant à la renverse dans un canal alors qu'elle tourne un film d'amateur. Les eaux de Venise étaient, bien sûr, notoirement polluées. Hepburn avait donc pris ses précautions avant la scène : elle s'était enduit le corps de crème protectrice et s'était même appliqué un antiseptique sur une petite coupure au doigt. Dès que Lean eut fini de filmer, elle prit un bain et se gargarisa avec un antiseptique. Mais il ne lui vint pas à l'idée de se désinfecter les yeux ; la sclérotique vira au pourpre le lendemain, et les staphylocoques, à l'origine d'un larmoiement chronique, lui empoisonnèrent le reste de son existence. « Mais la scène était irrésistible, disait-elle, très drôle », comme s'il n'y avait rien à regretter. Le film lui valut d'être nommée pour la sixième fois mais l'oscar revint cette année-là à Anna Magnani, de quelques années plus jeune, pour *La Rose tatouée*[1]. Les autres lauréates de l'année, Susan Hayward, Jennifer Jones et Eleanor Parker, avaient toutes de dix à quinze ans de moins qu'elle.

En son absence, Spencer Tracy était revenu à ses comportements autodestructeurs. Lors des préparatifs du film qui devait avoir pour titre *La Loi de la prairie*[2], il eut une brève mais peu discrète aventure avec sa partenaire pressentie, Grace Kelly. Au lieu de rentrer au plus vite, Hepburn poursuivit sa vie professionnelle. Elle passa l'été de 1955 en Australie avec son ami Robert Helpmann et la Old Vic Company, pour y interpréter *Mesure pour mesure*, *La Mégère apprivoisée* et *Le Marchand de Venise*[3]. Peu de temps après le début du tournage de *La Loi de la prairie*, Tracy fut porté disparu ; il était en pleine virée alcoolique. Le studio le remplaça par James Cagney.

Au terme de sa triomphale tournée australienne, dont les amateurs de théâtre se souviennent encore avec émotion cinquante ans plus tard, Hepburn se sentit prête à rentrer : « Je suppose que j'avais à me prouver certaines choses. J'avais le sentiment d'avoir progressé en tant qu'actrice. Je me sentais plus accomplie. Je voulais aussi tendre la main à Spence. Je savais qu'il devait d'abord s'aider lui-même, mais j'étais aussi plus à même de l'épauler... depuis que je me sentais plus forte. »

Ils avaient souvent été séparés les années précédentes ; Hepburn avait le désir secret de vivre désormais avec Tracy, du moins autant que le leur permettaient les caprices du métier. Ayant personnellement atteint les sommets de son art, elle accompagna Tracy dans les Alpes françaises, où il tournait *La Neige en deuil*[4] avec Robert Wagner. Tandis que le film se bouclait dans les locaux de la Paramount, Hepburn se sentit capable de tenir, pour la même

---

1. *The Rose Tattoo*, de Daniel Mann, d'après la pièce de Tennessee Williams, avec Burt Lancaster, 1955.

2. *Tribute to a Bad Man*, western de Robert Wise, 1956.

3. *Measure for Measure*, *The Taming of the Shrew* et *The Merchant of Venice*, de William Shakespeare.

4. *The Mountain*, d'Edward Dmytryk, 1956.

compagnie, sur un plateau voisin, un rôle qui allait devenir un de ses plus célèbres.

Proche du personnage de Jane Hudson dans *Vacances à Venise*, Lizzie Curry, dans la pièce à succès de N. Richard Nash, *Le Faiseur de pluie*[1], est également une vieille fille. Elle vit avec son père et ses deux frères dans une ferme ravagée par la séche-resse, dans le Sud-Ouest américain. Survient Starbuck, un escroc qui promet de faire pleuvoir pour la somme, à l'époque énorme, de cent dollars. Dans un premier temps, Lizzie résiste au charme de Starbuck et tente de dissuader son père de marcher dans la combine, puis elle succombe et se découvre comblée.

Starbuck était joué par Burt Lancaster, l'acteur alors le plus sexy de Hollywood. Avec *Reviens petite Sheba*, *Tant qu'il y aura des hommes*, *La Rose tatouée* et *Trapèze*[2], il avait pris d'assaut et conquis le temple mondial du cinéma. Sa propre société indépen-dante avait produit *Marty*, prix du meilleur film 1955. Kate trouvait que c'était « un homme très bizarre, avec des accès d'énergie inat-tendus » ; elle ne réussit jamais à établir le contact. Ce qui devait parfaitement convenir au rôle, puisqu'elle fut de nouveau nommée pour les oscars. En jouant les vieilles filles privées d'amour, elle avait manifestement trouvé sa place dans le cœur des membres de l'Académie, des critiques et du public.

— Pensiez-vous à une tante célibataire quand vous avez accepté ces rôles ? lui demandai-je au cours d'une de nos prome-nades à Fenwick.

— Bien sûr, il y avait ma tante Edith. Mais ce n'est pas elle que je jouais. Avec Lizzie Curry, Jane Hudson et Rosie Sayer, je jouais mon propre personnage. Ça n'a jamais été difficile pour moi de jouer ces femmes... parce que la tante célibataire, c'est moi.

Au beau milieu de la troisième étape de sa florissante car-rière, Hepburn se laissa piéger dans ce qu'elle considérait comme

---

1. *The Rainmaker*, comédie de Joseph Anthony, avec Burt Lancaster, 1956.
2. *Come Back, Little Sheba*, de Daniel Mann, 1952 ; *From Here to Eter-nity*, de Fred Zinnemann, film pacifiste sur le destin de quatre soldats à la veille de Pearl Harbor, 1953, huit oscars ; *The Rose Tattoo*, de Daniel Mann,1955 ; *Trapeze*, de Carol Reed, 1956.

le pire de tous ses films. Bobby Helpmann l'avait convaincue de le rejoindre à Londres pour y jouer dans *Whisky, vodka et jupon de fer*[1], pâle imitation de *Ninotchka*. Hepburn devait jouer un capitaine d'aviation soviétique au cœur de pierre disputant du communisme avec un pilote américain pour au bout du compte s'enliser dans le confort capitaliste. La vedette masculine devait être Bob Hope[2] !

Hepburn était lucide mais, avec un script spirituel signé Ben Hecht, elle se sentait en sécurité. Elle ignorait en revanche que Bob Hope était « un monstre d'égocentrisme » et qu'il transformerait immédiatement le film « en un vaudeville de bas étage en se servant de moi comme faire-valoir ». Il s'était fait accompagner de son équipe de scénaristes pour récrire ses répliques, et il broda sans vergogne sur le script original. « On m'avait refourgué de la fausse marchandise, expliquait Kate. On m'avait dit que les textes ne seraient pas dans le style habituel de Bob Hope, qu'il voulait faire une comédie contemporaine. Ce ne fut pas le cas. » Kate prétendait n'avoir jamais vu le film.

Elle se fit pardonner en accompagnant Spencer Tracy à Cuba, où il devait tourner *Le Vieil Homme et la mer*[3] sous la direction de Fred Zinnemann. Avant que toute l'équipe soit priée de rentrer pour tourner sous la direction d'un autre réalisateur, John Sturges, Katharine Hepburn et Spencer Tracy purent profiter ensemble d'agréables vacances. Le jour, il s'adonnait à la peinture et elle à l'aquarelle. La nuit, ils se laissaient aller aux plaisirs de la vie nocturne à La Havane, si peu portée qu'elle fût sur les restaurants, casinos et autres clubs. Tracy mit beaucoup de sincérité dans son rôle mais, au bout du compte, le film traîna en longueur. Il dura presque autant de temps qu'il n'en faut pour lire le livre.

Le film achevé, Tracy et Hepburn reçurent avec un certain soulagement l'offre de la Twentieth Century Fox de refaire équipe. Il s'agissait de l'adaptation d'une pièce intitulée *The Desk Set (Une*

---

1. *The Iron Petticoat*, de Ralph Thomas, 1956.
2. Célèbre comique américain.
3. *The Old Man and the Sea*, de John Sturges, d'après le roman d'Ernest Hemingway, 1958.

*femme de tête*, dans la version française), selon un script sans grande vigueur de Henry et Phoebe Ephron, que dirigerait un des réalisateurs de la Fox. Pour les deux stars, c'était la première occasion depuis cinq ans de travailler ensemble dans le genre où le public les appréciait le plus, la comédie romantique.

*Une femme de tête*[1] est l'histoire de Bunny Watson, madame je-sais-tout, qui dirige le service des archives d'une grande chaîne de télévision. Elle s'affronte à Richard Sumner, inventeur d'un énorme cerveau électronique destiné à remplacer Bunny et ses collègues. Les humains finissent par démontrer leur supériorité sur la machine et Bunny termine dans les bras de Richard. C'était un mélange de deux genres, celui de la première période du couple Tracy-Hepburn et celui, plus récent, des vieilles filles amoureuses – encore une fois, Kate y apparaît les cheveux sévèrement tirés en arrière. *Une femme de tête* ne dépasse guère l'aimable comédie romantique sur le thème de la nouvelle phobie de l'époque, les machines voleuses de travail. Hepburn avait surtout sauté sur l'occasion de jouer avec Tracy pour la huitième fois.

La plupart des acteurs ont la hantise que leur rôle en cours ne soit le dernier. Le délabrement physique de Spencer Tracy avait de quoi alimenter ses craintes. À cinquante-cinq ans, il parlait de plus en plus de prendre sa retraite. « Je n'ai vraiment plus besoin de ça », répétait-il. Katharine Hepburn le connaissait assez pour savoir que l'oisiveté ne ferait qu'aggraver son état. Elle était plus que jamais persuadée que le travail était l'essence de l'existence, à plus forte raison quand il était ardu. Elle demeurait donc attentive à tout nouveau projet susceptible de le concerner, et ne résistait elle-même à aucune proposition professionnelle. Cet été-là, le Shakespeare Festival Theatre de Stratford, dans le Connecticut, lui proposa les rôles de Portia dans *Le Marchand de Venise* et celui de Beatrice dans *Beaucoup de bruit pour rien*. Shylock était joué par le grand acteur yiddish Morris Carnovsky et Benedick par Alfred Drake. Les critiques furent excellentes et méritées. Mais le véritable événement était que Katharine Hepburn restait la seule

---

1. *The Desk Set*, de Walter Lang, 1957.

vedette de Hollywood à oser mettre en jeu sa réputation en s'attaquant à Shakespeare.

Bien que Stratford fût proche de Fenwick, Hepburn décida d'établir ses quartiers d'été dans une cabane de pêcheur, face à la rivière Housatonic. Visites matinales aux pêcheurs du coin, baignades, promenades à bicyclette dans la campagne, représentations devant une salle bourrée à craquer… Ce fut « le plus bel été » de sa vie. Au cours de nos balades dans le Connecticut, nous passions régulièrement près de l'emplacement de cette vieille cabane, et quand nous rencontrions d'autres petites maisons semblables, c'était toujours avec une sorte de nostalgie qu'elle s'arrêtait pour les contempler. Je savais qu'elle pensait à cet été 1957. Elle avait beau apprécier les avantages de la renommée et de la fortune, son ambition suprême était d'être une actrice consciencieuse, une artiste appréciée pour son savoir-faire. Cet hiver-là, Katharine et la Stratford Company partirent en tournée avec *Beaucoup de bruit pour rien*. Bien qu'ayant un chauffeur à sa disposition, elle aimait prendre le volant. Surtout en compagnie de Phyllis Wilbourn qui, depuis la mort de Constance Collier, faisait « partie de la famille ». Un après-midi que Kate regardait Alfred Drake répéter depuis les coulisses, elle remarqua avec stupéfaction que Phyllis murmurait à part soi toutes les répliques. « Un vrai moment de bonheur » se rappelait-elle.

Katharine Hepburn rejoignit à nouveau la Stratford Company à l'été 1960. Elle interprétait Viola dans *Le Soir des rois*[1], avec Robert Ryan, autre acteur de Hollywood à donner le meilleur de lui-même, qu'elle admirait beaucoup. Elle tint également la promesse qu'elle s'était faite – et qu'elle avait faite à Constance Collier : incarner le personnage que toutes deux considéraient comme la plus grande des héroïnes shakespeariennes, la Cléopâtre d'*Antoine et Cléopâtre*[2].

De retour à Hollywood, la vie prit un tour tout aussi shakespearien que sa carrière. Tracy buvait comme Falstaff et délirait comme Lear. Usant de son influence sur John Ford, qui continuait de rêver à une retraite irlandaise en sa compagnie, Kate demanda

---

1. *Twelfh Night.*
2. *Antony and Cleopatra.*

203

au réalisateur de donner un rôle à Tracy dans *La Dernière Fanfare*[1], inspiré d'un roman sur James Curley, maire légendaire de Boston. Pendant le tournage et au-delà, elle assuma le rôle d'une épouse fidèle : sur le plateau, elle apaisait les tempêtes ; dans la loge, elle arrangeait un décor douillet ; et le week-end, elle emmenait Tracy se promener sur la plage.

L'année suivante, au moment où Tracy travaillait sur un personnage à la Clarence Darrow pour *Procès de singe*[2], Hepburn endossa le rôle le plus iconoclaste de sa carrière, celui de l'étrange Violet Venable, héroïne de *Soudain, l'été dernier*[3]. Sam Spiegel avait repris contact avec la star, dix ans après *African Queen*. Cette fois, il avait acquis les droits de cette pièce controversée de Tennessee Williams, œuvre en un acte qui avait fait partie d'un double programme présenté sous le titre de *Garden District*. Gore Vidal se chargeait de l'adaptation cinématographique. Cette histoire cauchemardesque tourne autour de la mort brutale d'un jeune homme riche, Sebastian Venable, dont les circonstances sinistres et grotesques ont traumatisé sa jeune cousine. Pour protéger le nom de la famille, la mère de Sebastian, l'impériale Violet, offre un million de dollars à un hôpital pour réaliser une lobotomie sur sa nièce trop bavarde et supposée folle. Après enquête, le neurochirurgien découvre que Sebastian utilisait sa jolie cousine pour attirer à lui de jeunes hommes, comme il utilisait auparavant sa mère, avant que le procédé ne se tourne contre lui et provoque sa mort. La pièce avait fait scandale. Sous un ton mondain, elle touchait aux thèmes de l'homosexualité, du proxénétisme, et même du cannibalisme, le tout sur un fond lourdement œdipien.

« À mon sens, disait Kate, Tennessee Williams était l'auteur dramatique le plus éminent de son temps, très brillant, doté d'un véritable talent de poète. Et je savais que ce ne serait pas une mince affaire d'interpréter ses tirades. Mais lui-même était un

---

1. *The Last Hurrah*, 1958, de John Ford.

2. *Inherit the Wind*, de Stanley Kramer, avec Gene Kelly, 1960. Un aventurier vient au secours d'un ami accusé à sa place.

3. *Suddenly, Last Summer*, de Joseph L. Mankiewicz, avec Montgomery Clift et Elizabeth Taylor, d'après la pièce de Tennessee Williams, 1959.

personnage tragique ; la pièce en était la preuve. Je me rappelle avoir pensé en la lisant que cet homme allait de plus en plus loin et qu'un jour il ne pourrait plus revenir en arrière. »

Elle trouvait le rôle de Mrs. Venable « fascinant, spectaculaire et bourré de pièges ». Elle accepta la proposition de Spiegel mais demanda qu'on atténue le texte afin d'éviter « le sensationnel à bon marché ». Tout sourire, Spiegel alla jusqu'à glisser le nom de George Cukor quand il fut question du metteur en scène.

Au lieu de quoi, il choisit Joe Mankiewicz, et mit en face de Hepburn les deux vedettes les plus caractérielles du moment : Elizabeth Taylor dans le rôle de la nièce et Montgomery Clift dans celui du chirurgien. « Ce fut un cauchemar, du début à la fin », racontait Kate. Clift sortait d'un accident de voiture dont les traces avaient abîmé sa beauté naturelle. Les calmants qu'il prenait l'avaient réduit, selon les termes de Kate, à l'état de « loque psychologique ». Taylor traîna un air souffreteux durant la plus grande partie du tournage et se fit un point d'honneur d'arriver chaque jour la dernière.

« Il n'y a rien de plus frustrant que de ne pouvoir travailler par la faute d'un retardataire, observait Kate à son propos. Je ne pouvais supporter cette grossièreté, se faire attendre quand tout le monde est prêt. Et je ne parle pas que des acteurs, mais aussi des techniciens… et de ceux qui paient la facture. »

Hepburn pensait que Taylor, contrairement à elle, « préférait être une star qu'une actrice. Mais ne vous y trompez pas, ajoutait-elle, je pense que c'est une grande actrice, vraiment grande. En particulier pour jouer Tennessee Williams. Pensez à son interprétation de Maggie [dans *La Chatte sur un toit brûlant*] ».

Elle mettait « cette malheureuse expérience » sur le compte du metteur en scène : « Joe Mank n'avait rien à m'apporter. Il a passé le plus clair de son temps avec Monty et Elizabeth, à mon avis sans grands résultats. Il était odieux envers Monty, qui manifestement allait très mal. Il l'enfonçait au lieu de l'aider. C'était encore pire avec Elizabeth. Il voulait faire du sensationnel avec le personnage et lui faisait prendre des poses inutiles. Le résultat était tout simplement vulgaire. Certains metteurs en scène aiment travailler avec les acteurs, leur donner la réplique. Ce n'était pas le cas de Joe. Il se sentait supérieur et prenait beaucoup de plaisir à les diminuer. Bien sûr, il y a des acteurs qui aiment ça. »

Pas Hepburn. Le dernier jour du tournage, après le dernier plan de la dernière scène, elle se tourna vers le metteur en scène :

— C'est bon ? J'ai fini ?

— Oui, dit Mankiewicz. Tu as été merveilleuse. Tout simple‑ ment formidable.

— Tu es sûr que tu n'as plus besoin de moi ? Ni gros plan ni reprises ?

— Parfaitement. Ton travail est terminé.

— Vraiment ?

Mankiewicz confirma. Sur ce, Hepburn se tourna vers lui

— Eh bien, salut !

Puis, racontait-elle, elle lui cracha à la figure devant l'ensemble de l'équipe, et quitta le plateau. Mankiewicz confirmerait l'incident en précisant toutefois que Hepburn avait craché par terre. Irene Selznick, toujours très rigoureuse, donnerait la même version... mais ajouterait que Kate était ensuite entrée dans le bureau de Sam Spiegel pour lui faire des adieux du même style.

En réalité, Katharine avait sans doute d'autres motifs pour avoir si mal vécu le tournage de *Soudain, l'été dernier*. La crudité du sujet, tout d'abord, la mettait mal à l'aise. Ensuite, même si elle ne m'en a jamais soufflé mot, il n'avait pas dû être facile, ai-je souvent pensé, de figurer dans un film où, pour la première fois, elle ne tenait pas le premier rôle féminin. Sans compter qu'elle jouait le personnage d'une mère abusive au côté de la femme la plus éclatante et la plus sensuelle de Hollywood. Toutes deux furent nommées pour le prix de la meilleure actrice. C'était la huitième nomination de Hepburn. Le film connut un immense succès. La franchise avec laquelle il brisait les tabous ouvrit une nouvelle voie au cinéma.

Mais l'expérience avait été éprouvante et Katharine Hepburn n'envisagea pas d'autres films. Les années suivantes, elle se consacra à Spencer Tracy, qui vieillissait à vue d'œil. Il buvait toujours beaucoup, même s'il se saoulait moins souvent. Il prenait du poids, souffrait d'ulcères et de cancers de la peau. Son énergie déclinait. Kate partageait son régime de viande rouge et de glace à la chantilly, mais se maintenait en forme en jouant régulièrement au tennis au Beverly Hills Hotel ou en nageant dans la piscine de George Cukor. Elle tenait toujours à garder sa propre résidence. Elle loua cette fois ce qui resterait sa maison préférée, La Volière, ancienne demeure de John Barrymore située en haut de l'avenue Tower Grove à Beverly Hills. Aussi souvent que possible, elle entraînait Tracy dans des promenades autour de Franklin Canyon Reservoir ou sur la plage de Malibu, où ils aimaient jouer au cerf-volant.

Katharine Hepburn croyait toujours aux vertus roboratives du travail. Elle accueillait comme des bénédictions toutes les occasions qui se présentaient à Spencer Tracy – même s'il lui était devenu pénible de tourner en extérieurs. En 1960, malgré la fatigue et la tension nerveuse, elle l'accompagna à Hawaii pour l'assister sur le tournage de *The Devil at Four o'Clock*[1] *(Le Diable à quatre heures)*, puis l'année suivante en Allemagne pour *Jugement à Nuremberg*[2], sous la direction de Stanley Kramer. Elle l'avait fortement pressé d'accepter le rôle du président du tribunal :

« Je ne pouvais me faire à l'idée de voir quelqu'un d'autre rendre ce long verdict [un discours de près d'un quart d'heure]. Qui d'autre en aurait été capable ? »

En 1962, leur arriva une proposition qui semblait irrésistible. Un producteur de télévision new-yorkais, avec un petit budget, envisageait de porter à l'écran une œuvre d'Eugene O'Neil, *Le Long Voyage dans la nuit*[3]. Cette tragédie autobiographique, dont l'action se situe en 1912, décrit vingt-quatre heures de l'existence de la famille Tyrone – deux fils, leur père, un ancien comédien à succès d'origine irlandaise, et leur mère, une ex-beauté morphino-mane. Kate estimait que la pièce d'O'Neil était un chef-d'œuvre et que Mary, la mère vieillissante, était « le personnage féminin le plus fascinant du théâtre américain ». Le père, James Senior, plein de rage et de rancœur, n'était pas moins formidable, tant, même, que la perspective effraya Tracy. « Il me semble qu'il l'aurait interprété brillamment », affirmait Kate. Elle crut d'abord qu'il ne

---

1. *The Devil at Four O'Clock*, de Le Roy, 1961.
2. *Judgment at Nuremberg*, 1961.
3. *Long Day's Journey Into Night*.

se sentait pas « physiquement à la hauteur ». Plus tard, elle laisserait entendre que la profondeur du sujet l'avait intimé. Tout en sachant que le tournage devait avoir lieu sur la côte est, il sentit que Hepburn ne devait pas laisser passer cette occasion. Il la laissa partir en lui souhaitant bonne chance.

Sidney Lumet, un jeune metteur en scène qui avait déjà adapté avec talent de grandes pièces dramatiques, adjoignit à Hepburn trois superbes acteurs. Jason Robards Junior et Dean Stockwell jouaient les fils en manque d'affection et Ralph Richardson le père castrateur. Les trois semaines de répétition mirent Kate dans un état euphorique. Ensuite, le tournage commença, dans un studio de Manhattan et une maison victorienne du Bronx, à City Island. Fait notable, on tourna le film dans l'ordre chronologique afin de respecter la subtile évolution émotionnelle de la pièce.

Hepburn et Tracy vouaient une admiration sans bornes à sir Ralph Richardson : « Il était complètement timbré – jusqu'à ce qu'il s'installe dans un rôle. C'était fascinant de voir comment il préservait le charme du personnage qu'il incarnait, même dans les instants les plus détestables. »

Kate estimait que sa prestation dans *Le Long Voyage dans la nuit* fut une des meilleures de sa carrière à l'écran. Pourtant, ce qui est rare, elle ne s'est jamais vantée ni d'avoir accepté le défi ni de l'avoir relevé. Un jour qu'un ami commun s'extasiait sur l'interprétation de Constance Cummings dans une version télévisée de la même pièce, Kate écouta d'abord poliment quelques minutes puis coupa court : « Bien, bien. Ça suffit. »

Une petite soirée, avec souper et musiciens, marqua la fin du tournage. Kate bavardait avec la femme de Richardson, l'actrice Meriel Forbes qu'on surnommait Mu, quand celui-ci l'invita à danser.

— Oh, Ralph (qu'elle prononçait à l'irlandaise, "Rafe"), dit-elle en s'excusant, cela fait des années que je n'ai pas dansé.

Mu l'encouragea et elle dut s'exécuter. Quand la musique cessa, après un ou deux tours de piste, Richardson la prit par les épaules et la regarda dans les yeux.

— Dites donc, fit-il d'un air étonné comme s'il la voyait pour la première fois, vous êtes vraiment une femme très séduisante !

— Complètement cinglé ! pouffait Kate en terminant l'anec
dote. Mais brillant. Sans doute le plus brillant de la bande...
désignant par là le prestigieux trio britannique : Laurence Olivier,
John Gielgud et Ralph Richardson[1].

Son interprétation de Mary Tyrone valut à Hepburn sa neuvième nomination, mais l'oscar revint à Anne Bancroft pour
*Miracle en Alabama*[2], dont Kate avait beaucoup apprécié la prestation à Broadway. Puis Katharine Hepburn disparut de la scène et de
l'écran pendant cinq ans, de 1962 à 1967, pour ce qui serait de loin
sa plus longue éclipse depuis les débuts de sa carrière, en 1928.

« Je ne parle jamais de cette période » m'avait-elle dit lors de
ma première visite à Turtle Bay. Ce qu'elle fit tout de même au
fil des années. Elle me révéla que ces années furent les plus
calmes de sa vie, empreintes d'une certaine tristesse, sans doute,
mais pleinement satisfaisantes. Son père, qui avait épousé son
infirmière quelques mois après la mort de sa femme, mourut en
1962 à l'âge de quatre-vingt-deux ans, le corps et l'esprit dimi-
nués par la maladie.

La santé de Spencer Tracy, pourtant plus jeune d'une génération, suivait la même voie. Il lui fallait désormais avoir une
bouteille d'oxygène à portée de main, et pas simplement à titre pré-
ventif. Ses reins l'abandonnaient lentement ; on l'hospitalisa pour
un œdème pulmonaire et une opération de la prostate. Il était perpétuellement fatigué. Lors d'un séjour à Trancas Beach, dans une
maison de location, il avait fallu appeler les secours d'urgence.
Hepburn avait accompagné Tracy jusqu'à l'hôpital, appelé Louise
Tracy et s'était éclipsée avant l'arrivée de la presse. Il choisit de
passer sa convalescence dans le bungalow de Cukor. Kate s'installa
chez lui pour l'aider à se remettre sur pied.

En 1963, Stanley Kramer embaucha Spencer Tracy pendant
quelques semaines pour donner la réplique à une douzaine de

---

1. Laurence Olivier deviendrait codirecteur de l'Old Vic Theater Company
de Londres avec Ralph Richardson. Tous deux contribueraient à la renaissance
de la célèbre compagnie de 1944 à 1950.
2. *The Miracle Worker*, d'Arthur Penn, 1962. Sur la vie d'Helen Keller,
sourde, muette et aveugle.

comiques dans *Un monde fou, fou, fou, fou*[1]. Mis à part cet inter-
mède, ils s'en tenaient tous deux à des loisirs tranquilles : la
lecture (« Spence avait toujours aimé les romans à deux sous, les
polars, mais il se mit à quelques grands romans sérieux. Il se
plongea même dans la poésie. Yeats ») ; la musique (« Il aimait le
jazz mais écoutait de la musique classique. Les symphonies de
Beethoven, Schumann »). Tous deux s'adonnaient à la peinture.

« Nous étions parfaitement heureux, au calme et ensemble. En
vérité, m'avoua Kate au bout de cinq ans, il n'y a pas beaucoup à
dire sur ces années-là. Simplement nous nous aimions. Rien de
plus. »

Kate et moi arrachions les mauvaises herbes du jardin de
Fenwick, un après-midi de la fin du mois de juillet 1984, quand
Phyllis surgit en courant de la maison. Elle venait de recevoir un
coup de téléphone de « Mister Jackson ». Il devait rappeler dans
les cinq minutes.

— Il me faut prendre cet appel, dit Kate. Vous, continuez à
désherber.

Elle revint quelques minutes plus tard pour laisser tomber :

— Devinez qui vient dîner ?

Je ne voyais pas le rapport jusqu'à ce qu'elle annonce :

— Michael.

Kate avait rencontré Michael Jackson au cours de l'été 1979,
alors qu'elle tournait *La Maison du lac*[2], près de Squam Lake, dans
le New Hampshire. Jane Fonda – qui, selon Kate, « voulait faire le
film avec son père afin de résoudre une bonne fois pour toutes ses
problèmes avec lui » – avait invité la pop star sur les lieux du tournage. Mais à son arrivée, tout le monde était déjà parti. Désolée qu'il
ait fait tout ce chemin pour se retrouver abandonné dans les bois,
Kate le prit sous son aile : « Il me fascinait. C'est un être absolument
extraordinaire. Il a travaillé toute sa vie, un professionnel du spectacle depuis l'âge de trois ans, et n'a pas vécu un seul instant, je dis

---

1. *It's a Mad, Mad, Mad, Mad World*, 1963.
2. *On Golden Pond*, de Mark Rydell, tiré de la comédie d'Ernest
Thompson (également le scénariste). Avec également Henry et Jane Fonda, 1981.

bien un seul instant, dans le monde réel. Il ne sait qu'écrire des chansons et faire vibrer le public. C'est une étrange créature, vivant dans une bulle, à peine concerné par le monde extérieur. »

Quand, un matin, elle avait découvert qu'il n'avait pas fait son lit, Kate s'était montrée très sèche. À sa stupéfaction, elle découvrit qu'il ne savait pas comment faire : « Il n'avait jamais fait son lit de toute sa vie. Vous vous rendez compte ? C'est E. T. ! »

Au cours des années suivantes, Kate et Michael entretinrent leur amitié. Elle l'invitait à dîner quand il était à New York ; il lui rendait la politesse en lui envoyant des billets pour ses concerts. Elle se montra une fois au Madison Square Garden (Phyllis dans son sillage), et l'on prit moult clichés des deux stars ensemble. Pour parler franc, chacun y trouvait son compte, côté publicité. Kate était plutôt hermétique à ce type de musique, mais elle considérait qu'il avait un formidable sens du spectacle : « Un danseur sensationnel, reconnaissait-elle, avec un chouette petit derrière. »

Hélas, Katharine Hepburn et Michael Jackson n'avaient pas grand-chose à se dire. Aussi n'eus-je même pas à suggérer qu'elle m'invite : « Je ne m'en sortirai pas toute seule », commenta-t-elle. Michael Jackson était au sommet de sa gloire. Les billets pour son *Victory Tour* (tournée de la victoire) au Madison Square Garden s'arrachaient à sept cents dollars l'unité. On était en pleine « Michaelmania » et Kate n'eut aucun mal à recruter des convives pour son dîner. Elle avait appelé Irene Selznick, sous le prétexte d'obtenir le nom d'un médecin, en fait pour laisser tomber au passage le nom de l'hôte illustre, sans pour autant inviter son amie. Irene me demanda avec un peu d'envie qui serait de la partie et me pria de bien me rappeler tous les détails. Kate invita sa nièce Katharine Houghton, qui était aussi une amie de Michael, ainsi que Cynthia McFadden. Nous avions tous la consigne de garder l'événement secret.

Le jour fatidique approchant, il vint à l'esprit de Kate que Michael désirait peut-être lui parler en tête à tête. Du coup, Cynthia et moi nous retrouvâmes simplement invités à prendre un verre… Si elle nous faisait signe au moment où le dîner serait servi, il nous faudrait alors – pour reprendre ses propres termes – « nous tirer ». D'accord. Nous étions tous en place, ce soir-là, un peu avant six heures, dans le salon du 244 de la Quarante-Neuvième Rue Est : Kate dans son fauteuil, les autres autour de la pièce, sur des chaises. Quant à moi, j'entretenais le feu (eh oui, même par les chaudes soirées d'été, il fallait faire un feu pour compenser la climatisation, dont Kate abusait). Norah, sur les dents depuis des jours, était en transe. Comme il se pouvait que nous soyons six à table, il avait été décidé que nous dînerions dans la salle à manger – un événement. Norah était visiblement nerveuse en apportant les verres et le whisky.

— Calmez-vous, lui fit Kate. Ce n'est pas notre premier invité.

— Mais Miss Hepburn, protesta-t-elle. C'est Michael Jackson, la plus grande staaa… Je veux dire la deuxième plus grande star mondiale !

La sonnette retentit quelques instants plus tard et Norah se rua vers la porte. « Ne vous pissez pas dessus ! » lui cria Kate, sans être entendue. Puis notre visiteur fit son apparition en haut de l'escalier.

Il portait des lunettes de soleil et un uniforme de satin bleu bordé de galons d'or. Sur scène, ce devait être éblouissant. De près, cela faisait clinquant, juste un peu minable, le genre de chose que le professeur Harold Hill aurait pu vendre aux mômes de l'Iowa, avec un trombone à coulisse en fer-blanc. Kate lui tendit la main en s'excusant de ne pouvoir se lever à cause de son pied malade et il s'inclina pour l'embrasser sur la joue. Ils semblaient très contents de se voir. Kate nous présenta et Michael trouva une place sur le canapé, à la droite de Kate.

J'avais du mal à détourner mes regards de lui, non parce qu'il était mondialement célèbre mais parce qu'il était si étrange. Sa silhouette semblait plus diaphane encore que sur les photos ; sa peau était tendue, d'un très beau brun ; son nez, avec son arête minuscule, était une curiosité en soi. À vingt-cinq ans, il se comportait comme un enfant de dix ans extrêmement poli. Il parlait d'une voix douce, pleine de gentillesse et d'étonnement.

— Y a-t-il trop de lumière, ici ? demanda Kate à son invité.

— Non, répondit-il.

— Eh bien, alors, Michael, enlevez donc vos lunettes de soleil, que je puisse voir vos yeux. Sinon je n'ai aucune idée de ce que vous regardez.

Il obéit avec réticence.

— Vous gardez trop vos lunettes de soleil, continua-t-elle. Ce n'est pas bon pour les yeux. De toute façon, avec votre tenue, vous n'avez aucune chance de passer incognito. Laissez donc voir vos yeux. Les yeux, c'est la vitrine de l'âme.

Un ange passa, puis je lui demandai si je pouvais lui préparer quelque chose à boire. Kate s'interposa pour dire qu'il ne buvait pas d'alcool et lui proposa :

— Jus de fruits ? Soda ? Eau plate ou gazeuse ? Thé, tisane ?

Il ne voulait rien.

— Vraiment ? demanda Kate en débitant la liste à nouveau.

— Rien, merci, dit-il de sa voix douce pour retomber dans le silence.

Ayant déjà avalé son jus de pamplemousse, Kate me tendit son verre pour que je le remplisse de scotch et de soda, tout en me jetant un regard annonçant une soirée difficile.

Chacun s'efforça à tour de rôle de faire les frais de la conversation pendant quelques minutes, mais nos questions de pure forme n'obtinrent que quelques réponses monosyllabiques. Ne voulant pas passer pour inquisiteurs, Cynthia, Kathy et moi-même nous nous mîmes à bavarder de notre côté, tout en percevant que la tâche de Kate était rude. Nous revînmes à la conversation en entendant Michael prononcer le nom de Charlie Chaplin. Kate le connaissait un peu ; elle avait même joué au tennis avec lui, disait-elle, mais c'est à Phyllis que Michael devait en parler, car Constance Collier avait été une grande amie de Chaplin, et Phyllis l'avait bien connu.

— Oui, c'est vrai, dit Phyllis, il était très amusant.

Et ce fut tout. La conversation retomba complètement.

— Merci beaucoup, Miss Phyllis, pour ces fascinants et lumineux commentaires, fit Kate, sarcastique.

Je demandai à Michael s'il aimait le cinéma. Il s'anima. Oh oui, m'assura-t-il. Il passait la plupart de ses après-midi et soirées à regarder les vidéos de vieux films. Katharine Hepburn, dit-il, était sa vedette préférée.

— La mienne aussi, dis-je. Et lequel de ses films préférez-vous ?

Il m'adressa le plus doux de ses sourires, ses yeux lourdement maquillés fixés droit dans les miens, pour déclarer :

— Je ne sais pas trop.

Je lui affirmai que mon préféré était *Indiscrétions*. Il n'en
avait jamais entendu parler.

— *Vacances* ou *L'Impossible Monsieur Bébé ?* – des comédies bien connues des amateurs de vidéo, m'étais-je dit. Ces titres
ne lui disaient pas davantage. Essayant l'autre genre de la liste je
demandai s'il avait vu *Le Long Voyage dans la nuit* ou *Le Lion en
hiver*. Non, il ne connaissait pas. *African Queen ?*

— C'est celui qui se passe en Afrique ? Jamais vu.

— *La Maison du lac ?*

Cette fois, je me sentais en terrain ferme. Après tout, c'est là
qu'ils avaient fait connaissance. Jamais vu non plus. Ah ! Je crus
enfin comprendre : il aimait cette vieille dame, une Blanche de
gauche, à cause de *Devine qui vient dîner ?*[1]. Que dalle, jamais vu
celui-là non plus.

— Enfin, Michael, vous devez bien avoir vu un film de
Katharine Hepburn !

— Oui, celui avec Spencer Tracy.

— *Madame porte la culotte ?*

Non. Je pensais aux sports :

— *Mademoiselle Gagne-tout ?* – Non. – *La Femme de
l'année ? Une femme de tête ?*

— Non, celui où Spencer Tracy joue un marin pêcheur qui
sauve un petit garçon...

— *Capitaines courageux*[2] ? demanda Kate incrédule.

— Oui, dit Michael. Il était très sévère, mais gentil pour le
petit garçon.

---

1. *Guess Who's Coming to Dinner*, film antiraciste de Stanley Kramer,
1967. La jeune Katharine Houghton, fille d'un journaliste libéral, veut
épouser un Noir et l'invite à la maison... (Spencer Tracy incarnait le père,
Katharine Hepburn la mère, Sidney Poitier son amoureux).

2. *Capitaines courageux* de Victor Fleming, avec Spencer Tracy.
Katharine Hepburn ne figurait pas au générique.

Kate, avec une expression de fureur que je ne lui avais pas vue depuis le dernier acte du *Long Voyage dans la nuit*, tendit son verre vide.

Cynthia vint à la rescousse en lui demandant des nouvelles de sa fameuse ménagerie – quels animaux possédait-il ? Il se sentit enfin sur son terrain. Il se mit à parler avec enthousiasme de son ranch, où vivaient son lama, son singe et Muscles, son boa constrictor.

— Voyons, Michael, dit Kate, j'ai toujours aimé les animaux, mais franchement, que faites-vous avec un boa constrictor ?

Tout excité, il se mit à décrire la demeure de Muscles, un vaste vivarium caché par un rideau, et comment, tous les trois ou quatre jours, lui et des invités triés sur le volet s'asseyaient en face de la grande vitre, ouvraient le rideau et observaient un rongeur introduit chez le serpent. C'était l'amusement de la soirée : regarder le boa capturer, happer et digérer le petit animal. Nous étions sans voix. Kate tendit à nouveau son verre :

— Quelque chose d'un peu plus corsé, demanda-t-elle.

Il y eut une sorte de brouhaha au bas des escaliers dont nous comprîmes la cause quand Norah revint avec un plateau de hors-d'œuvre – auxquels Michael ne toucha pas – et une note pour Miss Hepburn, qu'elle lut illico.

— Incroyable ! commenta Kate. Quel culot !

Le message venait de chez Stephen Sondheim[1], occupant de la maison voisine (anciennement celle de Max Perkins).

— Je croyais que vous et Mr. Sondheim ne vous parliez pas, dis-je, sachant que leurs seuls contacts avaient lieu à l'occasion des soirées où il jouait du piano trop fort et trop tard – « pour amuser ses visiteurs », disait-elle. Kate sortait alors en chemise de nuit cogner à sa fenêtre.

— Nous ne nous parlons pas, c'est un mot de son invité, Mr. Stoppard.

Le dramaturge Tom Stoppard avait griffonné ainsi sa demande : on lui avait dit que Michael Jackson dînait là, et il

---

1. Compositeur américain célèbre pour ses comédies musicales.

ne se pardonnerait jamais de ne pas tout faire pour obtenir un autographe à offrir à ses jeunes fils restés en Angleterre.

— Pas question, aboya Kate.

Nous avions tous juré de garder le secret. Comment Sondheim pouvait-il avoir eu vent du dîner ? lui demandai-je.

— Norah, fit-elle sans avoir à réfléchir. Elle et Louis [l'homme d'entretien de chez Sondheim] savent tout sur tout le monde dans le quartier.

Puis elle s'avisa qu'elle avait été trop péremptoire.

— Évidemment, ce n'est pas vraiment à moi de décider. Michael, avez-vous envie de signer des autographes ?

Kate expliqua que Stoppard était un auteur dramatique de talent.

— J'aime faire des choses pour les enfants, dit-il. Je veux bien signer pour eux.

Kate m'envoya avec Kathy en députation chez Sondheim pour notifier à Stoppard qu'on lui réservait une brève audience auprès de Michael Jackson. Nous fûmes reçus gracieusement par Sondheim lui-même, amusé par la tournure des événements, surtout quand il vit partir son hôte avec nous. Stoppard remercia avec effusion l'hôtesse et son illustre invité, qui signa quelques morceaux de papier. Ce n'est qu'après le départ de Stoppard que je remarquai que Michael avait remis ses lunettes de soleil. Finalement, malgré le dérangement, tout ce tohu-bohu mit Kate en joie.

On servit le dîner. Nous descendîmes dans la salle à manger nous asseoir autour de la table ronde qui servait habituellement de bureau. On l'avait débarrassée pour l'occasion de la paperasse et de la machine à écrire IBM Selectric. Michael ne mangeant pas de viande, Norah avait préparé un repas végétarien. Le premier plat était une soupe froide de betterave. Une assiette de pain portugais fut passée à la ronde ainsi qu'un petit pot de beurre battu. Quand celui-ci parvint à Michael, il y plongea sa cuillère et en laissa tomber un bon morceau dans le potage auquel il s'attaqua. Kate intervint en s'excusant, c'était de sa faute s'il avait confondu le beurre avec la crème aigre. Elle appela Norah pour lui faire donner un autre bol de potage. Non. Celui-ci lui convenait. Mais non, ça devait être affreux, avec tout ce beurre ! Michael tint ferme, engloutissant tout le contenu du bol, y compris la boule de beurre. Le reste du dîner – composé de légumes magnifiquement préparés, de pommes de terre et d'un plat de macaronis au fromage – se passa sans autre incident, mais la conversation fut bien morne. Kate n'en était pas à une surprise près : Michael, qui, de toute son existence, n'avait jamais mangé que des légumes, ne savait pas que le « brocoli blanc » qui se trouvait dans son assiette était du chou-fleur.

Avant qu'on ne desserve la table, Kate proposa de remonter à l'étage. Il était huit heures passées. Comme nous gravissions à la queue leu leu l'étroit escalier, Kate et Michael à l'arrière-garde, j'entendis celui-ci lui demander s'il pouvait lui parler en privé. Cynthia, Kathy et moi nous nous installâmes dans le salon donnant sur le jardin, tandis que Kate et Michael se lançaient dans un tête-à-tête fort sérieux près de la fenêtre du grand salon donnant sur la Quarante-Neuvième Rue.

Nous entendîmes à plusieurs reprises les fermes dénégations chuchotées par Kate :

— Certainement pas. Je regrette beaucoup, Michael, mais c'est impossible.

Ils nous rejoignirent quelques minutes plus tard mais Michael ne se rassit pas. Il fit ses adieux, nous l'accompagnâmes tous jusqu'à l'entrée où l'attendait son chauffeur et garde du corps. Celui-ci introduisit Michael dans le véhicule qui l'attendait, un camion de dépannage télé aux parois aveugles. Ils disparurent dans la nuit.

Kate referma la porte, regarda l'assemblée et hurla :

— Whisky, Norah, apportez le whisky !

Nous nous installâmes à l'étage, devant nos verres et Cynthia demanda ce qui s'était passé. Michael voulait une photo de tous les deux. Kate avait proposé de lui envoyer une photo d'elle. Non, il en voulait une de tous les deux... et il avait un photographe sous la main, qui avait attendu toute la soirée dans le camion de dépannage télé. « Certainement pas », avait dit Kate. C'était un dîner privé entre des amis, pas une visite pour se faire de la publicité à peu de frais. Elle crut que Michael avait compris, quand il demanda :

— Connaissez-vous Greta Garbo ?

Oui, mais elles ne s'étaient pas vues depuis des années.

— Oh, avait-il alors demandé, pensez-vous que vous pourriez me présenter ?

— Je regrette beaucoup, Michael…

Il était neuf heures du soir. Kate avala son verre.

— Je suis épuisée. Je ne me souviens pas avoir vécu une soirée aussi bizarre. Je vais me coucher.

Et elle joignit le geste à la parole. J'avouai à mon tour :

— J'ai faim. Je pars à la recherche d'un endroit où on mange de la viande.

Nous nous souhaitâmes bonne nuit. J'étais alors hébergé chez un ami, dans le nord-ouest de New York. Je m'arrêtai à la première cabine téléphonique pour appeler un autre de mes amis, un écrivain qui avait l'habitude de dîner fort tard. Je l'invitai à nous retrouver quelque part autour d'un hamburger. Il proposa un restaurant que nous pouvions gagner tous deux à pied. Un spectacle des plus étranges m'attendait…

Le long des quelques rues que je parcourai pour me rendre à mon rendez-vous, je vis quatre limousines différentes longer les avenues du quartier, chacune avec les vitres arrière baissées de manière à laisser entrevoir un jeune Afro-Américain au teint clair avec lunettes de soleil, une main gantée et pailletée sur le rebord de la portière.

Ayant juré de ne pas révéler les détails du dîner tant que Hepburn vivrait, je ne fus guère bavard pendant ces nouvelles agapes. Aucune importance. Mon ami parla pour deux. Il était intarissable : sa petite amie, une journaliste, avait couvert le concert de Michael Jackson la veille au soir au Giants Stadium dans le New Jersey.. elle l'avait même aperçu dans les coulisses.

J'appelai Kate le lendemain après-midi. Elle me fit à brûle-pourpoint la proposition suivante :

— Montrez-moi ce que vous avez écrit, je vous montrerai ce que j'ai moi-même gribouillé.

C'était quasiment identique, sauf qu'elle avait omis l'incident du beurre dans la soupe. Depuis des années Kate jetait sur le papier des fragments de sa vie. Habituellement, c'était le matin, au lit, en prenant son café, des griffonnages sur un bloc de papier jaune qu'une secrétaire tapait à la machine et que l'on classait. En 1987, elle publia un livre somptueusement illustré, *Le Tournage d'*African Queen *ou mon voyage en Afrique avec Bogart, Bacall et Huston, et comment j'ai failli devenir folle*[1]. Cela fit un best-seller, couvert de louanges par la critique, ce qui l'encouragea à continuer d'écrire, une façon agréable de tuer une heure ou deux de son temps chaque jour.

Même si Kate n'aimait pas beaucoup se laisser aller à la nostalgie en présence de ses amis, il ne lui déplaisait pas que je la bombarde de questions sur le passé, comme si je l'interviewais. Une semaine ou deux après qu'elle eut évoqué un film ou une personne, je découvrais qu'elle avait écrit quelques lignes sur le sujet – quelques phrases saccadées, écrites comme elle parlait, ponctuées par des tirets plutôt que par des points ou des virgules. Les éditeurs, en particulier Knopf, à qui son premier livre avait si bien réussi, cherchaient à obtenir un manuscrit. Mais elle était réticente. Elle ne s'imaginait pas en écrivain. Sans compter qu'écrire ses Mémoires aurait été une façon de jeter l'éponge sur sa carrière d'actrice, qui était loin d'être terminée.

Une agente littéraire sans beaucoup d'expérience s'était introduite dans la vie de Hepburn et laissait divers éditeurs faire leur cour Quarante-Neuvième Rue Est. Je demandai à Hepburn pourquoi elle avait choisi quelqu'un d'aussi inexpérimenté. Elle rétorqua simplement :

« J'ai toujours été attirée par les andouilles. Et si je n'aide pas celle-ci, je ne sais pas comment elle paiera son loyer. »

Je fis de mon mieux pour vanter les mérites de Putman's, mon nouvel éditeur ; Phyllis Grann fut aux anges d'avoir pu décrocher une entrevue privée avec Hepburn. En fin de compte, Bob Gottlieb, qui habitait à Turtle Bay, de l'autre côté du jardin, s'arrangea pour lui faire signer un contrat de plusieurs millions de dollars avec Knopf, qui lui-même avait déjà quitté le *New Yorker*.

---

1. *The Making of* The African Queen *or How I Went to Africa with Bogart, Bacall and Huston and Almost Lost My Mind.*

À l'automne 1990, je me préparais à prendre mes quartiers à New Haven, dans le Connecticut, pour travailler sur les archives de Lindbergh. L'université Yale est toute proche d'Old Saybrook, à moins de quarante-cinq minutes par la côte ; Kate et moi en étions ravis. Elle me suggéra de m'installer à Fenwick d'où je pourrais me rendre chaque jour à mon travail. Mais je préférais utiliser le temps de trajet quotidien d'une manière plus constructive, sur le campus. Mieux valait réserver Fenwick pour les week-ends, quand le département Manuscrits et Archives de la bibliothèque était fermé.

Puis Kate eut une autre riche idée. Le week-end avant que je commence à me mettre au travail, son chauffeur nous emmena à New Haven pour une visite impromptue à une de ses cousines, Edie Hooker, qui habitait une majestueuse maison dans la rue la plus sélecte de la ville. En chemin, Kate expliqua :

— Edie vit seule dans cette grande et belle maison et elle dispose d'un appartement d'hôte. Pour vous, ce serait parfait. – En effet, mais « ne devrions-nous pas prévenir Edie de notre visite ? ». Je ne devais pas m'inquiéter et me contenter de la laisser faire les frais de la conversation.

— Tenez-vous juste tranquille et essayez de ne pas avoir l'air d'un *serial killer*.

Nous garâmes la voiture à côté de la maison et Kate se mit à hurler :

— Hé ! Hé ! Edie, montre-toi !

Une vieille dame encore belle accourut, à la fois surprise et enchantée de voir sa célèbre cousine.

— Écoute, Edie, c'est Scott Berg. Il va commencer à écrire un livre très important et il doit habiter New Haven quelque temps. Comme tu es seule ici, j'ai pensé…

Edie l'interrompit pour dire qu'elle avait bien un appartement d'hôte mais qu'elle l'avait loué récemment à un jeune couple très sympathique.

— Bon, je suppose que nous ne pouvons pas nous en débarrasser, dit Kate mi-amusée mi-sérieuse.

Puis Kate proposa de visiter la maison.

— Écoute, Edie, c'est bien trop grand pour toi toute seule…

La pauvre Edie expliquait qu'elle était très contente de vivre seule et qu'en cas d'urgence ses locataires étaient là. De guerre lasse, elle en fut réduite à me proposer une chambre. Je la remerciais de sa gentillesse mais j'allais chercher un lieu plus proche de la bibliothèque et accepterais son « offre » avec gratitude si je ne trouvais rien. Heureusement, je trouvai le lendemain exactement ce que je cherchais, un petit appartement dans une immense maison, dans la même rue qu'Edie Hooker, à quelques minutes de marche du campus.

Pendant les deux années qui suivirent, tous les vendredis ou presque, je quittais la bibliothèque un peu plus tôt que d'habitude pour attraper le train local, The Shore Line East (la ligne de la côte est), qui me conduisait à la gare d'Old Saybrook, où Kate et son chauffeur m'attendaient. Il lui arrivait même de se trouver sur le quai. Nous faisions un arrêt ou deux en ville – « Et si on s'offrait un cornet de glace chez James ? » – avant de prendre le chemin de Fenwick. Nous allions parfois nous baigner pour le plaisir de nous réfugier auprès du feu, juste avant l'apéritif et le dîner, qui était à six heures. Personnellement je me refusais à mettre les pieds dans l'eau de la fin septembre au début mai, mais Kate, elle, continuait ses trempettes matinales au cœur de l'hiver, même lorsque le sable était couvert de neige.

À Fenwick, cette année-là, pour la première fois, je vis le temps faire son œuvre. Phyllis, qui approchait les quatre-vingt-dix ans, avait considérablement décliné, physiquement et mentalement. Aussi avais-je pris l'habitude de mettre la table devant l'âtre du salon peu après le coucher du soleil et de les servir, elle et Kate. À huit heures et demie du soir, il était désormais très, très tard.

« Voulez-vous lire quelque chose ? » me demandait Kate en montant se coucher, chaque week-end de ma première année. Puis elle sortait la liasse de ses derniers écrits qu'elle m'invitait à annoter au crayon – « soyez dur, mais pas trop ». J'y travaillais jusqu'à onze heures puis laissais les pages annotées au pied de sa porte. Je ne récrivais rien. La plupart du temps, je me contentais de poser des questions, la pressant de donner plus de détails. « Davantage de jus, patronne », était le commentaire habituellement griffonné en marge. Quand nous nous retrouvions dans sa chambre pour le petit déjeuner, elle avait déjà repris l'essentiel et nous relisions ensemble les commentaires qu'elle n'avait pas compris. Une année suffit pour collationner assez de matériel pour un livre, *Me* (*Moi*), que Knopf s'apprêtait à publier à l'automne 1991.

Pendant ces deux années, presque tous les samedis, nous nous rendions en voiture chez Peg Perry, la sœur de Kate, qui habitait plus au nord du Connecticut. Nous partions en voiture tôt le matin, passions parfois voir son frère Bob dans les faubourgs de Hartford, mais calculions toujours de façon à arriver à la ferme de Peg pour le déjeuner. Phyllis s'installait sur le siège avant et s'endormait invariablement en quelques minutes.

« Elle est étonnante, disait Kate, incapable de comprendre comment on pouvait dormir pendant la journée. Tout se détraque, dans sa tête. »

La cadette de la famille Hepburn, Peg, était à la fois la plus dure et la plus tendre – et peut-être aussi la plus jolie. Elle n'était pas éblouissante mais elle avait une force de caractère que reflétait son visage, et l'allure d'une femme qui a travaillé à la campagne une bonne partie de sa vie. Ce qui était le cas. Diplômée de l'université de Bennington, mariée, elle avait eu trois fils et une fille. Un de ses fils avait disparu pendant la guerre du Vietnam. De tous les Hepburn, c'est elle qui avait les opinions les plus arrêtées, ce qui n'est pas peu dire. Mais dès que vous essayiez de la classer dans une catégorie ou une autre, elle vous surprenait en remettant en question ses propres principes. Elle fustigeait ce monde devenu trop permissif, depuis les parents qui gâtaient leurs enfants jusqu'aux enseignants qui avaient perdu toute autorité ; elle était favorable au droit de porter une arme, ne supportait pas la sensiblerie des libéraux ni l'étroitesse d'esprit des conservateurs invétérés. Et croyait profondément à la justice pour tous.

Au déjeuner, autour de la table rectangulaire, nous retrouvions habituellement quelques autres visiteurs, amis, fils ou petits-enfants de Peg. Le repas, sans surprise, était composé de macaronis au fromage sortis du four, de viande froide, de pain frais, de salade et de lait froid. Kate, toujours la première servie, avait fini son assiette avant que le dernier ne l'ait entamée. Puis nous passions au dessert et au café. C'était le moment pour Peg de se lancer dans une de ses diatribes habituelles, par exemple contre les responsables de la bibliothèque choqués de la voir dégager elle-même la neige du trottoir quand le préposé n'avait pas fait son boulot ou contre le conseil municipal qui avait refusé une subvention à une entreprise, partie dans une autre ville avec des dizaines d'emplois. Elle faisait pourtant plus de bruit que de mal et, comme Kate, ne manquait pas d'humour.

— Mais n'essayez pas de la contredire, me dit Kate à la suite d'une discussion houleuse, on ne sait jamais, elle pourrait vous tirer dessus.

Sur la route du retour à Fenwick, nous faisions généralement une étape, pour visiter quelques boutiques ou un musée. Nous nous sommes ainsi rendus, avec Phyllis, au musée de la peinture américaine de Nouvelle-Angleterre, petit mais charmant avec ses quelques tableaux de Marsden Hartleys, un peintre que Kate appréciait beaucoup. À l'entrée, nous signâmes tous les trois le livre d'or. À la sortie, je remarquai que la page portant nos paraphes avait déjà été arrachée, sans doute par quelque collectionneur d'autographes. Je leur fis part de l'incident dans la voiture ; la repartie de Kate fusa aussitôt :

— Je ne vous savais pas aussi célèbre !

— Oh, mais non, bafouilla Phyllis, c'est vous qui êtes célèbre. C'est votre signature qu'ils voulaient.

— Mais oui, chérie. Merci.

De temps en temps, nous allions à Fairfield rendre visite à Audrey Wood, légendaire agent littéraire qui avait lancé les carrières d'une foule de grands auteurs dramatiques, de Tennessee Williams à Lanford Wilson. Elle vivait en maison de santé, dans le coma. Kate n'avait pas eu avec elle de relations particulièrement amicales, mais elle l'avait toujours respectée.

— Quelle ironie du sort ! C'est trop injuste. Cette femme était pour l'euthanasie. Je l'ai souvent entendue s'expliquer là-dessus. Elle ne voulait surtout pas qu'on la prolonge. Mais elle n'avait pas pris ses dispositions. Elle a eu une attaque et s'est retrouvée dans le coma.

Pendant des années, Kate se fit un point d'honneur d'arriver à l'improviste à la maison de santé, simplement pour voir si l'on

223

prenait bien soin d'Audrey. Elle inspectait la propreté du plancher et des toilettes, vérifiait si on lui avait lavé et peigné les cheveux, coupé les ongles, puis repartait discrètement comme elle était venue.

Je ne me rappelle pas avoir vu Kate passer un jour sans lire. Elle était toujours plongée dans un ouvrage sérieux, récit historique ou biographie d'un de ses héros préférés. Et il y avait une pile de romans récents sur la table de chevet de chacune de ses résidences. Elle avait été très intéressée par *Final Exit (La Sortie finale)* de Derek Humphry, qui raconte comment mettre fin à ses jours, au point d'en garder deux exemplaires, l'un à Fenwick, l'autre à New York.

— Vous êtes trop jeune pour ça, m'avait-elle dit en m'offrant un exemplaire, mais tout le monde devrait le lire.

Elle aimait parler des livres qu'elle avait lus et me prêtait ses préférés. Je pouvais mesurer l'intérêt qu'elle y avait pris au nombre de pages tachées de chocolat.

Les dimanches, nous déjeunions généralement tôt. Ses chauffeurs successifs, que je vis défiler pendant les années où je l'ai connue, étaient tous remarquablement gentils et quelque peu excentriques (trois moururent jeunes). Ils faisaient également office de cuisiniers à Fenwick. En fait, nous donnions tous un coup de main dans la maison. Si un visiteur demandait : « Que puis-je faire ? », Kate, irritée, se contentait de répondre : « Rien. » Si vous ne faisiez pas preuve d'initiative, si vous étiez trop empoté pour mettre la main à la pâte, elle préférait vous voir débarrasser le plancher.

À l'heure du déjeuner, le titre de trancheur de raisins pour la salade au poulet me revenait de droit. « Verticalement ! Verticalement ! ils n'ont pas le même goût dans l'autre sens », persistait-elle à recommander. Phyllis avait la charge des tartines, qui devaient être beurrées avant d'être grillées. Et Kate faisait frire des œufs pour tout le monde. Elle évidait le milieu d'une tranche de pain à l'aide d'un verre, la plaçait dans la poêle et cassait un œuf dans le trou. Dick allait et venait en caleçon long pour préparer un rôti et un énorme pot-au-feu confectionné de tout ce qu'il avait pu trouver dans la cuisine. Ni Kate ni lui n'empiétaient sur la partie de la cuisine réservée à l'autre, sauf le soir, quand elle vérifiait s'il avait bien éteint les brûleurs de la cuisinière. « Un jour il va faire sauter la maison », disait-elle quand elle trouvait une flamme, c'est-à-dire une fois sur quatre. Le reste d'entre nous était encouragé à aller piocher dans son secteur. Il se trouvait toujours un pilon de dinde ou une tranche de gâteau pour servir d'apéritif au repas préparé de l'autre côté de la cuisine, celui de Kate.

La rivalité implicite entre Dick et Kate remontait à leur enfance et n'avait fait que croître avec la renommée de l'actrice. Tout espoir de retrouver des rapports équilibrés avait été perdu quand, au début des années 1940, Dick avait écrit une pièce dont le thème était les amours d'un milliardaire et d'une actrice. C'était une sorte de farce, mais l'allusion à Howard Hughes et à Kate était limpide. Celle-ci le prit fort mal. Dick prétendait qu'il n'avait jamais rien écrit de meilleur et qu'il avait bien l'intention de la produire. Il recula finalement lorsque toute la famille lui tomba dessus. Il en garda une profonde rancune envers sa sœur, ce dont elle était suffisamment consciente pour assurer ses moyens d'existence. Mais cette charité qui blessait sa fierté n'avait fait qu'accroître le ressentiment de Dick.

Un week-end, Dick me donna à lire une de ses dernières pièces, une œuvre qui avait attiré l'attention de plusieurs producteurs. Ce récit plein d'esprit sur une famille excentrique de la Nouvelle-Angleterre me donna à penser qu'il aurait eu l'étoffe d'un auteur dramatique, s'il l'avait vraiment voulu.

— Le théâtre est une chose difficile, disait Kate, qui ne se sentait pas entièrement responsable des échecs professionnels de son frère. Mais cette pièce au sujet de Howard et moi était une façon trop facile d'exploiter la situation. Elle ne pouvait suffire à lui assurer une carrière d'auteur. Ç'aurait été un simple coup de pub. Si Dick l'avait vraiment voulu, il aurait écrit une autre pièce, aussi bonne, puis une autre encore.

Il ne l'a jamais fait.

Chez les Hepburn, on respectait hautement l'intimité d'autrui. Pourtant, un après-midi, en entrant dans ma chambre, je surpris Kate à fouiller mon sac. Elle était prise sur le fait. Tout ce qu'elle put faire, c'est sourire d'un air penaud, le temps d'une seconde.

— Avez-vous trouvé quelque chose d'intéressant ? demandai-je.

— Non, répondit-elle en remballant mes vêtements et mes papiers. Pas la moindre chose !

Sauf une boîte de chocolats dont elle préleva une bouchée aux amandes qu'elle avala en passant la porte.

À Fenwick, les règles à observer étaient nombreuses mais elles changeaient et étaient transgressées sans arrêt. Un jour que nous préparions une salade de fruits, je laissai tomber un quartier de la pomme que j'étais en train de peler. Je le ramassai et m'apprêtais à le jeter à la poubelle quand Kate hurla :

— Qu'est-ce que vous faites ? Il va très bien comme ça.

Et sans même le passer sous l'eau elle le remit dans le saladier.

— Mais oui, renchérit Phyllis, mon père disait toujours qu'un homme doit avaler sa dose de saleté avant de mourir.

Quelques semaines plus tard je laissai échapper une carotte et, sans y penser, la remis dans le saladier.

— Mon Dieu, siffla Kate, vous croyez avoir affaire à des animaux ?

Elle pêcha la carotte avec quelques feuilles de salade que mon geste aurait pu contaminer et les mit à la poubelle.

— Et la dose de saleté qu'un homme doit avaler avant de mourir ? demandai-je.

— Juste une de ces expressions anglaises parfaitement ridicules.

Pour les draps, on changeait chaque semaine de politique. Parfois, elle insistait pour que je les laisse jusqu'à ma prochaine visite. À d'autres moments, elle déclarait :

— Dans cette maison tous les draps sont changés très régulièrement.

Elle affirmait qu'elle ne pouvait pas supporter des draps d'une autre couleur que blanc mais, régulièrement, je me retrouvais avec des draps bleus. Une chose, cependant, restait constante : Kate aidait à faire les lits. Et je n'ai jamais vu quelqu'un tirer plus de plaisir d'un lit parfaitement au carré.

Le moment le plus terrible de la semaine était le dimanche après le déjeuner, quand arrivait l'heure de préparer la voiture pour le voyage de retour. Il fallait charger les passagers, leurs bagages, la nourriture périssable et les fleurs coupées encore fraîches dans la berline blanche. Le mauvais état de son pied n'empêchait pas Kate de se ruer de pièce en pièce pour ramasser une chemise et une paire de chaussures dans une chambre, un énorme bouquet de lis et de reines-des-prés dans le salon, des bocaux de pêches au sirop confectionnées par Peg, les restes d'une soupe de courgettes, des morceaux de fromage, des boîtes de biscuits, des miches de pain et des glacières remplies de viandes, de fruits et de légumes de la cuisine. Ce faisant, il fallait préparer le repas du voyage, œufs à la diable (trop poivrés) et petits sandwiches au jambon ou au poulet dont on avait enlevé la peau.

Lorsque tout était rassemblé dans le hall d'entrée, Kate passait la revue avec l'autorité d'un général et la précision d'un chirurgien :

— Glacières. Grande valise. Petit vase. Petite valise…

Après une bonne demi-heure de déballage et remballage, on fermait enfin le coffre de la voiture. Puis venaient les ultimes instructions, les mêmes toutes les semaines. D'abord un cri : « Mes sacs de cuir ! » Et d'attraper deux sacoches qui semblaient avoir traversé le Far West au temps de Buffalo Bill. Elles renfermaient ses derniers écrits, son agenda, son portefeuille et ses plus récents courriers. Ensuite, juste au moment de démarrer :

— Où est Phyllis ?

Miss Wilbourn, qui ne savait plus trop où elle était, aussi bien physiquement que mentalement, était alors calée sur le siège avant, un énorme vase de fleurs dans les mains, qu'elle garderait jusqu'à New York. Kate et moi nous nous entassions à l'arrière, les sacoches en cuir et la nourriture entre nous. Parfois il y avait un passager supplémentaire ce qui, évidemment, allongeait la procédure. Tous ceux qui restaient sur place – Dick, son amie Virginia, les autres Hepburn, frères, sœurs ou neveux – sortaient sur le perron pour le traditionnel salut 1 – 2 – 1-2-3, même si l'enthousiasme baissait au fil des années.

227

Nous nous arrêtions généralement à un étal de légumes avant de prendre l'autoroute pour New Haven, où l'on me déposait à ma porte, dans la rue St. Ronan. Épuisé mais pourtant ragaillardi par le week-end, j'allais au lit de bonne heure, gavé pour plusieurs jours.

Kate et moi nous passions un ou deux coups de fil dans la semaine pour confirmer les plans du week-end suivant. Toutes les trois ou quatre semaines, elle répétait :

— Nous nous encroûtons. Nous sommes comme un vieux couple. Vous feriez mieux de passer votre week-end en ville.

Il n'y a rien de mieux, ajoutait-elle, que de disposer de l'appartement new-yorkais de quelqu'un qui en est absent !

À la fin des années 1980, Kate et Cynthia McFadden étaient devenues inséparables. Cette dernière, promue reporter vedette de *Court TV*, se vit offrir une place dans l'équipe dirigeante de *ABC News*. Elle prit alors ses quartiers dans la Quarante-Neuvième Rue. Kate et elle voyagèrent ensemble, à Los Angeles ou au Canada, à l'occasion de tournages pour la télévision dans lesquels jouait Kate, ou à Boca Grande, en Floride, pour les vacances. Kate éprouva donc des sentiments nuancés quand Cynthia accepta d'épouser un homme très amoureux d'elle, l'élégant directeur du *Hartford Courant*, Michael Davies. Cynthia lui avait raconté qu'elle avait rêvé une nuit qu'elle se mariait à Fenwick. Kate fit en sorte que le rêve devienne réalité. Il ne pouvait, je crois, y avoir meilleure preuve d'affection de la part de Kate que d'ouvrir son sanctuaire à son amie et à sa famille. Tous les « intermittents de la Quarante-Neuvième Rue » furent conviés à se joindre aux parents de Kate et Kathy Houghton : Phyllis et Norah, évidemment, mais aussi Tony Harvey, un vieil ami de Philadelphie dénommé David Eichler et moi-même. La veille des noces, une joyeuse soirée eut lieu à la nouvelle maison du jeune couple, à Lyne, dans le Connecticut, de l'autre côté de la rivière. Le 9 septembre 1989 à midi, nous étions tous rassemblés dans la petite église de Fenwick. Un vieil ami de Kate, qui avait été aussi son photographe, prit les clichés. Après une courte cérémonie sans prétention, tout le monde se rendit à pied à la maison Hepburn, sauf Kate, en veste couleur crème sur col roulé, pantalon et tennis blancs. La garden-party était organisée sous la marquise, à l'arrière de la maison. Malgré son pied, l'hôtesse prit le temps de bavarder et de circuler parmi ses hôtes avant de prendre une chaise, et mit un point d'honneur à se lever pour saluer tous les arrivants. Quand vint le moment de partager le gâteau à la crème, la mariée proposa à Mrs. Hepburn la première part… qu'elle lui colla au visage. Kate fut la première à en rire.

Elle se réjouissait manifestement du bonheur de Cynthia, mais sa compagnie commençait déjà à lui manquer. De fait, elles continueraient à se voir presque autant qu'avant, mais Kate savait qu'elle ne serait plus le personnage central de l'existence de Cynthia. Elle avait aussi le sentiment que la balance affective du couple penchait d'un côté, que le marié aimait plus la mariée que l'inverse. Ce mariage était-il indispensable ?

À cinq heures de l'après-midi, tous les invités et le personnel furent partis. Nous restions seuls tous les deux, sous la tente, à faire passer le champagne avec une bouteille d'eau de Seltz. Cynthia avait eu tort d'épouser Michael, me confia-t-elle. Elle était plus préoccupée de sa carrière que de son mari, ce qui était une bien mauvaise entrée en matière pour un mariage. Plus elle s'étendait sur le sujet, plus j'avais l'impression qu'elle parlait de son propre mariage avec Luddy, et plus je sentais sa colère grandir. Puis nous restâmes en silence à regarder le soleil descendre sur le détroit de Long Island, jusqu'à ce qu'elle articule :

— Saleté.

— Rentrons, dis-je alors en lui passant le bras sur les épaules.

Elle me prit la main et la serra très fort.

Son chauffeur me conduisit à Hartford. Un avion m'y attendait pour New York, d'où je m'envolais le soir même pour Londres, afin de présenter mon livre sur Goldwyn. Ayant quelques minutes de battement à l'aéroport JFK, j'appelai Irene Selznick. En entendant ma voix, elle s'exclama :

— Révoltant !

— Pardon, dis-je, sans être sûr d'avoir compris.

— Le gâteau en pleine figure. Je suis au courant. Absolument révoltant. Pensez-vous qu'elle a perdu l'esprit ?

Irene me pressa de questions sur les moindres détails de la noce, dont elle semblait déjà connaître la plupart. Je passais intérieurement en revue la liste des invités pour deviner qui avait pu la renseigner. Aujourd'hui encore je ne suis pas certain de connaître l'identité de la taupe (je soupçonne Norah). Cela me permit de vérifier ce que je savais déjà : leur amitié de soixante ans rendait le chapitre de Kate particulièrement sensible, voire douloureux. Et Irene supportait mal la souffrance. J'avais toujours trouvé Irene très démocrate dans sa façon de penser, mais elle avait été élevée comme une princesse. Elle aimait que sa vie soit atypique, unique, et faisait en sorte qu'elle le soit. Elle a intitulé ses Mémoires, si pudiques que les épisodes les plus révélateurs sont à lire entre les lignes, *A Private View (Un point de vue personnel)*. Elle était fière de son existence riche de rencontres et d'expériences dont peu peuvent se vanter. À ses yeux, c'était l'exception plus que la gloire ou la fortune qui faisait le prestige. Il lui était donc pénible de voir Kate s'exhiber en public.

Kate eut un jour une altercation avec un contractuel pour avoir garé sa voiture en double file sur la Quarante-Neuvième Rue. Quand les journaux publièrent l'information, photos à l'appui, Irene fut mortifiée. Peu de temps après, Irene dut garder le lit au Pierre Hotel et Kate décida de lui apporter une soupe cuisinée par Norah. Le geste émut Irene mais elle ne put s'empêcher de commenter : « Elle est entrée dans l'ascenseur vêtue comme une souillon au point que la liftière ne voulait pas la laisser entrer. Elle n'avait aucune idée de qui était cette clocharde. Kate a dû aller trouver le directeur pour avoir la permission de monter. Kate ! Je parle de Kate ! Katharine Hepburn ! »

Irene était anéantie. Il lui avait déjà été difficile de constater qu'elle avait perdu son amie au profit d'une bande de jeunes inconnus, sans parler que celle-ci poursuivait gaillardement sa carrière malgré ses ennuis de santé. Elle en était venue à se sentir exclue de la vie de Kate, et ne voulait rien faire pour y être réintégrée. Elle décrétait que Katharine Hepburn avait déchu. Désormais, quand il lui arrivait de parler de sa « noble » amie... c'était pour éclater en sanglots.

Il y avait autre chose. Au cours de sa dernière visite à la Quarante-Neuvième Rue Est, Irene y avait découvert une jeune femme qu'elle ne connaissait pas. Son œil de lynx avait capté un échange de regard entre la nouvelle venue et Kate qui suggérait un degré d'intimité auquel elle n'avait jamais songé.

— Maintenant, je comprends tout, me dit Irene. Dorothy Arzner, Nancy Hamilton, toutes ces femmes. Laura Harding. Oui, maintenant je comprends tout. À voile et à vapeur. Je n'ai jamais cru que c'était l'attirance sexuelle qui fondait sa relation avec Spence.

— Irene, je pense que vous poussez le bouchon un peu loin, lui dis-je. J'ai le sentiment que, pour Spencer Tracy, le sexe comptait joliment et ils ne seraient pas restés ensemble aussi longtemps si leur relation était restée platonique.

— Au début. Mais on ne peut pas boire comme Spencer et maintenir une relation sexuelle.

— La plupart des relations profondes ne dépassent-elles pas le sexe ?

Irene reconnaissait que c'était le cas de Hepburn et Tracy. Mais sa nouvelle façon de concevoir la sexualité de Kate la perturbait.

— Irene, dis-je, vous ignorez ce que faisaient les femmes dont vous parlez. Comme dit Kate, « personne ne sait vraiment ce qui se passe entre deux personnes quand elles sont seules ».

— C'est bien ce que je dis, rétorqua-t-elle. Vous êtes trop jeune pour les avoir connues, ces femmes, toutes des célibataires. Je les connaissais. Je sais qui elles étaient.

À mon avis, lui dis-je, Kate se sentait simplement plus à l'aise avec des célibataires, quels que soient leurs penchants sexuels. Elle se sentait plus proche d'individus sans attaches. Quand, au moment de nos premières interviews, j'avais moi-même fait allusion à une personne qui venait d'entrer dans ma vie, elle n'avait pas voulu en entendre parler.

— Je n'aime pas l'idée que vous vivez quelque part ailleurs, avait-elle dit peu de temps après m'avoir donné la clef de chez elle. Je veux imaginer que votre maison est ici.

Mais ce n'était pas la sexualité qui posait problème. C'était son exclusion qui perturbait Mrs. Selznick. Une dimension de la vie de Kate lui échappait, celle qu'elle partageait avec des gens dont elle n'avait jamais entendu parler. Le tournant de leur relation fut ce moment où Irene, blessée, commença à se détourner d'une amitié de soixante ans. En 1990, la santé d'Irene se détériora, sans qu'on en décèle la cause, du moins à ma connaissance. Elle avait mal partout (« Bien sûr, qu'elle a mal partout, disait Kate, elle ne sort jamais de ce fichu appartement ») et elle avait perdu l'appétit. Pourtant, je ne l'avais jamais vue aussi heureuse depuis dix ans. Pour la première fois, elle était rassurée sur l'avenir de ses deux fils. Jeffrey avait épousé Barbara, une belle femme qui « l'aime et veille sur lui plus qu'il ne le mérite ». Quant à Danny, non seulement il s'est marié avec une Sulzberger, mais sa belle-famille le prenait pour Cary Grant. Son testament, qu'elle avait remanié sans cesse depuis que je la connaissais, était en ordre.

Le coup de téléphone que je reçus cet été-là, je ne suis pas près de l'oublier. Après quelques plaisanteries préliminaires, Irene avait laissé tomber :

— J'appelle pour dire au revoir.

— Au revoir ? Vous partez ?

— Je dis « au revoir »... au revoir... pour le grand voyage.

Je compris enfin ce qu'elle voulait dire sans pouvoir y croire.

— Est-ce que ça va ? demandai-je.

— Est-ce que je n'ai pas l'air d'aller ?

Elle semblait en effet mieux que je ne l'avais perçu depuis bien longtemps.

— C'est pourquoi je dis au revoir.

Irene m'expliqua que, pour la première fois depuis des années, elle était heureuse. « Tout est en ordre », dit-elle. Et comme la douleur lui laissait quelque répit, elle n'avait pas envie d'attendre que vienne « la véritable épreuve ». Je suggérai que celle-ci n'était peut-être pas pour demain et que son état présent pouvait durer encore des années.

— Je ne veux pas durer encore des années, répliqua-t-elle.

— Mais n'avez-vous pas envie de voir vivre vos enfants, et votre petit-fils ? Vous l'adorez. Et vos amis ? Je viens juste de commencer ce livre et j'ai besoin de votre aide.

— Chéri, votre livre me tient à cœur. Nous continuerons donc à avoir ces discussions au téléphone chaque semaine… et vous viendrez me voir tous les deux ou trois mois. Je vous interrogerai au sujet de votre livre et vous me raconterez. Mais je sais comment ce chapitre de votre vie finira. Et je suis fatiguée des choses dont je connais d'avance la fin.

J'insinuai qu'elle traversait une sorte de dépression, qu'un peu de temps et quelques médicaments lui permettraient d'en sortir.

— Ai-je l'air déprimé ? Je ne me suis jamais sentie aussi bien.

— Alors pourquoi m'appelez-vous ? Que puis-je faire ?

Elle me dit que notre amitié devait continuer comme si ce coup de fil n'avait pas eu lieu. Elle avait téléphoné à cinq ou six personnes, dont elle me donna les noms. Kate n'en était pas. Nous étions particulièrement amis et elle ne voulait pas qu'un matin, sans crier gare, je découvre sa nécrologie dans le journal.

— Eh bien, vous êtes assez futée pour deviner que je prends ça comme un appel au secours. Donc je vais tout de suite appeler quelqu'un, un ami commun, un médecin, vos fils, Kate…

— Non, hurla-t-elle dans le téléphone. Si vous parlez de ce coup de fil à quiconque, je ne vous adresserai plus jamais la parole.

Après deux heures de conversation, j'acceptai à contrecœur. Mais je la suppliai d'en discuter avec ses fils. Sinon, c'était une façon de mettre sur le dos de ses amis une responsabilité qu'ils n'avaient pas à assumer. Elle en convint.

— Alors, est-ce vraiment adieu ? demandai-je avant de raccrocher.

— Non, peut-être à la fin septembre, au plus tard la première semaine d'octobre.

J'étais abasourdi. Un médecin lui aurait-il annoncé qu'elle était condamnée ? Une récidive de son cancer ? Elle avait précisé que non. Ou bien avait-elle simplement éludé ? En tout cas, j'obéis et ne dis rien à personne. Nos conversations continuèrent comme si le coup de fil n'avait pas eu lieu. Je lui envoyais des lettres semées d'allusions à ce qu'elle m'avait dit au fil des ans, pour lui prouver que je n'oubliais pas. Elle me répondait par de petits mots pleins de gratitude.

Le 11 octobre 1990, lors d'une pause à la Yale library, j'écoutais mes messages. Parmi eux, un appel urgent de John Goldwyn, petit-fils de Samuel Goldwyn et filleul d'Irene Selznick. Il m'informait qu'Irene avait été retrouvée morte le matin. Le choc.

Les semaines suivantes, j'appris qu'Irene avait fait ses adieux à quelques autres personnes. Elle avait discuté la question avec ses enfants qui, de toute évidence, n'avaient pu la dissuader. Elle n'avait pas appelé Kate, qui l'aurait pourtant sans doute soutenue dans sa résolution. J'appris enfin qu'elle était morte dans des circonstances encore plus mystérieuses que je ne l'avais imaginé.

Il n'y avait aucune preuve apparente qu'elle s'était suicidée. On me dit qu'elle avait veillé tard ce soir-là, à ranger des papiers et passer quelques coups de téléphone. Au matin, on la trouva morte dans son lit, les mains croisées sur la poitrine, tenant ses lunettes, souriante. J'ai depuis cherché à comprendre les causes de sa mort. La meilleure réponse semble tout simplement qu'elle l'avait voulue.

Une cérémonie à sa mémoire devait avoir lieu le 9 novembre au théâtre Ethel-Barrymore. Kate avait eu l'intention de ne pas y assister. Je l'appelai une semaine auparavant puis la veille pour la convaincre de venir. Après tout, Irene avait beaucoup compté dans sa vie.

— Pour quoi faire ? Elle est morte. Pour elle, cela ne fait plus aucune différence.

— Et pour Danny et Jeffrey ? Votre présence comptera beaucoup pour eux.

Elle ne discuta plus. Son chauffeur nous conduisit le lendemain au théâtre Ethel-Barrymore avant l'ouverture des portes. Kate entra malgré tout et je la suivis. Des employés qui procédaient aux préparatifs voulurent nous arrêter. Dany, qui organisait la cérémonie, vint rassurer le personnel et embrassa Kate. Elle avait les larmes aux yeux. Nous choisîmes de nous installer dans des fauteuils d'orchestre. Quelques minutes plus tard, plusieurs centaines de personnes entraient à leur tour. Les orateurs furent concis, éloquents et drôles, exactement comme Irene l'aurait souhaité. Ils rendaient hommage à la femme de caractère qui avait si bien su stimuler les talents.

En s'engouffrant dans la voiture qui l'attendait, Kate fut catégorique :

— Surtout pas de ça pour moi.

Il fallait pourtant qu'elle s'attende qu'on lui rende hommage, lui dis-je.

— Eh bien, heureusement pour moi que je n'aurai pas à y assister, et vous non plus.

Mais le service funèbre n'avait-il pas apporté quelque réconfort à ceux qui étaient présents ?

— Pas en ce qui me concerne, rétorqua Kate. Elle est morte et rien ne peut la ramener. Il aurait mieux valu que tout ce beau monde reste chez lui, lui accorde une petite pensée, puis vaque à ses affaires. Et c'est ce qu'ils auront de mieux à faire quand je mourrai. Et celui qui en veut plus, qu'il visionne un de mes films.

Nous nous retrouvâmes à quelques dizaines, dont Kate, à l'appartement d'Irene. On pouvait reconnaître au hasard des salles quelques célébrités du monde du spectacle de jadis. Tous convergèrent vers le salon au moment où Katharine fit son entrée. Je préparais deux assiettes pendant qu'elle échangeait quelques mots avec Danny Selznick. Elle s'apprêtait à partir quand un vieil homme pas très grand se dirigea droit sur elle en l'interpellant :

— Puis-je te saluer ?

Je vis bien qu'elle ne le remettait pas et lui murmurai :

— Elia Kazan.

— Gadg, est-ce vraiment toi ? dit-elle à l'homme qu'elle n'avait pas revu depuis quarante ans.

Tout sourires, il se pencha pour l'embrasser sur la joue. Pendant qu'ils échangeaient des politesses, je remarquai un autre vieillard qui les observait. Il s'enhardit à son tour :

— Puis-je *moi* aussi te saluer ?

— Bien sûr, répondit-elle, sans avoir la moindre idée de qui lui embrassait l'autre joue.

— Joe Mankiewicz, glissai-je pendant qu'il s'entretenait avec Kazan.

— Mon Dieu !

Il y eut deux minutes d'amabilités, puis Kate annonça qu'elle devait partir. Je l'accompagnai jusqu'à la rue, où l'attendait une voiture. Elle m'ordonna de retourner à la réception et de venir la voir quand ce serait terminé. Puis, juste avant que le chauffeur ne démarre, elle baissa la vitre arrière et demanda :

— Suis-je comme eux, aussi décatie ?

— Bien sûr que non, Kate. Eux, au moins, ils vous ont reconnue.

Je remontai au dixième étage. Quelques minutes après, je me retirai dans le repaire où Irene et moi avions l'habitude de nous asseoir. Un garde y était préposé à la surveillance des œuvres d'art et autres biens. Je pris dans le réfrigérateur la bouteille « d'eau-de-vie de Cary » et m'en versai une rasade. Je m'assis sur une chaise face au délicat portrait de petite fille de Mary Cassatt. Et je me mis à pleurer.

# 9

# Mademoiselle

— Non je ne peux pas dire que j'ai été vraiment surprise, se rappelait Kate à propos de la proposition survenue en cet après-midi de la fin 1966. En revanche, impossible de m'imaginer en femme de pompier !

Stanley Kramer, qui avait la réputation d'être le réalisateur le plus progressiste de Hollywood, avait déjà dirigé trois fois Spencer Tracy. Il s'était présenté ce jour-là au bungalow de Cukor. Il avait en tête une idée de film, concoctée avec William Rose, le scénariste de *Un monde fou, fou, fou, fou.* Celui-ci, un bel homme et néanmoins alcoolique expatrié dans l'île anglo-normande de Jersey, avait imaginé l'histoire d'un riche couple britannique dont la fille amène à la maison l'homme qu'elle veut épouser, « bien sous tous les rapports »... sauf que c'est un Noir. Sidney Poitier, l'acteur de couleur le plus coté du cinéma, s'était déjà dit intéressé par le rôle du fiancé, un Noir cultivé exerçant une profession libérale, un personnage encore inédit dans un film pour grand public. Kramer cherchait le reste de la distribution.

Ami et fan de Spencer Tracy, il avait pensé que le film pour-rait lui fournir l'occasion d'un dernier prestigieux tour de piste. En transposant l'histoire de Grande-Bretagne en Amérique, on pourrait facilement faire de Tracy un Américano-Irlandais à la retraite, ancien policier ou ancien pompier. Tracy avait mordu au

237

projet. Kramer continua donc à lancer ses filets. Comme ce devait être probablement la dernière apparition de Tracy au cinéma – qui plus est dans une histoire d'amour –, ne serait-il pas émouvant de lui adjoindre celle qui était sa partenaire sentimentale depuis vingt-cinq ans ?

À son arrivée au bungalow, le scénario avait déjà été retouché.

— Dès que j'ai entendu Stanley envisager de faire du pompier quelqu'un d'un rang social plus élevé, j'ai su qu'il pensait à moi pour le rôle de la femme.

Tous trois évoquèrent différentes possibilités. Tracy avait trop souvent incarné « la voix de la conscience » – l'Américain typique, épris de vérité et de justice – pour que le choix de son personnage ne fût pas délicat. Pas un prêtre, il s'agissait d'une histoire d'amour. Ni un juge, il l'avait été dans un autre film de Kramer. Ils s'arrêtèrent sur un directeur de journal, libéral et épris de justice sociale... qui se dérobe quand il s'agit d'appliquer ses idées à sa propre famille. Il se heurte à son épouse, une femme sensible dont le seul principe est de laisser parler son cœur.

Les sentiments de Kate étaient ambivalents. Ce projet pouvait donner un film magnifique « qui dirait des choses importantes », et elle avait très envie de le faire. D'un autre côté, pour la première fois, elle se demandait si Tracy serait physiquement capable d'assumer le rôle. Même dans ce milieu où les médecins ne se faisaient jamais prier pour délivrer aux acteurs les certificats nécessaires, il était hors norme : les assurances en étaient à refuser de le couvrir. Kramer dut donc prendre deux engagements inhabituels. Il aménagerait les horaires de tournage : Tracy ne travaillerait que quelques heures par jour... et seulement le matin, quand il était au mieux. Il ajouta qu'il se retirerait du projet si Hepburn et Tracy n'en étaient pas.

La Columbia n'accepta de financer le projet qu'à la condition que le cachet de deux cent cinquante mille dollars de Hepburn et celui de cinq cent mille du réalisateur restent sur un compte bloqué jusqu'à la fin des prises de vues. C'était la garantie que le tournage pourrait reprendre avec un autre acteur si besoin était. Kramer, fidèle à sa parole, accepta ; un geste amical que Katharine Hepburn n'oublierait jamais.

— Tous les films de Stanley viennent du cœur, disait-elle. Il n'y en a pas beaucoup comme lui.

Kramer se retira à Jersey avec Rose, qui ficela en quelques semaines le script de *Devine qui vient dîner*[1]. Par certains côtés, l'histoire aurait mieux convenu à une pièce de théâtre : en un lieu unique, la maison de Matt et Christina Drayton à San Francisco, une poignée de personnages – les jeunes amoureux, leurs parents respectifs, un prêtre et une domestique (introduits pour alléger la tension) – expriment leurs sentiments sur le mariage à venir. Mais les états de service du tandem Hepburn-Tracy, sans compter que l'une des vedettes tiendrait là son rôle d'adieu, donnèrent à l'équipe le cran de se lancer dans l'aventure.

Contrairement à Garbo et Gilbert, Myrna Loy et William Powell, James Stewart et Margaret Sullavan et même Abbott et Costello, le couple Tracy-Hepburn avait su mûrir. Au fil des ans, le public les avait vus affronter toutes sortes de situations, toujours avec une longueur d'avance sur leur époque. Eux qui n'étaient pas mariés étaient devenus un symbole des valeurs familiales américaines et, mieux, des valeurs humaines. D'après Kate, pendant qu'il travaillait sur le script, Willy Rose « se demandait souvent : "là, qu'est-ce que diraient Spencer Tracy et Katharine Hepburn ?" – pas le vrai Spence ni la vraie Kate, mais l'idée que tout le monde s'en faisait. Étrange, non ? ».

Le résultat fut un film qui donnait le sentiment aux spectateurs d'écouter aux portes de leur propre maison, tant les acteurs exprimaient la conscience collective. L'illusion était encore renforcée par la présence de la nièce de Katharine Hepburn, Katharine Houghton, qui faisait alors ses débuts, dans le rôle de la jeune fille. Diplômée de l'université Sarah Lawrence, l'éblouissante Kathy montrait à l'écran la même personnalité enthousiaste que sa tante. Le bruit courait même, en raison de la ressemblance physique, qu'elle était la fille cachée de Tracy et Hepburn.

---

1. *Guess Who's Coming to Dinner*, 1967.

— Celle-là, je ne l'avais pas encore entendue ! s'esclaffa Kate quand je lui avais rapporté la rumeur. Dommage qu'il y ait tous ces témoins de la grossesse de Marion.

Le tournage de *Devine qui vient dîner* fut d'autant plus efficace que tout le plateau prenait soin de la santé de Tracy. Mais il fut aussi nerveusement épuisant pour Hepburn, qui devait assumer la double tâche de veiller sur lui et d'interpréter un rôle clé. Précédemment, les deux acteurs n'étaient jamais séparés pour les scènes en tête à tête ; ils se donnaient la réplique tandis que la caméra opérait les gros plans nécessaires sur l'un ou l'autre. Cette fois, on demanda au responsable du script d'autoriser Tracy à quitter le plateau, Hepburn restant seule pour dire ses textes : « Il est fréquent, expliquait Kate, qu'il naisse une sorte d'esprit de famille au cours d'un tournage, malgré des exceptions notables. »

Jamais il n'avait été aussi sensible qu'à cette occasion.

Tracy et Hepburn avaient toujours travaillé différemment. Lui possédait une mémoire phénoménale. Il pouvait donc se permettre de lire le script et d'étudier la scène la veille du tournage sans qu'il y ait un mot à reprendre dès la première prise de vues. Elle aimait prendre le temps d'étudier le scénario. Elle apprenait non seulement ses répliques mais celles des autres, envisageait toutes les interprétations possibles... et conseillait volontiers les autres sur la leur – fidèle à sa réputation. Dans les premiers temps, elle avait proposé à Tracy de travailler avec elle, ce qu'il repoussait par un sec : « Je me réserve pour le plateau. » Pour *Devine qui vient dîner*, Tracy rompit avec ses habitudes ; il demanda à Hepburn de répéter avec lui chaque soir. Après tout, il devait bien cela au réalisateur qui avait risqué pour lui son cachet. Il le devait encore plus à Kate, qui avait gelé pour lui sa carrière pendant cinq ans. Il voulait que sa prestation soit exceptionnelle, ne serait-ce que pour aider Hepburn à repartir. Aussi les acteurs furent-ils déconcertés de découvrir que, pour la première fois de sa vie, il avait des trous de mémoire.

Le point culminant de l'intrigue est atteint lorsque le père de famille, Matt Drayton (joué par Tracy), délivre son message en forme de verdict. Auparavant, il se montre l'opposant le plus farouche au mariage prévu. Puis il écoute les opinions de chacun, et n'intervient que lorsque la mère du fiancé, jouée par Beah Richards, lui fait remarquer qu'il est désormais trop vieux pour comprendre l'amour. Cette critique le pousse à conclure :

« Finalement, peu importe ce que nous pensons. La seule chose qui compte, ce sont les sentiments qu'ils éprouvent l'un pour l'autre et leur intensité. Même si ces sentiments étaient moitié moins forts que ceux que nous éprouvons nous-mêmes, disait Tracy en regardant Hepburn, elle-même au bord des larmes, ce serait déjà parfait. »

Un sans faute. Sur le plateau, pas une personne présente sur le plateau ne gardait l'œil sec. Spencer Tracy était un grand acteur, tout le monde le savait, mais tout le monde savait aussi que, ce jour-là, il ne jouait pas. Le 26 mai 1967, il tourna sa dernière scène et rentra chez lui. Kate remercia les acteurs et le reste de l'équipe pour l'aide qu'ils leur avaient apportée.

Hepburn vivait désormais à temps plein dans le bungalow de Cukor, avenue St. Ives, bien qu'elle louât toujours La Volière, à quelques minutes de là, sur l'avenue Tower Grove, où Phyllis passait ses nuits. Habituellement, Kate restait en compagnie de Tracy jusqu'à ce qu'il s'endorme, fort tard, puis elle se retirait dans la chambre de bonne, près de la cuisine. Il y avait un récepteur d'alarme sur sa table de nuit, qu'elle transportait partout dans la maison au bout de son fil. Elle surveillait ses mouvements jour et nuit, anticipant ses besoins. Avant de se coucher, elle mettait une grande bouilloire sur la cuisinière, qui frémissait à feu doux toute la nuit, de sorte qu'il pouvait se préparer instantanément une tasse de thé s'il n'arrivait pas à dormir.

Le 10 juin 1967, à trois heures du matin, Kate entendit Tracy quitter sa chambre pour venir dans la cuisine. Elle se levait pour le rejoindre quand une tasse se brisa sur le plancher, suivie d'un bruit sourd. Le temps d'être auprès de lui, il avait succombé à un arrêt cardiaque. Considérant que ses dernières années n'avaient été qu'une longue agonie, Kate trouva un réconfort dans la soudaineté du départ. Hepburn appela immédiatement Phyllis, George Cukor, le couple de gardiens et Howard Strickling, le responsable des relations publiques à la MGM chargé du décès des stars. Puis elle empaqueta ses effets personnels et sortit. Une fois dehors, elle réagit : « C'est tout de même aussi chez moi, se dit-elle, et j'ai passé l'essentiel de ma vie d'adulte avec cet homme. » Elle revint sur ses pas, appela Louise Tracy, leurs enfants et le frère de Tracy : « Cela semblait la chose la plus sensée à faire, m'expliqua Kate. Agir autrement aurait été mentir sans aucune utilité pour personne. »

Dans un premier temps, elle fit de son mieux pour rester à l'écart et laisser la famille faire son deuil, se privant elle-même de faire le sien : « C'était comme un mauvais rêve, se souvenait-elle plus de vingt ans après, un vrai cauchemar. »

L'absurde fut atteint quand les croque-morts demandèrent comment habiller le corps. Kate sortit une vieille veste et des pantalons mais Louise Tracy en prit ombrage et voulut choisir elle-même. Kate éclata. « Oh Louise ! quelle différence cela peut-il faire ? » Un médecin vint examiner le défunt à six heures puis la compagnie de pompes funèbres Cunningham & Walsh l'emmena. La presse arriva à midi pour s'entendre dire que les amis de Mr. Tracy, Miss Hepburn et Mr. Cukor, avaient quitté les lieux à onze heures.

Le salon mortuaire reçut les visiteurs trois après-midi d'affilée. Kate s'y rendait après les heures de visite. Un soir, elle déposa un de ses tableaux auprès du corps, des fleurs qu'elle avait peintes ; le lendemain, elle apprit que le cercueil avait été scellé à la demande de la famille. Elle supposa que le tableau était resté à ses côtés.

Hepburn continuait à se comporter comme elle l'avait fait du vivant de Tracy, évitant de se montrer avec l'homme qu'elle aimait. Le matin des funérailles, Kate et Phyllis se rendirent à la morgue pour aider à mettre le cercueil dans le fourgon. Puis, à distance respectable, elles suivirent la file des voitures noires jusqu'à l'église de l'Immaculée-Conception, à Hollywood. Quand elles furent assez proches pour voir qu'il y avait foule, elles rebroussèrent chemin. « Adieu, ami », dit Kate en rentrant chez elle.

Après les funérailles, quelques amis intimes de Tracy se retrouvèrent à la maison de l'avenue St. Ives. Hepburn y accueillit

Garson Kanin et Ruth Gordon[1], l'écrivain Chester Erskine et son épouse Sally, le réalisateur Jean Negulesco[2] et son épouse Dusty. Hepburn semblait parfaitement maître d'elle-même : « Ce n'était pas que j'essayais de faire face, dirait-elle. J'étais tout simplement hébétée. »

Il en fut ainsi jusqu'à ce que Jean Negulesco lui glisse un dernier mot, au moment de partir ; il ressentait de la colère, disait-il, que Spencer les ait quittés. Kate s'effondra en larmes dans ses bras.

Un soir, quelques semaines plus tard, Kate téléphona à Mrs. Tracy. Pensant pouvoir l'aider pour les enfants, elle lui dit :

— Vous savez, Louise, nous pourrions être amies, toutes les deux. Vous avez connu Spencer au début. Je l'ai connu à la fin. À moins que nous préférions faire semblant…

— Vous avez raison mais, voyez-vous, je pensais que vous n'étiez qu'une rumeur.

Kate n'en revenait pas. « Une rumeur ! me dit-elle. Vous imaginez ? Cela fait trente ans que son mari est parti et elle pense que je suis une rumeur. »

Kate se demanda pendant une minute ou deux ce qui pouvait bien se passer dans la tête de Louise Tracy – quelles explications tortueuses elle s'était forgées pour y croire. Je lui suggérai que Louise Tracy savait parfaitement ce qu'il en était, et que le mot employé visait un but précis.

— Mais lequel ? demanda Kate, hors d'elle.

— Vous mettre dans cet état.

*Devine qui vient dîner* sortit l'année suivante et creva le plafond du box-office, une performance dont ni Tracy ni Hepburn n'avaient pu se vanter jusque-là, ensemble ou séparément. Le film fut nommé pour dix oscars – dont ceux du meilleur film, du meilleur réalisateur, du meilleur acteur, de la meilleure actrice.

---

1. Le couple d'écrivains auteurs de nombreux scénarios et adaptations.

2. Cet ancien peintre et décorateur d'origine roumaine arriva à New York en 1927 et y resta pour faire du cinéma. Il fut engagé par la Warner puis la Fox (*Le Masque de Dimitrios*, 1944 ; *Humoresque*, 1947 ; *Titanic*, 1953 ; *La femme que j'aimais*, 1958 ; *Un certain sourire*, 1958).

William Rose remporta un oscar pour son scénario. Feu Spencer Tracy était en concurrence avec Warren Beatty pour *Bonny and Clyde*, Dustin Hoffman pour *Le Lauréat*, Paul Newman pour *Luke la main froide* et Rod Steiger pour *Dans la chaleur de la nuit*[1], à qui revint l'oscar du meilleur acteur. Hepburn avait affaire à moins forte partie : Anne Bancroft pour *Le Lauréat*, Faye Dunaway pour *Bonnie and Clyde*, Dame Edith Evans pour *Les Chuchoteurs* et Audrey Hepburn pour *Seule dans la nuit*[2]. Hepburn en était à sa dixième nomination. Elle reçut son deuxième oscar, trente-quatre ans après le premier. « J'ai eu le sentiment que la communauté hollywoodienne rendait ainsi hommage à Spence » dirait-elle des années plus tard.

Sa modestie n'était pas justifiée. Il est incontestable que ce sentiment a dû peser lourd dans le vote. Mais si l'Académie avait en effet voulu honorer une carrière plutôt qu'une interprétation unique, elle voulait encore plus célébrer le retour de Hepburn. Au moment où on lui remit l'oscar – en son absence, comme la première fois – elle avait déjà achevé un autre film et en tournait un troisième.

F. Scott Fitzgerald fit un jour la remarque qu'il n'y avait pas de second acte dans l'existence. Aurait-il vécu plus longtemps qu'il aurait pu voir le rideau se lever sur le quatrième acte de son actrice favorite, Katharine Hepburn. Elle avait soixante ans.

Kate se remettait de son deuil chez Garson Kanin et Ruth Gordon, au milieu des vignes de Martha's Vineyard. Baignades, randonnées et longues conversations l'aidèrent à se remettre. Mais, comme toujours chez Hepburn, ce fut surtout le travail, pas les vacances, qui la ramena à la vie.

---

1. *Bonny and Clyde*, d'Arthur Penn ; *The Graduate*, de Mike Nichols ; *Cool Hand Luke*, de Stuart Rosenberg et *In the Heat of the Night*, de Norman Jewison.

2. *The Whisperers*, de Brian Forbes, d'après le roman de Robert Nicolson. Dame Edith Evans recevrait le prix d'interprétation féminine du festival de Berlin. *Wait Until Dark*, de Terence Young, d'après la pièce de Frederick Knott.

Le scénario était intitulé *Un lion en hiver*[1]. Écrit par James Goldman, qui adaptait ainsi sa propre pièce, il mettait en scène l'affrontement historique entre Henry II Plantagenêt et son épouse Éléonore d'Aquitaine, retenue captive dans un couvent. L'objet de la querelle entre les deux souverains est leur succession et l'avenir des nations des deux côtés de la Manche. Peter O'Toole, qui avait joué Henry II dans *Becket*[2], reprendrait la couronne. « Ce qui était fascinant, dans la pièce, disait Kate, c'était sa modernité. Sans fastes ni cérémonie, une femme cherche à préserver sa dignité et à protéger ses enfants. »

Son enthousiasme grandit encore quand elle vit le film du réalisateur pressenti par O'Toole, *Le Métro fantôme*[3]. Regard cru jeté sur la vie urbaine, celui-ci montrait une femme poignardant un Noir dans le métro new-yorkais. Le sujet ne permettait guère de préjuger d'une œuvre dont l'action se déroulait au XIIe siècle mais Kate trouva le travail du réalisateur, Anthony Harvey, « absolument fascinant. Cela vous prenait à la gorge. Exactement l'approche qu'il fallait à notre scénario. Pas les vieux trucs à paillettes de la MGM, mais des gens froids vivant dans des châteaux glacés ». Sans compter que Harvey, un Anglais d'une trentaine d'années, avait été auparavant monteur (pour Stanley Kubrick, excusez du peu, dans *Lolita* et *Docteur Folamour*[4]), une profession pour laquelle Hepburn avait une prédilection. Elle me répéta ce qu'elle avait dit à propos de David Lean : « Il n'y a que les monteurs pour entretenir de tels rapports amoureux avec un film. Tourner est pour eux un moyen d'expression sensuel. »

Entre elle et le réalisateur, le contact passa immédiatement ; ils resteraient liés par l'amitié le restant de leur vie. Elle était son meilleur partisan et lui-même veillerait sur elle mieux que personne durant les dernières années de sa vie. L'équipe du film – qui

1. *The Lion in Winter*, d'Anthony Harvey, 1968.
2. *Becket*, de Glenville, 1963.
3. *Dutchman*, 1966, d'Anthony Harvey.
4. *Lolita*, d'après le roman de Vladimir Nabokov (et auteur du scénario), 1962 ; *Dr. Strangelove*, de Stanley Kubrick, 1963.

comprenait le jeune Anthony Hopkins dans le rôle du futur Richard Cœur de Lion et Timothy Dalton, encore plus jeune, dans celui de Philippe Auguste – répéta pendant deux semaines au Haymarket Theatre de Londres. Ils partirent ensuite à Dublin tourner les scènes d'intérieur puis à Fontvieille, dans le midi de la France, dont la vieille abbaye servit de cadre au tournage extérieur.

Hepburn admirait tous les membres de la distribution sans exception. O'Toole était indiscipliné et turbulent, « parfois franchement impossible, un vrai Irlandais, disait Kate, ne ménageant ni le charme ni l'alcool. Mais j'avais l'habitude. Et quel acteur ! Une voix formidable. Un jeu sensationnel. C'était merveilleux ». Son extraordinaire tempérament, disait-elle, l'avait aidée à retrouver sa vitalité. Plus tard, elle éprouverait de la fierté devant la réussite d'Anthony Hopkins, et quand Timothy Dalton serait choisi pour interpréter James Bond, elle se vanterait de « l'avoir fait découvrir ».

Le film fut un nouveau triomphe dans la carrière de Hepburn, tant du côté du public que du côté des professionnels. Il fut nommé dans la plupart des disciplines – meilleur film, réalisateur, acteur, meilleure actrice et meilleur scénariste. Une fois de plus, le scénariste remporta un oscar... et Hepburn également. Ce troisième trophée était sans précédent. Sans précédent également, la présence d'une ex-aequo : la jeune Barbra Streisand, âgée de vingt-six ans, pour *Funny Girl*[1]. Après avoir salué son trophée d'un « Salut beauté ! », Streisand déclara qu'elle considérait comme un honneur de voir son nom associé à celui de Hepburn. Dont l'oscar fut réceptionné par Anthony Harvey.

Entre-temps, Hepburn avait quitté un lieu de tournage pour un autre. Il s'agissait, cette fois, du rôle principal de *La Folle de Chaillot*[2], adaptation cinématographique de la pièce de Jean Giraudoux, elle-même une allégorie dont le prétexte est la lutte d'une vieille folle inspirée, la comtesse Aurélia, contre le capitalisme avide ; l'héroïne simule un procès populaire et se joue de ses ennemis, convaincus qu'il y a un puits de pétrole sous sa

---

1. De William Wyler, 1968.
2. Titre anglais : *The Madwoman of Chaillot*, dirigé par Bryan L. Forbes, 1969.

maison. John Huston devait diriger le film mais Bryan Forbes dut le remplacer.

« John n'était pas fou, expliquait-elle en évoquant le désistement du réalisateur. Le problème, expliquait Kate, c'est que ce type de scénario convient mieux à la scène qu'à l'écran, qui requiert une interprétation plus littérale – il vous faut photographier quelque chose. Et je crois qu'il est difficile pour un public de cinéma d'avaler un film aussi abstrait et stylisé. »

Le producteur Ely Landau, qui avait également produit *Long voyage dans la nuit*[1], rassembla une belle brochette de stars internationales, dont Charles Boyer, Claude Dauphin, Oscar Homolka, Yul Brynner, Donald Pleasence et Danny Kaye. Les conspiratrices réunies autour de la comtesse Aurélia étaient interprétées par Edith Evans, Margaret Leighton et Giulietta Masina.

« Le vrai problème était qu'aucune d'entre nous ne savait vraiment comment jouer son personnage ni comment interpréter les dialogues, terriblement artificiels. Nous, toutes les vieilles, nous nous mîmes à imiter Edith Evans, qui était incroyablement drôle… sans qu'elle sache plus que nous, à mon avis, ce qu'elle faisait. C'était vraiment désespérant. »

Sans compter qu'il était difficile pour le public (sans parler de la star elle-même !) d'imaginer Katharine Hepburn en démente. Au bout du compte, elle composa un personnage moins délirant qu'excentrique.

Aucunement découragée, Hepburn se dit que le travail appelait le travail ; son regain de popularité l'incitait à relever de nouveaux défis. En 1969, elle accepta de revenir sur scène après dix ans d'absence… dans un genre où elle ne s'était jusque-là jamais risquée. Alan J. Lerner avait depuis un an une comédie musicale en projet, librement inspirée de la vie de Gabrielle Chanel, dite Coco Chanel. Il voulait Hepburn dans le rôle de la couturière – elle en avait la classe, l'envergure et la forte personnalité. « J'étais sûre d'avoir vu Ethel Merman dans quelque chose et j'avais adoré – *My Fair Lady*, se rappelait-elle (en fait, c'était

---

1. *Long Day's Journey Into Night*, de Sidney Lumet, 1962, avec Katharine Hepburn et Ralph Richardson, *cf.* chapitre précédent.

de la version filmée de la comédie musicale dont elle se souvenait, celle de Lerner et Loewe mise en scène par Cukor[1]), mais pour être honnête, je ne me souviens pas d'avoir jamais assisté à une comédie musicale à Broadway. Et je n'avais jamais pensé pouvoir m'y produire. »

Hepburn reconnaissait que, malgré sa vie passée sur scène, elle n'avait jamais appris à chanter correctement. Les seuls airs qu'elle connaissait étaient des cantiques, « mais j'ai une voix qui porte. Et si Rex Harrison pouvait se produire dans une comédie musicale, je devais bien en être capable ». Elle travailla quelques chansons avec l'arrangeur et professeur de chant Roger Edens, puis elle donna un aperçu de son travail au cours d'un dîner intime chez Irene Selznick devant Alan Lerner et Frederick Brisson, producteur du spectacle et mari de l'actrice Rosalind Russell. Lorsqu'elle eut braillé une étonnante interprétation de « Miss Otis Regrets », tous se déclarèrent convaincus qu'elle avait l'organe adéquat pour une comédie musicale. Elle ne chantait peut-être pas très juste, mais du moins y mettait-elle de la conviction. Elle finit par trouver l'aventure et Alan J. Lerner, homme d'esprit merveilleusement intelligent, irrésistibles.

*Coco* se révéla la prestation la plus difficile de la carrière de Hepburn, une épreuve de tous les instants. Elle prenait six leçons de chant par semaine : « Je ne crois pas avoir vraiment appris à chanter, reconnaissait-elle. Mais je jouais suffisamment bien pour donner l'impression que je chantais. »

Les paroles de *Coco* étaient sans doute ce que Lerner avait écrit de plus spirituel, mais la musique d'André Previn, dont certains airs n'étaient qu'une pâle resucée de ceux de *Gigi*[2], étaient loin de les mettre en valeur, ce qui n'était pas pour aider la star.

Puis le metteur en scène du spectacle, Michael Benthall, qui avait dirigé Hepburn dans *La Milliardaire*, commença à perdre les pédales. Le spectacle était particulièrement complexe, avec un

---

1. *My Fair Lady*, avec Audrey Hepburn dans le rôle d'Eliza, mise en scène par George Cukor en 1956 (inspirée de *Pygmalion* de George Bernard Shaw).
2. Adaptation musicale du roman de Colette par Vincente Minelli, avec Leslie Caron et Maurice Chevalier, 1958, huit oscars.

décor tournant et un grand écran où apparaissaient de temps à autre différents personnages sortis du passé de Coco Chanel. Quand il fut évident que Benthall ne parvenait pas à maîtriser l'ensemble, il fallut le mettre sur la touche. Le chorégraphe, le jeune Michael Bennett, dut alors se mêler de la mise en scène. Sûr de lui, suffisant, obsessionnel, il se heurtait constamment à Lerner et à la star elle-même, auxquels il reprochait de transformer la vie de Chanel en celle de Katharine Hepburn – une artiste indépendante qui mène son existence en restant « toujours Mademoiselle[1] ».

Tel était le titre du grand air final, dont les paroles auraient pu, en effet, être de Hepburn. Un soir, au cours du dîner, exaspérée, Kate leva les bras au ciel en lançant à Lerner :

— Qui diable se soucie de la façon dont s'habille une femme[2] !

— Kate, c'est un vers magnifique ! fit-il.

Et il s'empressa de l'utiliser. Dans le même ordre d'idée, il intégra dans le texte une des convictions de Hepburn, à savoir qu'un individu se définit par ses actes – ou, comme Lerner le mit en vers : « On est comme on fait[3]. »

À l'exception de George Rose qui jouait le personnage de Louis Greff, ami et manager de Coco, Hepburn trouvait le reste de la distribution « franchement médiocre » : « Je suis toujours étonnée qu'il soit si difficile de dégotter un talent véritable, avec tous les acteurs dont regorge New York », disait-elle.

Dans un des numéros chorégraphiés par Bennett, le danseur devait exécuter une série de jetés en lançant d'abord sa jambe droite puis la gauche au-dessus de la tête de Coco Chanel : « Je suis sûre que Michael espérait voir le type manquer son coup et m'envoyer le pied dans la figure », me confia Kate.

Pis, toute l'équipe vivait dans la hantise de voir la machinerie se coincer et le mouvement du décor interrompu. Ce qui arriva… Et plus d'une fois. Ces soirs-là, le public avait la meilleure part du spectacle car Hepburn faisait passer le temps des réparations en

---

1. *Always mademoiselle.*
2. « *Who the Devil Cares what a Woman Wears.* » *Cares* et *Wears* font la rime.
3. *One is as one does.*

racontant sur le devant de la scène quelques anecdotes de l'histoire du show-business.

Une fois la comédie musicale lancée, à la Noël 1969, ces tracas semblèrent vite secondaires. Huit mois durant, ses admirateurs vinrent contempler Katherine Hepburn dans l'écrin somptueux des décors et des costumes signés Cecil Beaton. Certains critiques chipotaient sur la justesse de sa voix ou le contenu des chansons, mais tout le monde était d'accord pour rendre hommage à l'énergie dont faisait preuve cette fringante sexagénaire qui incarnait Chanel huit fois par semaine sur la scène du théâtre Mark-Hellinger. À juste titre : le spectacle reposant sur les épaules de la star, la tension était énorme : « Comment aurait-il pu en être autrement ? se demandait Kate. Chaque représentation me mettait dans l'angoisse… et je me demandais ce que je fichais là-dedans. »

Elle arrêta *Coco* en août 1970. Elle fut remplacée par Danielle Darrieux, qui s'acquitta du rôle admirablement. Mais le spectacle s'arrêta peu après. Plus tard, Hepburn en ferait un disque avec le reste de la distribution et rejouerait au cours d'une tournée à guichets fermés, devant des salles enthousiastes.

Tout au long des années 1970, Katharine Hepburn resta sur la brèche, bien qu'elle refusât plus de propositions qu'elle n'en acceptait. Le travail lui était le meilleur antidote contre le chagrin. Sa ligne de conduite était de travailler dans l'exceptionnel. Parce qu'elle n'avait jamais joué une tragédie grecque, elle se rendit en Espagne à la fin 1970 pour une version cinématographique des *Troyennes* d'Euripide. Michael Cacoyannis, qui avait dirigé *Zorba le Grec*[1], lui adjoignit Vanessa Redgrave. Kate considérait cette actrice comme la plus accomplie de sa génération. « Quelle émotion de la voir et de l'entendre ! » Plus tard, il serait question de faire un film à partir des souvenirs de Hepburn sur le tournage d'*African Queen*. Le projet ne l'emballait guère, jusqu'à ce qu'elle apprenne que Redgrave pourrait incarner le personnage de Kate. « Je ne vois pas qui d'autre pourrait le faire », dit-elle alors.

---

1. Avec Anthony Quinn et Irène Papas, 1964.

Kate s'investit ensuite dans deux projets qui n'aboutirent pas. On la pressentit pour l'adaptation cinématographique de *Voyages avec ma tante*[1], de Graham Greene, que George Cukor devait diriger. Après avoir reçu différentes versions du script dont aucune ne la satisfaisait, elle prit sur elle de le récrire. Peu avant le début du tournage, le studio lui fit savoir que sa version ne convenait pas et qu'il s'en remettait aux précédentes : « Je leur ai dit qu'aucune ne me plaisait, sur ce, ils m'ont remerciée. »

On la remplaça par Maggie Smith. Le film, très médiocre, sortit en 1972.

En outre, Kate travailla pendant des années avec Irene Selznick – leur amitié était alors très étroite – sur un projet intitulé *Martha*, construit d'après une série de livres de Margery Sharp sur la vie d'une jeune artiste. Irene comptait produire le film et confier la mise en scène à Kate. L'idée avorta.

« Non que je manquais de confiance en moi… ou en Irene. Je craignais tout simplement que nous finissions par nous entretuer. »

Puis le producteur Ely Landau l'approcha pour la troisième fois. Il recrutait cette fois pour The American Film Theater, qui réalisait des adaptations cinématographiques d'œuvres dramatiques destinées à être diffusées sur les chaînes de télévision. En l'occurrence, il s'agissait de la pièce d'Edward Albee, *A Delicate Balance* (*Un équilibre délicat*) : un vieux couple satisfait d'une banlieue pavillonnaire du Connecticut voit son équilibre basculer lors d'une visite impromptue de ses meilleurs amis ; l'un et l'autre en viennent à considérer les manques et les ratages de leurs existences : « Pour être honnête, me confierait Kate, je n'avais aucune idée du sujet de la pièce, même si je savais qu'Albee était le "grand espoir" du théâtre américain. »

Entourée par des acteurs d'élite, dont Paul Scofield et Joseph Cotten, et dirigée par Tony Richardson, un Britannique expatrié aussi intelligent que perfectionniste, Hepburn finit par saisir le thème central de l'œuvre.

---

1. *Travels with My Aunt.*

« Il s'agit, je crois, du problème de l'autoprotection, de cette façon que nous avons de transformer nos foyers en territoires interdits aux intrus. On en vient peu à peu à comprendre que ce couple est composé de deux individus qui se protègent l'un de l'autre. Lui est un type imbu de lui-même, elle une petite vieille autoritaire, et c'est leur façon à eux de survivre. Du moins, c'est ce que je croyais. Mais je dois vous avouer que, pour la première fois de ma vie, je ne comprenais rien à ce que disais ! Cela vous donne une idée de la qualité des dialogues ! »

Différentes personnes lui dirent que la pièce était drôle, mais Kate, quant à elle, n'y avait pas senti « la moindre note d'humour ».

Ce fut ensuite le producteur David Susskind qui fit appel à elle. Il lui demandait d'interpréter le rôle de la mère dans l'adaptation télévisée de *La Ménagerie de verre*[1], qu'il cherchait à produire depuis des années. Elle hésitait. Cela faisait quarante ans qu'elle occupait les premiers rôles au cinéma et montrait une réticence à tourner pour des producteurs de télévision. En outre, la prestation de Laurette Taylor dans le rôle d'Amanda Wingfield lui restait en mémoire. D'un autre côté, accepter la proposition signifiait travailler à nouveau avec Anthony Harvey, perspective particulièrement agréable. Mais ce qui la décida fut que sa nièce Kathy Houghton était pressentie pour jouer une fois de plus le personnage de sa propre fille, cette fois-ci dans le rôle de Laura, la jeune fille infirme. Hepburn signa le contrat, juste avant d'apprendre que Kathy Houghton se défaussait : « Elle aurait été parfaite, se désolait-elle. C'était pour elle un grand rôle. »

Mais Kathy avait alors d'autres projets et nourrissait des ambitions d'écrivain. Kate ne comprenait pas vraiment que sa nièce appréciait modérément de se produire à l'ombre de sa tante.

Hepburn n'avait pas exactement le tempérament d'une mère sudiste obsédée par son passé de beauté irrésistible, mais elle donna au personnage la force voulue, et l'interpréta avec grâce et intelligence. Le reste de la distribution, sous la direction de Tony Harvey, était d'excellent niveau : Sam Waterston, Michael Moriarty

---

1. *The Glass Menagerie*, drame de Tennessee Williams, également scénariste du téléfilm réalisé par Anthony Harvey, 1973.

et Joanna Miles. Ce fut un des événements télévisés de l'année 1973, avec des scores d'audience très élevés. Ce succès lui fit envisager de travailler à nouveau pour le petit écran.

C'est alors qu'on offrit à son ami George Cukor, qui avait à cette date plus de soixante-dix ans, un excellent script pour la télévision, écrit par James Costigan. L'intrigue de *Il neige au printemps*[1] se déroule au début du XXe siècle ; une actrice vieillissante se tourne vers un ancien amant pour se protéger d'un homme jeune qui la poursuit pour être revenue sur une promesse de mariage. Cukor avait pensé que le sujet convenait parfaitement à Katharine Hepburn et Laurence Olivier. Hepburn lui fit une précieuse suggestion : « Écoute, toi comme moi connaissons Larry[2]. Il n'acceptera que si tu t'adresses à lui en premier. Suggère-lui différentes actrices jusqu'à ce qu'il prononce mon nom. Puis tu lui dis : "Larry, si tu joues dans la pièce, je suis sûr de pouvoir obtenir Kate". » Laurence Olivier n'y vit que du feu.

Hepburn se remettait à peine d'une opération de la hanche mais elle se réjouissait par avance de jouer avec Olivier. Elle estimait que c'était un acteur « de première classe » sans pouvoir s'empêcher d'ajouter qu'il était un individu « de seconde classe ». Son opinion lui venait moins de l'égocentrisme forcené de l'acteur que du comportement qu'il avait eu envers son ex-femme, Vivien Leigh, une actrice talentueuse quoique fragile, avec laquelle Kate s'était liée d'amitié.

« Larry a toujours voulu être une star de cinéma, expliquait-elle. Mais s'il était considéré comme un grand comédien de théâtre, il n'est jamais parvenu au premier rang au cinéma. Et voilà Vivien qui décroche le rôle de Scarlett O'Hara. Elle remporte l'oscar. Pour le film le plus célèbre de l'histoire du cinéma. Alors Larry se pointe pour dire : "Ah, chérie, il faut vraiment qu'on te sorte de Hollywood maintenant. Partons jouer Shakespeare ensemble." Vivien pouvait désormais faire ce qu'elle voulait, mais il tenait à ce qu'elle reste à sa place, autrement dit en dessous de lui. Quelques années passent et Vivien retourne là-bas tourner *Un tramway nommé*

---

1. *Love Among the Ruins*, 1975.
2. Diminutif de Laurence (Olivier).

*Désir*. Elle y est sensationnelle. Elle remporte l'oscar. C'est le film de l'année. Alors Larry se pointe pour dire : "Ah, chérie, il faut vraiment qu'on te sorte de Hollywood. Partons jouer Shakespeare ensemble." Petit homme, grand acteur. Très petit homme. »

*Il neige au printemps* récolta des critiques enthousiastes, des records d'audience et fut primé aux Sept d'or pour le réalisateur et les deux vedettes.

Hepburn devait ensuite faire équipe avec John Wayne. Elle n'avait encore jamais travaillé avec lui, et n'avait pas donné la réplique à un acteur aussi éloigné de son propre tempérament depuis son équipée sur les eaux congolaises avec Humphrey Bogart. Par bien des aspects, *Une Bible et un fusil*[1] était un succédané d'*African Queen* – la fille d'un pasteur termine son voyage au côté d'un vieux shérif à la poursuite d'une bande de voyous. Le rôle principal, en fait, reprenait le personnage que Wayne avait incarné dans *Cent dollars pour un shérif*[2].

Le film se réduisait pour l'essentiel à un échange de répliques stéréotypées entre deux légendes du cinéma. Mais les deux stars prirent beaucoup de plaisir au tournage. Les deux vieux routiers aux opinions politiques opposées évitèrent soigneusement les sujets qui fâchent ; ils avaient décidé de s'amuser.

« Je peux affirmer que je n'ai jamais rencontré quelqu'un qui travaille aussi dur et aussi sérieusement que Duke. Il allait droit au but, très honnête, et drôle. Quelqu'un de parfaitement naturel. Nous étions dans la région des Cascades et, parfois, il nous arrivait de partir à cheval toute la journée. C'était John Wayne : très grand, peu de fesses, très drôle. »

Le casting attira quelques spectateurs, mais sans plus.

En 1976, Hepburn accepta une tournée de trois mois pour une pièce intitulée *A Matter of Gravity* (*Une affaire d'importance*) de son amie Enid Bagnold. Il s'agissait d'une version plus légère de sa pièce à succès *The Chalk Garden* (*Le Jardin de craie*), portrait de

---

1. *Rooster Cogburn*, de Stuart Millar, 1975.
2. *True Grit* (« le vrai courage »), western d'Henry Hathaway d'après le roman de Charles Portis, 1969. Un vieux shérif aide une jeune fille à venger son père.

diverses générations d'une même famille réunies dans une grande demeure de la campagne anglaise. Le rôle de la matriarche un peu toquée avait été interprété à Londres par Edith Evans. Enid Bagnold l'avait volontiers retaillé à la mesure de la grande dame du théâtre américain. Rétrospectivement, le plus grand mérite de la pièce était de révéler Christopher Reeve dans le personnage du petit-fils. Kate s'était vite entichée de ce très beau jeune débutant. Quand, plus tard, j'appris qu'il restait paralysé à la suite d'un accident qui avait failli lui coûter la vie, j'appelai Kate :

— Je suppose que vous allez me dire : « il aurait mieux fait de mourir ».

— Mmmm…, acquiesça-t-elle mollement pour aussitôt se corriger : Non, je ne crois pas. C'est quelqu'un de fort. Physiquement et moralement. Il adore sa famille. Il a du cran… et, contrairement à pas mal d'acteurs…, il a de la cervelle.

Avant de partir en tournée avec *A Matter of Gravity* à travers tout le pays, Hepburn fit une apparition dans un petit film étrange, aujourd'hui oublié, intitulé *Olly Olly Oxen Free*[1]. Elle y était la propriétaire d'un vieil entrepôt de ferraille qui aide deux jeunes à réparer leur ballon dirigeable : « Tout ce dont je me souviens, c'est que je montais dans le ballon. Un soir, nous avons filmé une scène dans laquelle je devais conduire le dirigeable au beau milieu d'un spectacle, sur la scène du Hollywood Bowl. J'avais même dit que ça valait bien le prix d'une place pour nous tous. »

À la suite de la tournée réussie de *Matter of Gravity*, Hepburn participa à un nouveau téléfilm de George Cukor, qui avait alors soixante-dix-neuf ans, tiré de la pièce d'Emlyn William, *Le blé est vert*[2]. Bette Davis avait joué avec succès la version cinématographique de 1945[3] ; Kate fut ravie de voir toute l'équipe du téléfilm obtenir diverses récompenses.

Spencer Tracy était mort depuis quinze ans, mais Katharine Hepburn était toujours aussi demandée. Elle honorait joyeusement la couverture des magazines et acceptait les interviews, dont celle

---

1. De Richard A. Colla, 1978.
2. *The Corn is Green*, 1979.
3. Par le réalisateur Irving Rapper, 1945.

de Dick Cavett, l'animateur d'une émission télévisée tardive. En 1974, à la stupéfaction des téléspectateurs du monde entier et du millier de personnes présentes ce soir-là au pavillon Dorothy Chandler, David Niven, qui présidait la cérémonie des oscars, annonça ainsi l'orateur qui allait entrer sur scène :

« Et voici une star : Katharine Hepburn. »

Elle apparut en tailleur-pantalon noir et sabots. La foule se leva, abasourdie. Hepburn demanda le silence et remercia le public pour son accueil émouvant.

« Je suis heureuse, poursuivit-elle, de n'avoir entendu personne crier : "Il est temps !" Je suis la preuve vivante qu'on peut renoncer à l'égoïsme au bout de quarante et un ans. »

Elle était venue remettre le prix Irving Thalberg[1] à son vieil ami Lawrence Weingarten, producteur de *Madame porte la culotte*. Après la remise du prix, Hepburn abandonna le lauréat aux journalistes, se glissa dans une limousine et s'en alla aussi discrètement qu'elle était arrivée. Les apparitions publiques de Hepburn, à Los Angeles et à New York – sur un court de tennis avec Alex Olmedo au Berverly Hills Hotel, pelletant la neige devant chez elle, Quarante-Neuvième Rue Est, ou à la sortie d'un théâtre de Broadway –, se firent moins rares.

Dans les années 1980, parmi les stars de la génération de Hepburn, la plupart des hommes étaient morts et les quelques femmes encore survivantes se terraient. Kate était sujette à des tremblements de la tête et parfois des mains, sa voix chevrotait et des mélanomes apparaissaient régulièrement sur son visage – « trop de soleil. Ce n'est pas bon pour les rousses ». Mais sa vigueur et son énergie n'avaient pas diminué, du moins pas visiblement.

Un jour, elle se fit accompagner par son ami Noel Willman, qui l'avait dirigée dans plusieurs pièces, pour assister à la représentation de *La Maison du lac*[2] d'Ernest Thompson. Hepburn apprécia la « véracité » du portrait de ce vieux couple confronté aux difficultés de l'âge. Il manquait aux acteurs, selon elle, au moins vingt

---

1. L'un des producteurs légendaires de la MGM.
2. *On Golden Pond.*

ans de plus pour être tout à fait convaincants, mais elle pensait que l'histoire pourrait faire un bon film.

Ce que pensait également Jane Fonda. Celle-ci avait été intéressée par les rapports père-fille de la pièce – un père trop peu démonstratif et une fille en manque d'encouragements. Elle y retrouvait ses problèmes familiaux avec sa légende de père, Henry. Les deux stars, aussi mythiques l'une que l'autre, ne se rencontrèrent que lorsque la maison de production de Jane eut bouclé le projet, présentées par le réalisateur Mark Rydell.

« C'était étrange, disait Kate à propos de son rôle. Tout se passait comme si j'étais la mère que Jane avait rêvé d'avoir... et comme si son père et moi veillions à ce que tout ce passe bien dans le film, de façon que cela se passe bien pour elle. Il y avait comme un drame qui apparaissait en filigrane quand ils jouaient ensemble ; je crois bien qu'elle a assisté à toutes les scènes qui nous réunissaient, lui et moi. Elle semblait nous regarder avec envie. »

À la fin de l'histoire, Ethel Thayer, le personnage incarné par Hepburn, essaie d'instiller un peu de tolérance dans l'esprit de sa fille et de son mari, tous deux murés dans leur rancœur. Arrivée à ce point du tournage, Hepburn se sentait pleine d'admiration pour Jane Fonda : « Nous avons tous pris beaucoup de plaisir à faire ce film, disait-elle. C'était formidable. »

Kate y montra par la même occasion tout le cran dont elle était capable : elle plongeait tout habillée dans le lac Squam, chantait une vieille chanson de feu de camp tout en dansant et imprégnait son mari de son amour et de sa sagesse. Elle quitta le tournage en songeant qu'il avait dû être bien difficile d'être la fille d'Henry Fonda : « Hank [Henry] avait une carapace d'une épaisseur incroyable. Je n'en savais pas plus sur lui à la fin du tournage qu'au début. Froid, froid, froid. »

Hepburn avait offert à Fonda un des vieux chapeaux préférés de Spencer Tracy. L'acteur lui rendit la politesse en lui offrant un tableau qu'il avait fait ; il représentait trois chapeaux, celui de Tracy au milieu. Kate fut touchée – jusqu'à ce qu'elle s'aperçoive qu'il en avait fait tirer des reproductions, dont des dizaines furent expédiées aux publicitaires : « Un homme étrange. Parfois colérique. Triste. »

Hepburn avait contribué au script – plus, je crois, que ce qu'elle disait. Elle se fit étonnamment modeste le soir où elle évoqua le discours qu'Ethel tient à son mari – elle l'appelle son « chevalier blanc » et le conjure d'aller toujours de l'avant. Je fis remarquer que c'était là du pur « Hepburn », ce à quoi elle répondit en vantant le travail de l'auteur dans la composition des personnages. Ernest Thompson remporta l'oscar du meilleur scénariste cette année-là ; Henry Fonda son premier oscar, que sa fille reçut pour lui pendant qu'il regardait de son lit la cérémonie à la télévision, quelques mois avant sa mort. Battant son précédent record, Katharine Hepburn obtint son quatrième oscar.

Au même moment, elle se produisait dans une nouvelle pièce : *The West Side Waltz*, d'Ernest Thompson. Encore un essai sur le thème de la vieillesse – une femme refuse de tirer sa révérence... Elle espérait qu'un producteur achèterait les droits pour une version cinématographique, avec Elizabeth Taylor, Doris Day et elle-même comme interprètes. En vain. Elle se rabattit sur un film intitulé *Faut m'éliminer*[1]. L'auteur en avait jeté le script par-dessus sa grille, racontait Kate, et elle était tombée amoureuse de l'histoire, une comédie très noire dont l'héroïne, une vieille femme, loue les services d'un tueur (joué par Nick Nolte) pour supprimer ses vieux amis à l'agonie. Hepburn fut une des rares à en apprécier l'humour.

Au cours des années suivantes, Kate vit disparaître peu à peu ses amis, ses relations et ses anciennes « rivales » des années 1930 (qu'elle connaissait fort peu ou pas du tout, pour la plupart) : Bette Davis, Joan Crawford, Myrna Loy, Jean Arthur, Mae West, Irene Dunne, Barbara Stanwyck. Puis Garbo, Dietrich, Greer Garson, Sylvia Sidney et Claudette Colbert. Laura Harding, la grande amie de ses débuts artistiques, s'isolait dans sa propriété du New Jersey, ce qui l'irritait passablement.

Elle renoua une chaleureuse relation avec Luddy, désormais veuf, et atteint d'un cancer incurable. Il accepta pendant quelque temps ses invitations à Fenwick, puis, quand le voyage devint trop

---

1. *The Ultimate Solution of Grace Quigley*, d'Anthony Harvey, 1984.

pénible pour lui, elle vint à son chevet : « Je faisais tout ce que je pouvais pour lui, sachant que je ne lui rendrais jamais toute l'aide qu'il m'avait apportée, m'avouerait Kate bien longtemps après. Je ne peux imaginer ce qu'aurait été ma vie sans Luddy. C'est le ciel qui me l'avait envoyé. »

Il devait mourir quelques mois plus tard.

Plus que jamais, Hepburn entretenait ses nouvelles amitiés. Cynthia McFadden, à présent divorcée, lui consacrait du temps malgré son intégration dans l'équipe de *ABC News*. Tony Harvey avait quitté New York pour Hampton mais lui rendait régulièrement visite, à Turtle Bay ou à Fenwick, et réussit même à la faire venir à Long Island. David Eicher faisait souvent le trajet de Philadelphie pour dîner à Fenwick et y passer la nuit. Elle ne manquait pas d'aller soutenir Martina Navratilova, dont elle exhibait fièrement une des raquettes dans son salon. Et l'échotière Liz Smith comptait désormais parmi ses relations. Elle en appréciait les propos, disait-elle, malgré « l'ineptie de sa profession ». Elle se surprenait à consacrer du temps à des gens qu'elle n'aurait pu supporter autrefois. Elle invitait à dîner Corliss Lamont chaque fois qu'il l'appelait, un vieux philosophe intelligent mais plutôt pesant, capable de rester plongé dans son mutisme des quarts d'heure entiers. Cela faisait vingt ans que Kate n'avait plus adressé la parole à Garson Kanin, depuis qu'il avait commis un livre farci d'anecdotes sur *Tracy and Hepburn* ; lui aussi finit par revenir en grâce, pour la simple raison qu'il était disponible.

« Ah, fit-elle avec lassitude le jour de leurs retrouvailles, je suis trop vieille pour garder rancune. »

Mais son carnet de bal n'était pas encore assez plein. Un soir sur deux au moins, Kate et Phyllis se retrouvaient seules à dîner, dans un silence de plus en plus lourd.

À plus de quatre-vingts ans, Hepburn restait professionnellement active. Elle continuait de faire des films pour la télévision – dont la qualité baissait régulièrement, ce qui ne l'empêchait pas de rester très populaire. Elle participait à des documentaires – parfois en tant que sujet mais le plus souvent en tant que témoin, pour parler de Spencer Tracy ou de George Stevens. Pendant des années, elle bricola un scénario intitulé *Me and Phyllis (Phyllis et moi)*, qui mettait en scène leur vie commune. Le moment fort en était l'accident de voiture dans lequel Kate faillit perdre un pied et Phyllis la vie. Un soir, dans son salon de la Quarante-Neuvième Rue, Kate interpréta pour moi l'ensemble du script. Elle avait saisi les détails comiques de leurs échanges, et à plusieurs reprises, la gratitude qu'elle exprimait envers Phyllis m'arracha des larmes. Cela dit, il s'agissait d'un ouvrage étrange, censé être un quasi-documentaire émaillé de scènes de la vie de Hepburn. Elle me demanda ce que j'en pensais et comment elle pouvait l'améliorer. Une seconde, je me sentis dans la peau de William Holden bafouillant devant Norma Desmond, dans *Boulevard du crépuscule*[1].

— Attention, me fit-elle avant que j'aie ouvert la bouche, ne détruisez pas les illusions d'une vieille femme.

— Eh bien, ce soir, c'était joué de façon magnifique. Mais cela fera-t-il rire à l'écran ? Je veux dire, est-ce que ça ne fera pas un peu bizarre ?

— Mais vous avez ri, et je jouerai mon propre rôle.

— Ouais. Mais vous avez joué le tout comme si vous lisiez un texte. Ce sera différent sur un plateau, le cinéma réduit tout au premier degré. Et puis, ajoutai-je, qui pourrait jouer le rôle de Phyllis ?

— C'est vrai, intervint Phyllis. Personne ne peut tenir mon rôle.

Kate me demanda de faire des suggestions. J'avançai le nom de Mona Washbourne et Mildred Natwick qui, toutes deux, avaient un peu de la charmante candeur de Phyllis.

— Dommage que Nigel Bruce ne soit plus là, laissa tomber Kate.

— Nigel Bruce, pour jouer mon personnage ? s'indigna Phyllis.

— Ne t'inquiète pas, chérie. Il est mort.

En fait, plusieurs producteurs s'étaient montrés intéressés ; mais, me semble-t-il, leur intention véritable était d'approcher Hepburn pour utiliser son nom d'une manière ou d'une autre.

---

1. *Sunset Boulevard*, de Billy Wilder, 1950, avec Gloria Swanson et Erich von Stroheim. Norma Desmond, ancienne gloire du muet, espère faire un retour sur les écrans grâce à un scénario de son cru.

Joseph E. Levine, qui avait à son actif pas mal de coups tordus, s'attacha activement au projet et soutint qu'il avait de quoi le financer. Les pourparlers étaient si bien avancés que Kate accepta un jour de déjeuner en ville avec lui. C'était la première fois depuis une bonne vingtaine d'années qu'elle allait au restaurant. Pour célébrer l'événement, elle choisit The Four Seasons (Les quatre saisons), avec caviar et champagne et apprécia beaucoup l'escapade. Mais, au bout du compte, point de contrat.

Peu importait. Hepburn termina son deuxième livre autobiographique, *Me*, compilation des griffonnages jetés sur le papier les années précédentes. Sonny Mehta et l'équipe des éditions Knopf mirent toute leur énergie dans le lancement du livre. À la fin du printemps 1991, au moment de la foire du Livre de New York organisée par l'Association des libraires américains, quelques mois avant la sortie de son ouvrage, Kate organisa chez elle un cocktail à l'intention des principaux libraires et propriétaires de chaînes de diffusion littéraire.

Elle eut un instant de panique. Des dizaines de personnes s'entassaient dans la maison, et d'autres dans le jardin. Kate m'entraîna à l'étage :

— Mais qu'est-ce qui m'a pris de faire ça ?

Je lui assurai que la réception était une opération de relations publiques réussie, que tous ceux qui étaient là étaient ravis de pouvoir la rencontrer.

— Non, fit-elle, anéantie, je veux dire : qu'est-ce qui m'a pris de publier ce livre ? Au point où j'en suis, à quoi bon ?

— Peut-être parce que le public vous a donné beaucoup au fil des années. Votre livre est une façon de lui donner quelque chose en échange. Une petite partie de vous-même.

Kate revint auprès de ses invités toute souriante. À la sortie du livre, elle envoya des exemplaires dédicacés à tous ceux qui avaient contribué à sa publication. Elle accepta même certaines publicités mûrement sélectionnées. Sans jamais dévoiler son intimité, l'ouvrage reflétait ce qu'avait été son existence de travail acharné et d'aventures entremêlés d'instants de bonheur. Lors d'un séjour à Fenwick, j'en découvris un exemplaire sur mon lit, porteur d'une amicale dédicace de l'auteur. En le feuilletant, je pus

constater que mon nom figurait également parmi les remerciements : Scott Berg, « mon principal censeur ». Je descendis la voir.

— J'imagine que l'exemplaire m'est destiné ?

— Mmmm, fit-elle négligemment. Cela vous va ?

— Oui, formidable. Merci pour le gentil petit mot. Cela dit,
franchement, Kate, je ne suis pas votre *censeur*, n'est-ce pas ?

— Comment ça ? Bien sûr que si. Vous passez votre temps à
me corriger, à me critiquer et vous voulez toujours avoir le dernier
mot.

— Ce n'est pas vrai, protestai-je. Je me contente de vous
glisser une suggestion de temps en temps.

— C'est bien ce que je dis. Et c'est exactement ce que vous
êtes en train de faire. Mon Dieu, vous êtes vraiment désespérant !

Quelques jours plus tard, de retour à New York, nous décou-
vrîmes que *Me* était en tête de liste des best-sellers. Je lui demandai
alors quel était le rôle qui lui avait donné le plus de satisfaction.

— Je dois dire, répondit-elle après une pause, tout en contemplant l'oie en bois suspendue au plafond qui avait agrémenté jadis
le bungalow de chez Cukor – ce fut celui que j'ai tenu pendant ces
quelques années où je n'ai pas travaillé.

Elle parlait des cinq années ayant précédé la mort de Spencer
Tracy. Puis elle me surprit en évoquant avec une grande précision
le moment où, entre nous, ce sujet avait été abordé pour la première fois.

— Mais, ajouta-t-elle, avec un sourire qui rappelait nos
longues années d'amitié écoulées depuis cette première fois, je ne
parle jamais de cette époque.


— C'est qui, Donovan ? me demanda Kate au téléphone un
jour d'été de 1990.

— Donovan ? Vous vous intéressez à lui ?

— Qui est-ce ?

— Eh bien, un chanteur, une sorte de chanteur folk des années
1960. Pourquoi lui ?

— Parce que je vais participer à son émission.

— Son émission ? Quel genre d'émission ?

— Son émission télévisée.

— Kate, ce type était un chanteur hippie et un auteur de chansons des années 1960. Je ne crois pas qu'il ait une émission de télévision. Et quel type d'émission, à votre avis ?

— C'est une sorte de débat. Comme avec Cavett. Mais ça se passe pendant la journée et il paraît que les femmes au foyer l'adorent.

— D'accord, j'ai compris. Il s'agit de Dona*hue*. Phil Donahue. En effet, il fait une émission très populaire. Ce serait formidable pour votre livre. Mais vous m'avez fait peur. Je vous voyais déjà avec un foulard indien dans les cheveux et des perles partout.

Je ne participai guère à la promotion du livre de Kate, qui faisait ce qu'on attendait d'elle. Cynthia McFadden lui avait promis qu'on ne lui demanderait pas de se montrer dans *Sally Jessy Raphael* ou toute autre émission bas de gamme. De toute façon, il n'y avait pas de souci à se faire. Personne ne savait vendre Katharine Hepburn mieux qu'elle-même. Au point qu'elle parlait souvent d'elle-même à la troisième personne, de « cette créature » : « Cette créature » est devenue une institution, disait-elle, comme le Flatiron Building ou la statue de la Liberté, un bastion qui a résisté aux épreuves du temps. *Me* fut un succès phénoménal ; il resta en tête des best-sellers pendant un an.

Puis, après l'effervescence de la sortie du livre, les ventes déclinèrent, les interviews et les publicités se firent plus rares, et Kate se retrouva inoccupée. C'était la première fois depuis longtemps. À l'âge de quatre-vingt-six ans, elle n'avait même plus de projet en vue. Des scripts lui arrivaient régulièrement, dont la plupart étaient décourageants – des scénarios paternalistes sur « d'adorables petites vieilles. D'un ennui mortel », disait-elle. Elle reçut d'innombrables adaptations des *Papiers d'Aspern*[1], dont l'une, me dit-elle incrédule en éclatant de rire, était pornographique.

Elle se consacrait désormais à son courrier. Une secrétaire procédait au tri et lui présentait les lettres appelant une réponse. Quelques-unes avaient droit à une réponse manuscrite, écrite au stylo sur papier à en-tête KATHARINE HOUGHTON HEPBURN. Les

---

1. *The Aspern Papers*, le roman d'Henry James.

autres recevaient une réponse dictée, un peu plus tard dans la journée. Les lettres importantes étaient classées par ordre alphabétique dans de gros classeurs accordéon qu'on stockait ailleurs. L'essentiel du courrier provenait d'admirateurs inconditionnels. Une lettre, en particulier, l'irrita démesurément. Elle ne tarissait pas d'éloges sur son talent, sa beauté et l'influence qu'elle avait exercée sur la vie du signataire, qui avait commis l'impair d'adresser son enveloppe à « Katherine Hepburn » : « Mon Dieu ! marmonnait Kate. La moindre des choses aurait été d'apprendre à épeler mon nom. »

Elle était ravie de voir son travail apprécié mais, d'un autre côté, elle trouvait beaucoup de ces lettres dérangeantes : « Si ce que j'ai fait de ma vie les inspire tant, pourquoi ne font-ils pas quelque chose de la leur, au lieu de passer leurs soirées à regarder de vieux films ? »

Plus ennuyeuses étaient les lettres farfelues voire insultantes – généralement au sujet de ses prises de position sur l'avortement. On y trouvait parfois des menaces. « Tout cela au nom de "Dieu est amour" », ne manquait pas de faire remarquer Kate lorsqu'elle recevait ce type de courrier ou apprenait par la presse qu'un fanatique religieux avait commis un attentat contre une clinique pratiquant l'avortement. On classait à part les lettres d'injures, que Kate rangeait soigneusement dans un placard situé hors du salon.

En ces années 1990, le vrai souci de Kate était le comportement de Phyllis. Celle-ci avait toujours fait mystère de son âge ; on lui attribuait généralement quelques années de plus que Kate. Elle semblait tenir du miracle médical, vaquant consciencieusement à ses travaux quotidiens sept jours sur sept, mais, en réalité, depuis des années, Kate s'occupait d'elle plutôt que l'inverse. Phyllis fonctionnait au ralenti. Plusieurs fois par jour, elle avait besoin de s'allonger et, souvent, elle était désorientée. « Phyllis a besoin d'une Phyllis », disait Kate, qui avait embauché quelqu'un pour veiller sur elle, afin d'éviter qu'elle ne se blesse au cours de ses errances. Un samedi que j'arrivais à Fenwick, je trouvai

Phyllis hébétée dans le hall d'entrée, son manteau à moitié enfilé. Je lui demandai si tout allait bien.

— Oh, très bien, très bien, répondit-elle. Mais je ne sais plus si je sortais ou si je rentrais.

Kate commençait à se sentir seule. Cynthia McFadden venait la voir aussi souvent que possible, mais l'ascension rapide de sa carrière, ses nouvelles amours et son bébé lui prenaient de plus en plus de son temps. Tony Harvey vivant désormais à Hampton et David Eichler à Philadelphie, ils se faisaient rares ; son amie la pianiste Laura Fratti souffrait d'une mauvaise santé et se déplaçait peu. Quant à moi, j'avais terminé mes recherches sur Lindbergh. Je restais à présent à Los Angeles pour la rédaction du livre. Dans les années qui suivirent, je n'eus guère d'autres raisons de venir sur la côte est que mes visites à Kate. Au début, j'essayais de m'échapper une fois par mois. Puis mes voyages se réduisirent à quatre fois l'an, puis deux. J'essayais de garder le contact par téléphone, mais Kate, qui n'aimait pas l'instrument, ne manquait pas de manifester son irritation. Elle me demandait où j'étais, et commentait : « Bon, je ne vois pas en quoi vous pouvez m'être utile là où vous êtes, puis ajoutait le plus souvent : Vous devriez venir rapidement... avant que je meure. »

Nos rencontres restaient agréables mais elles avaient changé de caractère. Elle était moins stimulée ; son existence faisait du surplace. Elle se déplaçait plus lentement, son énergie déclinait. Le temps de nos conversations jusqu'à minuit, puis dix heures et même huit heures, était révolu. Il lui arrivait de vouloir dîner à cinq heures, après quoi elle escaladait littéralement l'escalier, en s'aidant des mains, pour être dans sa chambre à six heures, avant le coucher du soleil. La seule chose qui pouvait la retenir un peu plus longtemps au salon du bas, c'était un verre de whisky. À l'approche des quatre-vingt-dix ans, elle avait changé de marque, délaissant le King William IV pour le Famous Grouse. Des parents fortunés à elle, installés à Boca Grande, en Floride, le lui avaient fait apprécier.

— Vraiment, Kate, lui dis-je en faisant mine d'être vexé, cela fait des années que je vous conseille ce scotch, que je vous dis qu'en Angleterre tous les gens bien boivent ça, et vous ne m'avez pas écouté. Et il suffit que des Houghton vous en parlent pour que vous vous y mettiez.

Elle s'en souvenait parfaitement.

— Vous m'avez prise sur le fait. La vérité, c'est que je suis une snob incorrigible.

Norah m'apprit que Kate avait désormais l'habitude de boire deux verres avant le dîner et un ou deux après. Jamais le whisky ne sembla affecter son état de santé mais il embrumait quelque peu son esprit. Elle avait des trous de mémoire qui inquiétèrent suffisamment Norah pour qu'elle prenne sur elle d'allonger d'eau le whisky. Au cours d'une de mes visites, celle-ci m'expliqua qu'elle vidait à moitié les bouteilles de Famous Grouse pour diluer le reste avec de l'eau.

— C'est curieux, me dit Kate un soir pendant le dîner. J'ai complètement perdu le sens du goût. Je prends un verre, et ça ne sent rien.

Inconsciemment, Kate se servait de l'alcool comme d'un analgésique – non seulement pour pallier son sentiment de solitude mais aussi pour atténuer la douleur physique qui, je m'en doutais depuis longtemps, empirait progressivement. Je savais déjà que l'émotion (à l'occasion d'un décès, d'une histoire touchante, d'un film triste) lui faisait monter les larmes aux yeux. Mais je ne l'ai vue qu'une fois pleurer de souffrance. C'était en 1992, à la fin de l'après-midi. Elle essayait de grimper sur la banquette du salon pour arroser les plantes. Elle croyait être seule ; je voyais qu'elle souffrait terriblement ; elle finit par lancer en l'air son pied malade, ce qui lui arracha un petit cri et je me portai à son secours. Elle avait les larmes aux yeux mais elle mit sa réaction sur le compte d'un faux pas.

Une autre fois, pendant l'été 1992, nous étions partis nous promener en voiture dans un parc près de Fenwick. Kate avisa un grand massif de carottes sauvages dont l'une était particulièrement épanouie. Elle voulut la cueillir. Elle tira tant et plus sur la grande fleur sans parvenir à la déraciner, puis essaya de casser la tige mais ne réussit qu'à la plier. Elle me demanda la clef de la voiture pour faire office de couteau. Elle était déjà courbée depuis plusieurs minutes au-dessus de l'ombellifère quand la bruine tourna à la pluie. Mère nature était manifestement en train de gagner la partie ; j'intervins :

— Kate, allons-nous-en. Ça commence à tomber dru.

Elle abandonna la fleur, et je vis qu'elle avait les yeux mouillés. La pluie n'y était pour rien. Nous fîmes le trajet de retour en silence.

Cette histoire me troubla bien moins que l'incident qui eut lieu au cours d'une promenade en voiture quelques mois plus tard, au printemps 1993. Son chauffeur habituel des dernières années, un homme d'humeur égale et de grande gentillesse, était mort inopinément. Quelqu'un d'autre tenait le volant. C'était un samedi matin et nous nous rendions chez Peg pour le déjeuner, un trajet que Kate avait fait des milliers de fois. Aux abords de Hartford, l'autoroute 91 présentait une sortie est et une sortie ouest, et le conducteur demanda quelle direction prendre.

— Est, répondit Kate de façon péremptoire.

— N'allons-nous pas chez Peg ? demandai-je.

— Évidemment. Où croyiez-vous aller ?

— Mais Peg habite à l'ouest de Hartford.

— Non. Prenez la sortie est, est, cria-t-elle au conducteur en me lançant : Vous n'avez jamais eu le sens de l'orientation. Elle habite à l'est.

— Kate, lui dis-je en attrapant la carte, à moins que Peg n'ait déménagé, elle vit à l'ouest de Hartford.

J'étendis la carte du Connecticut sur mes genoux.

— Nous sommes là, et Peg est là, à gauche.

Kate semblait désarçonnée mais elle haussa les épaules.

— Ah bon, j'ai toujours cru que c'était à l'est.

Près de six mois s'écoulèrent avant que je puisse quitter Los Angeles pour venir la voir. Elle passait alors le plus clair de son temps à Fenwick, ne se rendant à New York que pour les rendez-vous chez le médecin, l'avocat ou le comptable – qui, du moins, servaient à rompre la monotonie de la semaine. Je pus me libérer un week-end, au début de l'automne. Je ne voulais pas lui annoncer ma visite trop longtemps à l'avance de crainte d'avoir à l'annuler à la dernière minute. Je l'appelai un mardi après-midi pour la prévenir que je serais à Fenwick le lendemain pour le dîner. Notre long entretien téléphonique fut très agréable et nous plaisantâmes sur le fait qu'elle devrait attendre cinq heures et demie avant de se mettre à table.

Je partis tôt le lendemain matin pour New Haven où je pris une voiture pour Old Saybrook. J'étais dans les temps. Je pris la chaussée qui menait à Fenwick et arrivai sur l'esplanade de la maison. Une femme affairée me jeta un coup d'œil depuis la fenêtre de la cuisine. Il s'agissait de Hong Luang, la nouvelle femme de charge de Fenwick, une personne au caractère bien trempé mais généreux qui se chargeait également de la cuisine.

— J'espère que vous m'attendiez, dis-je en lisant sur son visage que ce n'était pas le cas.

— Ne vous inquiétez pas, dit-elle. Il y a tout ce qu'il faut.

Mais je m'inquiétais. Kate et Phyllis étaient installées dans le salon – plus sombre que d'habitude et mortellement silencieux – devant la télévision, à attendre qu'on les serve.

— Vous vous souvenez que je devais venir ?

— Mais qu'est-ce que vous…, commença-t-elle en s'arrêtant net pour rectifier ses paroles d'accueil.

C'était la première fois que je voyais Kate embarrassée et même un peu honteuse.

— Vous voici dans la demeure de très vieilles personnes, me dit-elle.

Je me versai un verre de Famous Grouse – un double, bien tassé. Ça n'avait aucun goût.

# 10

# Voyages avec « ma tante[1] »

Les acteurs occupent une place particulière dans le phylum social. Ce sont des individus d'une espèce hors norme, qui veulent être vus à proportion qu'on souhaite les voir. Ils font vivre des histoires et s'emparent de nos émotions. Ils sont les véhicules d'instants de lucidité et parfois nos miroirs. Nombre d'entre eux deviennent des points de référence communs à toute la planète, des archétypes universels. Nous considérons les professionnels de la comédie comme des êtres surhumains. Nous les choyons et les célébrons. Parfois même, nous en faisons des idoles.

Puis il y a les stars de cinéma, produit d'une sélection dans la sélection. Nous sommes fascinés par ces quelques heureux élus au point que nous les comblons de privilèges. Ils reçoivent des millions de dollars pour quelques jours de travail ; on sollicite leur avis sur tous les sujets. Ils bénéficient de toutes sortes de faveurs, entrées exclusives, sorties subreptices…

L'existence des plus grandes stars de cinéma – les « superstars » – est généralement aussi irréelle que celle des personnages qu'ils incarnent. Une sorte de frénésie les entoure perpétuellement ; un tourbillon de managers, agents, publicitaires et autres assistants contrôlent leur emploi du temps : interviews, séances de

1. D'après le titre du roman de Graham Greene, *Voyages avec ma tante* (*Travels with My Aunt*), 1969.

photo, apparitions publiques. La sonnerie du téléphone devient une drogue qui les rejette dans l'obscurité dès qu'elle s'arrête.

Le mode de vie de celles qui devinrent célèbres dans les premiers âges du cinéma était encore plus artificiel. Les stars sous contrat des années 1930, 1940, 1950 travaillaient en permanence ; ce qui se passait hors du plateau importait moins que ce qui se déroulait devant les caméras. Les patrons de studios qui payaient la note régentaient l'existence de leurs acteurs fétiches jusque dans les moindres détails. Il y avait toujours des doublures disponibles pour les scènes dangereuses ou simplement déplaisantes, qu'il s'agisse de cascades ou de rester sous la chaleur des spots. Hors caméra aussi, on s'occupait de tout. Pas seulement de l'habillement, de la présentation et des corvées personnelles. On cachait sous le tapis les affaires de mœurs, les activités inavouables, voire illégales. On s'arrangeait.

Bien des stars finissent par croire aux épanchements hagiographiques qu'elles lisent dans la presse. Après un an de cachets fabuleux (quand ce n'est pas dix ans voire une vie entière), leurs exigences gonflent démesurément. Et la plupart s'imaginent que tout leur est dû.

L'un des aspects les plus attachants de la personnalité de Katharine Hepburn était qu'elle ignorait ce comportement. Elle avait beaucoup d'exigences, certes. Mais elle les avait déjà bien avant d'être une star. Elle gardait toujours les pieds sur terre. En vingt ans, je ne l'ai jamais vue écraser quiconque pour réaliser ses ambitions. En dépit de son impatience, elle restait modeste et humaine, pleine de reconnaissance pour sa bonne fortune. Il n'était pas au-dessous d'elle de faire un lit, de cuisiner un repas, de couper du bois ou de travailler dans son jardin. En vérité, elle y prenait plaisir. Dans sa cuisine, à Fenwick, je la voyais souvent passer une éponge sur le comptoir, nettoyer derrière quelqu'un.

Bref, elle n'a jamais abandonné sa conception du travail. L'argent n'était pour elle qu'un moyen de vivre suffisamment confortablement pour travailler encore plus, jusqu'à ce que les forces physiques l'abandonnent. « La retraite ? s'était-elle exclamée un soir au dîner quand, mine de rien, Irene Selznick avait abordé le sujet. Pour quoi faire ? Pourquoi faudrait-il que les acteurs laissent tomber le public quand le public ne les laisse pas tomber ? Tant que les gens achètent ce que je leur vends, ajoutait-elle, je continuerai à vendre. »

Kate n'avait jamais compris comment on pouvait s'accrocher à un emploi où l'on ne se plaît pas. Les lamentations des stars sur les tracas de la profession – les impôts, l'absence de vie privée – l'exaspéraient au point de lui donner honte d'en être une : « Et ces acteurs qui se plaignent dans les interviews de faire douze heures par jour ! Vous restez assis onze heures sur douze. Ce n'est tout de même pas comme s'il fallait porter des bottes de foin toute la journée ! »

« Mais qu'est-ce qu'il croit ? avait-elle remarqué à propos d'un article qui mentionnait que Sean Penn avait viré un photographe à coups de poing. Vous ne pouvez pas vous trimballer en disant "Je suis quelqu'un d'exceptionnel, mon boulot consiste à demander qu'on me regarde, qu'on paye pour me voir", pour ensuite faire un scandale quand quelqu'un prend une photo de vous. Quand on ne veut pas être un personnage public, on n'exerce pas une profession publique et on n'apparaît pas en public. Parce que se montrer, c'est jouer le jeu. »

Elle ne comprenait pas plus les stars qui poursuivaient les journaux qui publiaient des mensonges sur leur compte : « Je n'ai jamais prêté attention à ce qu'on écrivait sur moi, disait Hepburn, tant que ce n'était pas la vérité. »

Tout en ayant recherché les feux de la rampe toute sa vie, elle trouvait qu'on attachait trop d'importance aux acteurs et qu'on leur vouait trop de respect : « Regardons les choses en face, m'expliqua-t-elle. Nous nous prostituons. J'ai passé ma vie à me vendre – à vendre mon visage, mon corps, ma façon de marcher, de parler. Un acteur, ça dit : "Tu peux me regarder, mais tu dois payer pour ça." »

C'est peut-être vrai, lui avais-je répondu, mais l'acteur offre aussi un service particulier : ils sont appréciés dans la mesure où ils libèrent nos émotions : « Ce n'est pas si simple d'émouvoir les gens, avais-je argumenté, voire de les amener à penser différemment, quand ce n'est pas à se conduire différemment. »

Hepburn ne s'était-elle pas elle-même servie de sa célébrité pour toutes sortes de causes – pour l'égalité des femmes, pour

Roosevelt, contre le maccarthysme ou pour le planning familial ?
« Pas vraiment, avait-elle répondu. J'aurais pu faire plus. Beaucoup plus… Cela ne demande pas beaucoup d'efforts de se
montrer à un dîner au côté du président ou d'accepter la récompense d'une organisation qui se fait ainsi un peu de publicité.
Vous parlez d'une épreuve ! D'un dérangement ! Franchement ! »

Los Angeles, par bien des aspects, est une métropole qui vit
d'une seule industrie. Bien sûr, le secteur financier, l'immobilier,
l'aérospatiale, l'industrie musicale, ont toujours beaucoup compté
dans l'économie et l'image de la ville. Mais c'est le cinéma qui
domine, qui infiltre tous les interstices de la vie de la cité. Les
photos de stars décorent les murs des bars, des restaurants, y
compris des stations de lavage de voitures – avec les dédicaces de
gens comme Burt Reynolds, Zsa Zsa Gabor et Rock Hudson.
Même si la plupart des habitants de Los Angeles n'ont jamais rencontré une seule star, tout le monde les « connaît », par le biais de
l'entraîneur, du coiffeur, de la fleuriste, du teinturier ou de la caissière de supermarché.

Pendant près de soixante-dix ans, les apparitions de Katharine Hepburn furent les plus rares – plus même que celles de
Garbo, qui faisait quotidiennement sans se cacher sa petite promenade dans les rues de New York. On avait rarement une anecdote
de première main sur le compte de Katharine Hepburn. Même si
certains de mes amis étaient au courant de nos relations – essentiellement parce que son nom figurait dans la dédicace de la page
de garde et dans les remerciements de mon livre sur Goldwyn –
rares furent ceux qui tentèrent de violer son intimité, même par de
simples questions.

Je « connaissais » Warren Beatty grâce à des relations com-
munes et à mon frère aîné Jeff, qui dirigeait l'International Creative
Management, une importante agence artistique, mais je ne l'avais
jamais rencontré avant le début de l'année 1993. C'est à cette date
que je reçus des appels émanant de l'agent de son épouse. Celui-ci
me faisait part de l'admiration d'Annette Bening pour Anne
Morrow Lindbergh. Elle aurait aimé me rencontrer pour que je lui
parle des informations glanées dans les archives privées de Lind-

bergh. Un troisième appel, insistant, transmettait le désir de Warren Beatty de me rencontrer également. Quelqu'un devait me téléphoner dans de brefs délais pour convenir d'un dîner. Cinq mois passèrent sans nouvelles.

L'agent me rappela à la mi-juillet pour fixer la date du rendez-vous. Je n'étais pas sûr que ce fût une bonne idée, avais-je objecté. Au bout de six mois, l'initiative me semblait bien artificielle. Mais non, expliqua l'agent. Warren Beatty tenait beaucoup à la rencontre. S'il n'avait pas donné signe de vie, c'était qu'il était plongé dans la production, le rewriting et le recrutement des acteurs d'un film intitulé *Love Affair* (*Une histoire d'amour*). Il s'agissait de la reprise d'un film de 1957, *An Affair to Remember*[1], avec Cary Grant et Deborah Kerr, lui-même repris de *Love Affair*, sorti en 1939, avec Charles Boyer et Irene Dunne, l'un et l'autre inspirés d'une nouvelle de Mildred Cram. Il m'assura que Warren et Annette tenaient à ce que nous nous voyions le plus tôt possible.

Le mercredi 21 juillet, le producteur Kevin McCormick, qui venait d'intégrer l'équipe dirigeante de la Twentieth Century Fox, et moi-même quittâmes notre maison située dans les collines qui surplombent Sunset Strip pour nous diriger vers l'avenue Mulholland. Nous franchîmes la grille de chez Beatty à sept heures et demie tapantes. Warren jouait dans le salon avec sa fille de dix-huit mois, en compagnie de deux autres invités, l'agent de son épouse et la responsable d'un autre studio. Annette fit une brève apparition pour nous saluer et emmener l'enfant se coucher. Notre hôte échangea quelques propos avec les uns et les autres puis nous nous dirigeâmes vers la salle à manger, où Annette nous rejoignit. Rares sont les stars de cinéma qui font autant d'impression au naturel qu'à l'écran. C'était le cas des Beatty. Il était plus grand que je ne me l'imaginais et quelques rides d'expression non visibles à l'écran ajoutaient à sa séduction. Annette, quant à elle, était rayonnante.

La maison était confortable sans ostentation – si ce n'est le plafond rétractable installé dans la salle à manger pour donner aux invités l'impression de prendre leurs repas à l'air libre. Ce soir-là,

---

1. *Elle et lui* dans la version française, de Leo McCarey, 1957.

le dîner se déroula « à l'intérieur ». Le menu, diététique et néammoins succulent, était composé de volaille et de légumes, avec des fruits pour dessert. Visiblement adonnés à l'eau pure, nos hôtes ne touchèrent pas à la bouteille de vin. La conversation porta rapidement sur Lindbergh. Annette et les trois autres convives mangeaient en silence pendant que Warren me criblait de questions. Il découvrit avec surprise (et plaisir) les implications politiques de la saga familiale. Elles étaient, en effet, particulièrement riches : le grand-père de Lindbergh, député au Parlement suédois, avait dû s'expatrier à la suite d'un scandale politique mâtiné d'une affaire de mœurs, le père avait eu une longue carrière au Congrès émaillée de diverses controverses, et Lindbergh lui-même avait défrayé la chronique pour son engagement dans le mouvement isolationniste America First, lequel prêta à bien des malentendus. Je tentais de faire participer les autres convives à la discussion, notamment en sollicitant les commentaires politiques de Kevin, toujours judicieux. Mais ce n'était pas l'affaire de Warren. Ce soir-là, j'étais son unique cible. Peu après dix heures, la conversation changea de sujet mais pas d'interlocuteurs. Le reste des convives commençait à s'agiter quand Warren en vint à *Goldwyn*.

— Est-il vrai que je sois la dernière personne à qui Sam Goldwyn s'est adressé avant de mourir ? me demanda-t-il.

Pas vraiment, expliquai-je. Mais Warren Beatty était le dernier nom mentionné sur le relevé téléphonique avant l'attaque qui mit fin à sa carrière. Puis, au moment où les autres invités se levaient de table – morts d'ennui, me semblait-il –, la conversation prit un nouveau virage.

— J'imagine que vous connaissez bien Katharine Hepburn, me dit-il. J'ai vu que vous lui avez dédicacé votre livre.

Pendant qu'Annette raccompagnait les invités, Warren s'attarda avec moi. Il avait pris la mesure de mes liens d'amitiés avec Kate.

— Croyez-vous qu'elle aimerait travailler à nouveau ?

Pas dans l'immédiat, car elle venait d'achever un téléfilm décevant.

— D'accord. Mais serait-elle capable de s'y remettre ?

Cela ne faisait aucun doute, mais sa santé sapait son enthousiasme naturel. Des mélanomes cancéreux lui envahissaient le visage, elle dormait mal et souffrait de vertiges. Sans parler de son tremblement qui s'accentuait et de ses trous de mémoire qui la contraignaient à recourir à des pense-bête.

— Oh, ce n'est pas grave, Jack fait pareil, intervint Warren en faisant allusion à son ami Mr. Nicholson. Parce que nous avons un grand rôle qui pourrait lui convenir, continua-t-il.

— Celui de la vieille tante, demandai-je avec un soupçon d'incrédulité. Vous trouvez que c'est un grand rôle ?

La vieille tante de *Love Affair* n'était qu'un personnage secondaire. Il apparaissait toutefois dans une scène essentielle, pivot des démêlés sentimentaux d'un célibataire sur le point de se marier. L'homme, très mondain, a fait la connaissance d'une chanteuse elle-même engagée par ailleurs. Leur amour se révèle lors d'une escale dans un port européen, au cours de laquelle ils rendent visite à la vieille tante du héros. Celle-ci, charmée par la jeune femme, leur souhaite bonne chance. Le rôle était joué par Cathleen Nesbitt, encore très belle, dans la version avec Cary Grant, et Maria Ouspenskaya dans celle avec Charles Boyer. Dans cette nouvelle version, le port d'escale était devenu Tahiti, où l'on avait déjà tourné les scènes d'extérieur. Beatty m'assura que Hepburn n'aurait pas à s'y déplacer ; il lui suffisait de se rendre aux locaux de la Warner Brothers, à Burbank. C'était un studio d'enregistrement qui servait de décor à la maison de la vieille tante. Elle aurait sa loge à quelques pas du plateau.

— Même si elle acceptait de retravailler, dis-je à Warren, vous ne devez pas oublier que Hepburn n'a jamais joué que les premiers rôles, à l'exception de son apparition dans *Le Cabaret des étoiles*. Jamais de seconds rôles. Jamais de « contribution exceptionnelle » pour un plan ou deux. Jamais de publicité. Dans *Le Cabaret des étoiles*, c'était à titre de contribution personnelle à l'effort de guerre.

Et le caractère patriotique du film de Warren ne me paraissait pas évident.

Tout en m'accompagnant vers l'allée où Kevin m'attendait en bavardant avec Annette, Warren me précisa que son film était terminé à l'exception de cette scène pivot, pour laquelle il fallait une actrice d'envergure. Et plus que cela. Il voulait une actrice d'au moins quatre-vingts ans, et qui les faisait – pas une octogénaire rafistolée par des opérations de chirurgie esthétique ni une sexagénaire enfouie sous des kilos de maquillage. Sans compter, conclut-il, qu'il avait « toujours été amoureux de Katharine Hepburn ».

Son intelligence, sa beauté et sa classe l'avaient toujours époustouflé.

Elle est très sexy, ajouta-t-il.

— C'est ce que pensait Howard Hughes, répondis-je, sachant que Beatty parlait de produire un film sur Hughes depuis plus de dix ans.

— À propos, me dit-il au moment où je m'engouffrai dans la voiture dont Kevin avait déjà allumé le contact, vous a-t-elle fait des confidences sur Hughes ?

— Oui, répondis-je, devinant que si je ne lui donnais pas un os à ronger, il me tiendrait la jambe toute la nuit. Kate m'a souvent dit à son propos : « Ce que vous ne devez jamais oublier, c'est qu'il était sourd. Et qu'il souffrait de cette infirmité depuis son plus jeune âge. »

Warren accompagna la voiture qui s'ébranlait en poursuivant la conversation – à présent, il évoquait le risque qu'il avait pris de raconter une véritable histoire d'amour contemporaine.

— Bon, me fit Kevin en sortant de l'allée, je comprends maintenant la vraie raison de ce dîner.

Mais non. Il se faisait des idées. Le but de la soirée avait été d'en savoir plus sur Lindbergh et, à présent que j'avais livré tout ce qui l'intéressait, je n'entendrais plus parler de Warren Beatty. Nous arrivâmes chez nous à onze heures du soir.

Le téléphone sonna à 11 h 5.

— C'est Warren, fit Kevin.

— C'est Warren Beatty, l'acteur de cinéma, confirma la voix exubérante à l'autre bout du fil. C'était formidable de faire votre connaissance.

Puis il bavarda quelques minutes à propos de Lindbergh avant de demander :

— Alors, pensez-vous que Hepburn serait intéressée par le rôle ?

276

Je lui répétai que j'en doutais mais que je tâterais discrètement le terrain.

— C'est très exactement ce que je voulais vous dire, ajouta-t-il. N'abordez pas de front la question. Elle doit avoir le sentiment de gagner la bataille. Elle adore être le vainqueur.

Je lui conseillai, en attendant, de faire en sorte que la scène en question la séduise particulièrement, et d'avoir en tête d'autres actrices susceptibles d'interpréter le rôle au cas où elle déclinerait la proposition, ce qui était le plus probable. Beatty avait manifestement déjà préparé sa liste. J'avançai le nom de Frances Dee, la partenaire de Hepburn dans *Les Quatre Filles du docteur March*, en lui précisant que je l'avais rencontrée et que c'était une vieille dame extrêmement séduisante avec toute sa tête.

— Je sais, fit-il, mais il me faut un nom plus connu, une vraie star.

Je mentionnai Luise Rainer, qui avait remporté deux oscars d'affilée dans les années 1930 – pour *Le Grand Ziegfeld* et *Visages d'Orient*[1] – et qui devait avoir plus de quatre-vingts ans. Cela faisait des décennies qu'on ne l'avait pas vue sur les écrans, et l'apparition de son nom au générique ferait de la publicité au studio.

— Non, gémit Beatty, elle ne convient pas du tout.

Personnellement, je la voyais mieux dans le personnage que Hepburn :

— J'imagine très bien Luise Rainer finir ses vieux jours à Tahiti, mais pas Kate. Les brises embaumées, très peu pour elle. Le Groenland, je ne dis pas. Ou le Yukon. Mais pas Tahiti.

Ce n'étaient que des détails techniques parfaitement futiles, selon lui.

— En fait, je vois mal Luise Rainer être ma tante. J'ai toujours trouvé Hepburn très sexy, me répéta-t-il.

En cet instant, ce que je savais depuis longtemps devint évident. Tout le monde voulait rencontrer Katharine Hepburn, y

---

1. *The Great Ziegfeld*, comédie musicale de Robert Z. Leonard, 1936, sur la carrière du grand producteur de Broadway, mort en 1934. *The Good Earth*, d'après un roman de Pearl Buck, de Sidney Franklin, 1937.

compris les stars de cinéma, et tout le monde rêvait de travailler avec elle. Une fois de plus, je l'assurai de faire ce que je pourrais auprès d'elle. Et je lui citai Wendy Hiller, Loretta Young, Jessica Tandy.

— Et puisque la vieille dame vit à Tahiti, lui suggérai-je avant de raccrocher, prenez Dorothy Lamour[1], elle fera très bien l'affaire en paréo.

J'appelai Kate le lendemain matin – mais après sept heures et demie, heure de Los Angeles, sachant qu'il n'était plus question de faire sonner le téléphone chez elle « à n'importe quelle heure ». En fait elle se réveillait désormais rarement avant huit heures, parfois neuf heures, puis retournait au lit pour lire, écrire et trier son courrier. Je lui racontai ma soirée avec Warren Beatty et transmis sa demande.

— Dites-lui que vous m'en avez parlé, m'ordonna-t-elle, et que le film ne m'intéresse pas du tout. C'est bien celui où la fille se fait renverser par une voiture en allant à un rendez-vous dans l'Empire State Building ? demanda-t-elle.

Je la félicitai de sa mémoire. Visiblement, on l'avait déjà approchée pour le projet et elle avait catalogué le sujet.

— L'histoire est parfaitement idiote. Mon Dieu ! ajouta-t-elle, suis-je devenue une Maria Ouspenskaya[2] ?

Curieusement, la conversation sur le sujet ne s'arrêta pas là.

— Lui, ça l'intéresse ? demanda-t-elle en désignant par là Warren Beatty.

— Je n'en suis pas sûr. Il est visiblement en train de recruter. Il est pressé. C'est quelqu'un d'extrêmement courtois. Je crois qu'il vous plairait.

— Pourquoi veut-il faire un remake de ce film ?

— À cause de Cary Grant, je crois.

— Cary Grant ?

---

1. Une actrice qui connut une gloire éphémère dans les années 1930 dans des rôles exotiques.

2. Actrice des années 1930 spécialisée dans les rôles de composition, pas particulièrement sexy !

Je lui racontai l'anecdote qu'on m'avait rapportée quelques années auparavant. Cela se passait lors d'une réception à Hollywood dans les années 1960. Voyant une nuée de belles femmes agglutinées autour de Warren Beatty, Grant aurait confié à un ami : « Tu vois, ce type, là-bas. C'est moi, jadis. »

— Aujourd'hui, dis-je à Kate, ce serait plutôt Beatty qui rêverait d'être Cary Grant. Personne n'a mieux vieilli à l'écran que votre ami Cary. Il avait cinquante-trois ans quand il a joué *Love Affair*, en 1957.

— Quel âge à Warren Beatty ?

— Cinquante-six.

— A-t-il de l'humour ? demanda-t-elle.

— Je n'en suis pas sûr. Il se prend extrêmement au sérieux. On le serait à moins, vu la déférence dont on fait preuve autour de lui. Mais j'ai comme l'impression qu'au fond, il fait le pitre.

— Hmmm, fit Kate. Après tout, ça pourrait être drôle.

Je fis part de l'essentiel de notre conversation à Warren en lui conseillant de la laisser mijoter le plus longtemps possible, puisqu'elle n'avait pas totalement fermé la porte. Bref, elle n'avait ni l'envie de mettre fin à sa carrière ni celle de se lancer dans une nouvelle aventure. Je l'informai que j'irais la voir à New York au début septembre, ce qui me permettrait de me faire une idée plus précise de son état d'esprit.

Une fois chez elle, j'abordai la question du film de Warren Beatty. Elle ne s'engagea pas plus. Quel intérêt d'accepter un si petit rôle ? Le personnage avait des atouts, expliquai-je. Il pouvait faire grande impression sans pourtant exiger beaucoup de temps ni d'efforts. Sans compter que ce serait l'occasion de rendre visite à ses amis à Los Angeles, ce qu'elle n'avait pas fait depuis des années.

— Ils sont tous morts, rétorqua-t-elle.

— Pas moi, protestai-je.

— C'est pourtant ce qui pourrait vous arriver si vous continuez à me tanner avec ce film.

Les gens connaissent mal le travail d'un producteur, même à Hollywood. En réalité, les producteurs assument toutes sortes de fonctions. Certains se saisissent d'une idée d'un scénario inédit et l'apportent au studio pour en faire un film ; d'autres se contentent de lever les fonds pour l'entreprise. Certains studios s'adjoignent en outre les services de producteurs connus pour leur savoir-faire dans l'art d'appâter les plus grandes stars et les meilleurs réalisateurs. On en engage d'autres pour leur capacité à « boucler l'affaire dans les temps » tout en étant capables de faire travailler les dizaines d'artistes, de techniciens, de chauffeurs et de traiteurs dans le budget imparti. Voilà qui explique la longueur des listes de noms figurant au générique. À l'âge d'or de Hollywood, chaque film n'avait qu'un producteur, et parfois un coproducteur qui contrôlait les rouages matériels de la production. Mais aujourd'hui, il est rare de voir un producteur se charger à la fois du projet initial et de la réalisation depuis la conception jusqu'à la sortie finale. La fusion des studios est à l'origine, du moins en partie, de la multiplication des producteurs : les financiers espèrent mieux rentabiliser leurs investissements toujours plus élevés en s'assurant les services de professionnels spécialisés dans chacun des divers secteurs de la production. L'autre raison est qu'il n'y a plus beaucoup de place pour les fortes personnalités qui dominaient les studios d'antan – Goldwyn, Selznick, Thalberg, dont la formidable passion permettait aux films de voir le jour.

Peu après mon premier contact avec lui, je pris mes renseignements sur Warren Beatty auprès d'un membre prestigieux de la communauté hollywoodienne.

— En tant qu'acteur, me confia-t-il, il a été prodigieux pendant dix ans. Ce que beaucoup peuvent lui envier. Puis sa carrière a décliné ; son jeu aussi. En tant que réalisateur, il a fait deux ou trois bons films. En tant que producteur, c'est l'un des meilleurs que je connaisse à Hollywood. Il obtient ce qu'il veut de qui il veut. C'est ça, le travail de production.

À l'automne 1993, je pus voir Warren Beatty à l'œuvre. Il prit directement contact avec Hepburn et son conseiller financier, Erik Hanson, qui n'était pas né de la dernière pluie. Ayant appris que Kate aimait les fleurs, Beatty se mit à lui envoyer régulièrement de magnifiques bouquets. Je bénéficiais pareillement de ses appels. Au début, une fois par semaine, puis une fois par jour, puis cinq fois par jour. Chaque fois, il analysait ce que Kate lui avait dit et soupesait tout aussi soigneusement ce qu'il lui dirait. Il ne lésinait ni sur la flatterie ni sur l'enthousiasme. La manipulation était si manifeste que c'en était comique. Kate s'en amusait également.

— Pourriez-vous, me dit-elle un matin, demander à votre ami Mr. Beatty d'arrêter de m'envoyer des fleurs ? J'ai l'impression d'être dans un salon mortuaire, ici.

Elle goûtait manifestement la cour dont elle était l'objet. Mais il fallait tout de même mettre un terme aux travaux d'approche. On était au début décembre. Il fallait tourner les dernières scènes du film – avec ou sans Katharine Hepburn. On avait tâté le terrain auprès de Frances Dee, que l'on gardait en réserve au cas où sa vieille amie Kate ferait défaut.

La santé de Hepburn était défaillante. Elle n'avait plus l'énergie de l'année précédente et sa mémoire à court terme lui jouait des tours. Elle avait du mal à se concentrer. Elle me demanda ce que je pensais du script, incapable de s'en faire une idée. Comme je ne l'avais pas eu entre les mains, elle me pria d'en demander un exemplaire à Warren Beatty.

J'appelai donc Warren en lui expliquant que Hepburn était consciente que le film serait son chant du cygne, et que le script devait être à la hauteur. Dans le même ordre d'idée, je lui suggérai d'insérer quelques répliques « personnalisées » qui, non seulement, refléteraient le style de Kate mais aussi sa pensée, un peu comme celles de Spencer Tracy dans *Devine qui vient dîner*.

Beatty me fit parvenir le script par porteur – pas l'ensemble mais le portrait de la vieille « tante Ginny ». Je n'en pensais pas grand bien. Dès que Warren me rappela, le lendemain, je lui demandai :

— Qui a écrit ça ?

Cette simple question amena une réponse très embrouillée – du genre dont il était coutumier dans ses interviews, vague et décousue :

— Oh, c'est difficile à préciser. Beaucoup de gens ont eu leur mot à dire, sans compter qu'on a également repris le script original de Mildred Cram, et que...

J'en retenais que Robert Towne avait rédigé le script que Beatty avait récrit, ou *vice versa*. Hepburn m'appela le même jour pour me demander ce que j'en pensais. Cela me paraissait très quelconque, plat et sans attrait.

— Ah, moi qui croyais être la seule de mon avis. Voilà qui clôt l'affaire, dit-elle.

J'ajoutai néanmoins qu'on avait largement le temps d'améliorer le script et que la scène, en elle-même, recelait des merveilles.

— Quel intérêt ? À quoi bon ? demanda-t-elle.

Le seul fait qu'elle posait la question me laissa penser qu'elle tenait au film. S'ils avaient pu tourner la scène à New York, je crois qu'elle n'aurait pas hésité un seul instant. Mais là, il fallait qu'elle s'extirpe de chez elle, et reste plusieurs semaines en Californie. Je me rendis compte que c'était la première fois qu'elle faisait entrer son âge et sa santé en ligne de compte. Beatty lui promit de lui trouver une maison confortable où elle pourrait installer facilement Norah et quiconque elle souhaitait avoir à ses côtés. Bien entendu, libre à elle de choisir le personnel qui s'occuperait de sa coiffure, de son maquillage et de ses costumes.

Kate s'inquiétait de savoir si elle serait entourée. Jadis, Laura Harding avait été là pour l'épauler, mais celle-ci vivait désormais dans sa maison du New Jersey. Phyllis était trop faible pour faire le voyage. Quant à Cynthia McFadden, qui était devenue sa compagne de voyage favorite, elle ne pouvait plus s'échapper aussi facilement de ses occupations professionnelles. Lorsque Kate me demanda une fois de plus quel intérêt il y avait à faire ce film, je compris que la vraie question était de savoir si je serais ou non dans les parages.

— Je crois que vous devriez vous décider, lui dis-je. Vous ne cessez de répéter : « Un comédien, ça doit jouer la comédie. » Qu'à cela ne tienne ! Vous faut-il ce film pour votre carrière ? Non, je ne le pense pas. Mais vous y prendriez plaisir ; nous pourrions faire des escapades à LA[1], et ce serait l'occasion d'inaugurer votre septième décennie de cinéma. Ce qui n'est tout

1. Los Angeles.

de même pas rien – une carrière qui va de John Barrymore à Warren Beatty.

— Mon Dieu ! Autant dire oui, histoire qu'il arrête de m'envoyer des fleurs.

— Je crois que ça fait partie de son plan de bataille, Kate. Il veut vous montrer qu'il ne reculera devant rien pour vos beaux yeux.

— Ici, on n'entre plus dans la pièce, figurez-vous. Faut-il être bête pour jeter ainsi son argent par les fenêtres !

Je tins Warren Beatty au courant en précisant que Kate changerait encore d'avis une bonne dizaine de fois dans les deux semaines qui suivraient et que, s'il n'en tenait qu'à elle, elle préférerait rester chez elle. « Elle a quatre-vingt-cinq ans », lui rappelai-je.

Cela dit, je l'informai que je m'apprêtai à la rejoindre pour la rassurer sur le sérieux de l'affaire en l'accompagnant moi-même à Los Angeles. J'ajoutai que s'il souhaitait faire le voyage avec moi, ça me convenait parfaitement. En tout état de cause, conclus-je, « laissez tomber les fleurs ».

Le jour de Noël, un samedi, Beatty m'appela pour m'annoncer que, si ma proposition tenait toujours, il partirait le lundi par le vol de quinze heures. Hepburn n'avait pas encore accepté le rôle, mais le contrat avait déjà été négocié, l'équipe qui devait la prendre en charge était mobilisée et tous les dispositifs matériels avaient été arrangés. Restait à faire sortir la lionne de son antre. Comme nous devions arriver à New York bien après l'heure du coucher de Kate, je lui demandai de me faire réserver une chambre d'hôtel pour le lundi soir et de fixer le dîner avec Kate pour le mardi. Je me débrouillerais pour passer l'après-midi du mardi avec elle pour discuter du voyage. Je décidai de rester dormir à Fenwick après le dîner, sachant qu'au matin du mercredi elle se lèverait sans aucune envie de partir pour la Californie. Beatty m'appela le lundi matin pour m'annoncer qu'une voiture viendrait me prendre à quatorze heures et passerait ensuite chez lui pour nous amener à l'aéroport.

— Cela ne fait-il pas un peu juste ? objectai-je.

Il ne le pensait pas mais c'était à moi de décider : la voiture passerait quand je voudrais. Aurais-je sur moi un exemplaire de *Me*, la biographie de Hepburn, qu'il n'avait pas lue ? Je réclamai quinze minutes supplémentaires par mesure de précaution. Le quart d'heure se révéla inutile. Lorsque j'arrivai chez lui, à Mulholland, il en était encore à rassembler ses affaires tout en passant des coups de fil. À 14 h 15, nous étions dans la cuisine en train de goûter un hachis de bœuf que le cuisinier préparait. À 14 h 25, je suggérais qu'il était temps de partir si nous voulions attraper le vol de quinze heures. « OK », fit-il en avalant le reste du hachis.

Nous arrivâmes au terminal de l'American Airlines cinq minutes avant le départ. Un employé de la compagnie nous attendait le long de la bande d'arrêt d'urgence et nous accompagna jusqu'à l'avion en passant par un sas de sécurité – je le suppose car tout allait trop vite pour que mes souvenirs soient clairs. Les hôtesses nous accueillirent par nos noms, du moins par le mien ; Beatty s'appelait pour l'occasion Mr. Mike Gambril, comme le héros de son film. Le compartiment des premières classes nous était entièrement réservé. Warren profita du voyage pour feuilleter le livre de Hepburn, me sollicitant parfois pour développer tel ou tel chapitre. On nous achemina de l'aéroport JFK à l'hôtel Carlyle où l'on me conduisit à une immense suite – vaste chambre, deux salles de bains, grand salon – valant facilement mille dollars la nuit. Il devait être neuf heures du soir, heure californienne, quand Warren sonna pour me proposer de venir manger un morceau avec lui chez P.J. Clarke.

Il n'y avait pas grand monde à cette heure-là, à part un groupe de jeunes Italiens chahuteurs placés à quelques tables de la nôtre. Ils se tournaient régulièrement vers mon compagnon de table pour scander *Deek Tracy*[1] ! *Deek Tracy* ! Notre serveuse, très diserte, s'attardait à notre table. En nous servant nos salades, elle demanda à Beatty s'il se souvenait d'elle. Ils avaient eu un « rendez-vous » quelques années auparavant, disait-elle. Il se souvenait d'elle, lui assura-t-il, ce qui lui valut un grand sourire. Quand elle s'éloigna, il m'affirma la reconnaître effectivement, même si elle avait pris un peu de poids. Au moment de partir, l'un des Italiens demanda à « Deek Tracy » un autographe, ce que Beatty accorda volontiers.

---

1. Prononciation incorrecte pour *Dick Tracy*.

— Où Hepburn mange-t-elle, en ville ?

— Ce n'est pas dans ses habitudes.

— Non. Je veux dire, quand elle sort, quel restaurant fréquente-t-elle ?

Je lui expliquai qu'en vingt ans elle avait dû aller trois fois au restaurant, une seule fois pendant ces dix dernières années, du moins à ma connaissance.

— Pourquoi ? demanda-t-il avec incrédulité.

— Tout d'abord, elle trouve qu'on mange mieux chez elle. En outre, elle sait que les gens vont la dévisager à chaque coup de fourchette. Et puis il y a ce genre de gars, ajoutai-je en désignant du pouce les joyeux Italiens.

— C'est très exactement la raison pour laquelle, moi, je vais au restaurant, répondit Warren en riant, son bras sur mon épaule.

Il était plus d'une heure du matin quand nous retournâmes à l'hôtel, mais nettement plus tôt à la montre de Warren. Quoique l'alcool soit absent de son régime habituel, il m'invita à boire un verre en sa compagnie au bar de l'hôtel.

— Qu'est-ce que vous prenez ? demanda-t-il.

— Un simple scotch ou un Famous Grouse.

— Et Miss Hepburn, que boit-elle ?

— La même chose, dis-je.

Il commanda deux Famous Grouse.

— On le prend comment ?

— Sec.

« Deux secs », lança-t-il au barman, ravi de sa commande. « Deux autres ! » s'écria-t-il plus tard, avec jubilation. Il était chaleureux, drôle, pratiquait l'autodérision, se montrait plein de curiosité et de respect chaque fois qu'il parlait de Hepburn, à qui il dédia le second verre.

Le lendemain après-midi, j'arrivai à Turtle Bay avec mon sac de voyage – que je laissai au bas de l'escalier au cas où mon plan échouerait. Puis je me dirigeai vers le salon où je trouvai Kate en train de lire le script de *Love Affair*.

— Je n'ai aucune idée du sujet de la scène, dit-elle.

— On lui en parlera et on verra si on peut la récrire, répondis-je.

285

Pendant le dîner, Beatty fut charmant, très attentif à son hôtesse et même un brin intimidé. Il lui parla de la maison qu'il lui avait trouvée en Californie – pas loin du studio et tout près de sa propre demeure, sur les hauts de Benedict Canyon. Le jet privé de la Warner, lui dit-il, serait à notre disposition le lendemain à midi pour nous amener à Burbank. Norah était subjuguée ; elle gardait les yeux rivés sur lui tout en servant et desservant. Était-il encore temps de rafistoler le script ? Le producteur et coauteur assura Kate qu'elle ne tournerait que lorsqu'elle serait entièrement satisfaite des dialogues. Hepburn rendit les armes. Elle viendrait en Californie et ferait la scène. Peu après huit heures, alors qu'elle s'apprêtait à se retirer, Kate me demanda où j'allais passer la nuit. Je lui dis que Warren m'avait réservé une suite au Carlyle mais que j'aimais autant dormir chez elle, au quatrième étage.

— Bonne idée, fit-elle. Cela fera quarante-cinq dollars d'économie !

— Quarante-cinq ? dis-je en éclatant de rire.

— Soixante-cinq ? se corrigea-t-elle.

Kate nous souhaita bonne nuit et monta dans sa chambre, suivie de Norah, qui avait déjà fait les bagages pour le voyage. Je descendis récupérer mon sac et raccompagnai Warren. Il trouvait que la soirée s'était bien passée.

— Attention ! lui dis-je. Ce n'est pas gagné. Demain au réveil, elle refusera de partir.

Je lui conseillai de prévenir Erik Hanson et de s'apprêter lui-même à revenir à neuf heures pour gagner définitivement la partie. C'était déjà l'hiver, à New York, et Norah rayonnait à l'idée de passer trois semaines à Los Angeles – qui plus est avec Warren Beatty.

Le lendemain matin, à sept heures et demie, je descendis prendre mon plateau et l'apportai dans la chambre de Kate. Assise dans son lit, elle se versait une tasse de café, le nez plongé dans le script.

— C'est vraiment nul, dit-elle. Je l'ai lu et relu, et ça n'a aucun sens. Tenez, dit-elle en jetant l'exemplaire à travers le lit, jouez-le-moi.

J'interprétai la scène, y compris un radotage qui comparait le personnage dissolu interprété par Beatty à un canard. Kate levait les yeux au ciel.

— Tout se passera bien une fois là-bas, dis-je, histoire de la rassurer.

— Où, là-bas ? demanda-t-elle le regard vide.

— LA.

— LA ? Mais je ne vais pas à Los Angeles.

Je lui fis remarquer qu'il me semblait bien que si, elle y allait. Elle l'avait promis à Warren Beatty et le jet de la Warner devait la prendre à midi.

— Eh bien, insista-t-elle, je ne monterai pas à bord.

Les heures qui suivirent, ce fut un beau bazar. J'appelai Warren peu après neuf heures. Quand la standardiste me passa sa chambre, j'eus l'impression de l'avoir réveillé. Je lui expliquai qu'il ferait mieux de rappliquer dans les plus brefs délais, que Hepburn était revenue à son point de départ. Il serait là à peu près dans une heure. Je lui conseillai d'amener Erik Hanson avec lui. Norah avait fini de faire les bagages de Hepburn et de mettre de l'ordre dans la maison. Je continuai à tenter de persuader Kate qu'elle pouvait faire le voyage et que, si « elle en avait par-dessus la tête », elle pourrait rentrer quand elle voudrait, qu'elle aurait seulement pris du bon temps.

Elle restait inébranlable. Manifestement, elle attendait que Beatty revienne faire sa cour. Il arriva peu après dix heures et reformula les raisons pour lesquelles il tenait tant à ce qu'elle apparaisse dans le film. Mais il fallut l'arrivée d'Erik Hanson, le conseiller financier, pour l'ébranler. Il expliqua sur un ton tranchant qu'elle n'avait aucune raison valable de rester entre ces quatre murs à ne rien faire. On lui proposait de voyager très confortablement et de travailler dans des conditions idéales. C'était une occasion à ne pas manquer.

Peu avant midi, Norah, Warren, Kate et moi prenions le chemin de l'aéroport entassés sur les banquettes d'une limousine – dans un silence mortel. Kate avait l'air malheureux, triste et fatigué, comme un animal exotique dans sa cage de voyage.

287

— Bon, Warren, lui dis-je de façon que Hepburn puisse entendre, il est bien entendu que, si Kate veut rentrer chez elle, elle le pourra, c'est bien d'accord ?

— Parfaitement, répondit-il.

Il avait tout arrangé pour que le jet soit en mesure de la ramener.

— Et nous avons encore tout le temps qu'il faut pour retravailler sur le script, c'est bien d'accord ?

— Parfaitement.

— Et tout le temps de faire faire les costumes, c'est bien d'accord ?

— Parfaitement.

L'hôtesse nous accueillit à l'entrée du jet de la Warner, qui décolla dès que nous fûmes installés. On nous avait préparé un buffet composé de salades et de viandes diverses. C'était la première fois que je voyais Kate manger un repas qui n'avait pas été confectionné chez elle. Après le déjeuner, elle parut exténuée et demanda à pouvoir se reposer. Une fois qu'elle fut allongée sur le divan qui se trouvait en tête de la cabine, Norah la couvrit d'une couverture et elle s'endormit. Je parlai du script à Warren pendant le vol. Il me posa quelques questions sur la carrière de Hepburn, ce qui me laissa penser qu'il était peut-être en train de récrire certaines des répliques. Il évoqua le nom d'Elia Kazan sans savoir que Kate avait déjà travaillé avec lui. Bien sûr, c'était Kazan qui avait lancé Beatty dans *La Fièvre dans le sang*[1] (*Splendor in the Grass*, littéralement, « la splendeur de l'herbe »), une exaltante entrée en matière pour une carrière cinématographique.

— Kate avait joué dans l'autre film « herbu » de Kazan, fis-je remarquer, *The Sea of Grass* (littéralement « Une mer d'herbes », *Le Maître de la prairie* dans la version française).

Hepburn se réveilla après une sieste de deux heures – le visage chiffonné et enflammé par le contact de la peau contre le siège. Beatty en reçut un choc.

---

1. *Splendor in the Grass*, d'Elia Kazan, 1961.

Il passa le reste du voyage à lui faire du charme. Je sombrais moi-même dans le sommeil quand je l'entendis rappeler :

— J'étais en train de penser, disait-il, que vous et moi avons joué dans les films « herbus » de Kazan.

Un peu plus tard, alors que je les avais rejoints, il avança le nom de Shirley MacLaine. « Une méchante fille », fit Kate, répétant sans doute ce qu'on lui avait dit, car je ne pense pas qu'elle l'ait jamais rencontrée. Warren laissa tomber le sujet. Quelques minutes plus tard, après qu'il eut changé de place, j'appris à Kate que MacLaine était la sœur de Beatty. « Mon Dieu ! » dit-elle en pouffant de rire pour la première fois de la journée.

À notre arrivée, des limousines attendaient – les bagages devaient être acheminés dans une autre voiture que la nôtre. Elles nous conduisirent jusqu'à une grande maison isolée, en haut de Benedict Canyon. Elle semblait correspondre à toutes les exigences de Hepburn. On entrait par une grille pour découvrir un bel arbre planté dans la cour. Les pièces étaient vastes et lumineuses, dotées de meubles confortables aux couleurs neutres. La chambre de maître était à portée de voix de celle de Norah et donnait sur un grand patio agrémenté d'une piscine. Le salon possédait une grande cheminée. Norah en avait des éblouissements au souvenir de la neige fondue qu'elle avait laissée à New York. Et quand Warren lui annonça qu'une équipe se tenait prête à faire les courses, je la vis sur le point de prier pour que le film ne s'arrête jamais. Après avoir parcouru la maison Kate décréta :

— C'est affreux. Rentrons chez nous.

Beatty proposa immédiatement de lui en trouver une autre et lui demanda ce qui n'allait pas. La chaise du salon n'était pas à la bonne place pour qu'elle puisse profiter du feu, et la maison semblait vide à mourir d'ennui. Je conseillai à Beatty de la laisser seule pendant quelques heures pour lui permettre d'arranger les choses à sa façon. Quand il revint, j'étais en train d'installer un arbre en pot trouvé dans une autre pièce sur le bas-côté de la cheminée. Kate avait pris une douche et s'était changée. Elle était installée, en tenue blanche toute fraîche, dans une confortable chaise qu'on avait placée face à l'âtre, un verre de scotch à la main.

Nous fîmes tous trois un léger dîner, après quoi j'annonçai qu'il me fallait partir chez moi. Hepburn avait cru que je resterais dans la maison mais je lui expliquai que je vivais à dix minutes de là, que Norah était sur les lieux et que je reviendrais le lendemain matin pour le petit déjeuner, selon nos habitudes new-yorkaises. Je demandai si l'assistant de service pouvait me déposer chez moi mais Beatty se proposa de me ramener. À peine sorti de l'allée, il s'exclama :

— Mon Dieu ! elle a le visage qui ressemble à un cake aux fruits. Elle est toujours dans cet état ? Qu'est-ce qu'elle a ? Un cancer de la peau ?

Sans doute ses taches avaient-elles pour origine l'excès de soleil et de grand air, expliquai-je.

— Et c'est quoi, cette graisse dont elle s'enduit le visage ?

C'était une crème de soin qu'elle utilisait depuis des années, en fait de la vaseline avec un peu de lanoline.

— Mon Dieu ! fit-il encore, ce n'est pas ça qui peut lui faire du bien.

À la hauteur de l'avenue Mulholland, il se saisit du téléphone de voiture et appela un médecin, à qui il décrivit aussitôt l'état de Kate. Ils entamèrent une discussion sur un traitement à long terme et sur les soins d'urgence à appliquer pour la semaine précédant le tournage. Une fois la communication coupée, il m'expliqua qu'il s'intéressait activement à la médecine, qu'il essayait de se tenir au courant des traitements les plus récents et s'informait des meilleurs médecins et hôpitaux pour chaque spécialité.

— Ne seriez-vous pas un tantinet hypocondriaque ? lui demandai-je.

— Un tantinet, oui, dit-il en riant.

Je m'informai de l'emploi du temps de Hepburn pour la semaine qui précédait le tournage, le plus important étant qu'elle ne reste pas désœuvrée.

— Son existence s'est peut-être un peu ralentie, à New York, mais elle y a ses habitudes et s'organise en fonction de cela. Je crois qu'il vous faudra veiller à ce qu'elle ait une activité pour chaque jour.

Je pourrais moi-même lui tenir compagnie pour le petit déjeuner du matin et le soir au dîner, mais c'était à lui de remplir ses journées. Il pensait qu'il n'y aurait pas de problèmes – avec la visite des lieux, les essayages et autres occupations de ce genre.

Il me déposa chez moi et je lui promis d'être au « poste de commande Hepburn » à la première heure, le lendemain matin. Je sortis de la voiture et Warren se pencha à la portière du passager en me criant à travers la vitre :

— Je ne sais comment vous remercier.

— Je suis sûr que vous trouverez une façon de le faire, mais j'agis ainsi avant tout pour Kate.

Là-dessus, il coupa le moteur et sortit de la voiture pour m'étreindre chaleureusement. Puis, sans un mot, il reprit le volant et descendit la colline.

Cette semaine-là, je passai chaque matin plusieurs heures chez Hepburn. J'essayais de retrouver nos habitudes ; je m'installai dans sa chambre pendant qu'elle finissait son petit déjeuner pour discuter de ce qu'elle avait lu dans les journaux. Elle paraissait fatiguée et désorientée, avec des problèmes d'équilibre. Pensant qu'une partie de ces difficultés était due au manque d'exercice, je fis en sorte d'utiliser la piscine, où elle me rejoignait de temps à autre. Beatty avait beau lui proposer une activité chaque jour, son temps n'était pas entièrement rempli et il lui arrivait de rester assise à se plaindre. Elle souffrait de vertiges.

Les dernières matinées de la semaine, elle voulut se balader en voiture. Je craignais que le mouvement n'aggrave ses vertiges mais elle supportait encore moins l'inactivité. Le premier jour, elle souhaita revoir certaines des maisons où elle avait vécu. Je la conduisis au bungalow qu'elle avait partagé avec Tracy dans la propriété de Cukor, laquelle avait été vendue récemment et réaménagée en une maison dépourvue de charme. Le cadre avait si peu de rapport avec ce qu'elle avait connu que Kate ne reconnut pas les lieux avant de voir sur un panneau le nom de la rue.

— Savez-vous qui habite ici ? demanda-t-elle.

Non. Mais j'étais sûr que les occupants seraient ravis de la lui laisser visiter si elle le désirait.

— Allons-y, lança-t-elle.

En sortant de la voiture, je la vis regarder tristement les lieux. Je lui ouvris la porte pour l'aider à descendre mais elle ne bougeait pas.

— Non, n'y allons pas, dit-elle finalement.

Je la conduisis chez moi, dans l'avenue Doheny, quelques rues plus loin – une maison de trois étages sur pilotis, moderne, avec une belle vue sur la ville, du quartier de Wilshire à l'océan. Il faisait très beau, très clair. Elle s'aventura jusqu'au seuil du dernier étage, émerveillée par la vue, puis demanda : « Où se trouve la cheminée ? » Son intérêt s'évanouit quand je lui répondis qu'il n'y en avait pas. Je lui fis descendre les escaliers pour lui montrer le reste de la maison, à commencer par mon bureau. Elle n'avait pas descendu deux marches qu'elle changea d'avis :

— Je préfère ne pas savoir, dit-elle, entonnant ainsi son refrain favori.

— Savoir quoi ?

— Que vous vivez quelque part, fit-elle d'un ton légèrement mélancolique.

Elle voulut quitter la maison pour continuer la visite des canyons. Hepburn se souvenait de chaque virage, de chaque ruelle ; elle s'arrêtait à telle ou telle adresse, se contentant le plus souvent d'un simple coup d'œil sur l'allée. Un peu plus tard, elle me demanda, sa bonne humeur retrouvée :

— Comment pouvez-vous vivre dans une maison sans cheminée ?

Ce soir-là, Warren vint en compagnie d'Annette Bening et nous dînâmes tous les quatre. Les repas que servait Norah étaient les mêmes que ceux de New York. Annette fut charmante et très courtoise envers Hepburn. Après leur départ, Kate demanda :

— C'est qui, cette fille ?

Sa partenaire dans le film, lui expliquai-je – une très bonne actrice et la femme de Warren Beatty.

— Sa femme ! Il a une femme ?

Oui. Après avoir été pendant des années le célibataire le plus couru de Hollywood et un collectionneur d'aventures, il s'était finalement marié.

— La pauvre fille ! commenta Kate.

Je lui demandai ce qu'elle voulait dire car ils me semblaient tous deux très amoureux.

— Hmmm, commença-t-elle pour poursuivre sans marquer de pause : amoureux du même homme.

Le deuxième jour notre tournée nous conduisit au sommet de la Tower Road. Elle voulait voir la magnifique maison qu'elle avait habitée dans les années 1930, qui appartint ensuite à Jules Stein, le fondateur de MCA, l'empire du loisir. Elle voulut en connaître le propriétaire actuel. Rupert Murdoch, lui dis-je.

— Hmmmm, fit-elle l'air entendu. C'est bien un endroit pour quelqu'un qui croit que le monde lui appartient.

De grandes grilles frappées de la lettre M barraient l'entrée de la propriété, pareilles, me semblait-il, à celles de Xanadu dans *Citizen Kane*. Kate me demanda d'essayer d'entrer. Je sonnai une demi-douzaine de fois, sans réponse.

— C'est la veille du nouvel an, lui fis-je remarquer. Tout le monde est sans doute parti.

— Tant mieux, dit-elle, en me donnant l'ordre de faire le tour extérieur de la propriété. Une grille tenue par une chaîne était entrebâillée. Nous pûmes nous glisser à l'intérieur mais, à quelques pas de là, une clôture impressionnante faisait barrage.

— Il nous faudrait une de ces paires de ciseaux à barbelés, dit-elle.

Je la priai de m'excuser de ne pas me déplacer avec une pince coupante. Et si on utilisait une batte ou une raquette, quelque chose comme ça, proposa-t-elle, en suggérant de forcer la clôture. Je revins sur mes pas et elle se mit à la recherche d'un gros bâton. Elle ne renonça qu'après quelques minutes de vain acharnement sur la chaîne de la barrière. Après avoir essayé une fois encore de sonner à la grille, nous redescendîmes la colline.

Avant d'aller réveillonner, je retournai chez Kate dîner avec elle et les Beatty – à cinq heures et demie. Elle avait fait ouvrir une bouteille de champagne. Nous levâmes nos verres en l'honneur de l'année 1994, sauf Annette... qui ne prit son verre qu'à la dernière minute en murmurant pour elle-même plus que pour nous :

— Allez, le médecin m'a dit qu'un petit verre de temps en temps, ça allait...

293

La nouvelle ne ferait pas la une des journaux avant quelques mois mais je partis ce soir-là en supposant que les Beatty attendaient leur deuxième enfant.

Le week-end précédant le tournage, Kate parla de retourner chez elle. Elle était fatiguée de Los Angeles et nous étions convenus de la laisser partir si elle le voulait. Puis la conversation dévia sur le script, comme quelques semaines auparavant. Je lus sa scène à haute voix et elle répéta : « Ça n'a aucun sens. » Je lui demandai ce qui ne lui semblait pas clair et lui suggérai d'improviser ses propres répliques. Elle me demanda de faire de même.

— Pourquoi ne lui dites-vous pas, me déclara-t-elle en parlant de Beatty, que nous avons discuté tous deux du script et que vous souhaitez lui faire quelques suggestions bénéfiques au film ?

J'objectai qu'en tant que vedette, producteur et coauteur, il pourrait mal le prendre. Mais, oui, je lui parlerais.

Je tapai les nouveaux dialogues et Beatty me proposa de venir chez lui en discuter. Il apprécia le travail puis insista pour que nous discutions de toutes les répliques, y compris les plus anodines, mot par mot. Je compris soudain pourquoi tant d'années s'écoulaient entre chacun de ses films. Puis il demanda si elle serait capable de prononcer ces mots qui figuraient dans une réplique qu'il avait concoctée : « Bordel de merde. »

Je lui demandai pourquoi, vu que l'expression n'était pas drôle mais plutôt de mauvais goût, et qu'elle ne s'imposait pas.

— Mais pourrait-elle le dire ?

Le caractère simplement provocateur de l'expression aurait peut-être un certain attrait à ses yeux. Dans *Coco*, lui dis-je, après l'échec d'un défilé de mode, son personnage dévalait un escalier en criant : « Merde ! » J'ajoutai qu'à l'époque elle avait déçu bien des admirateurs pour avoir prononcé ce gros mot.

— Mais croyez-vous qu'elle le dirait ? répéta Warren, qui avait bien l'intention de laisser la formule dans le script.

Oui, sans doute, lui répondis-je, mais pourquoi indisposer une partie du public qui irait voir le film pour elle ?

— Personne n'ira voir le film pour elle, dit Beatty.

— Pardon ?

Je n'avais pas bien entendu, pensai-je.

— Je dis que personne n'ira voir ce film pour Hepburn.

Je le dévisageai en m'attendant à un sourire, mais je compris qu'il était très sérieux. Je repassai en revue les quelques derniers mois, en me demandant pourquoi il lui fallait à tout prix Katharine Hepburn dans ce film si ce n'était, d'une manière ou d'une autre, pour susciter l'intérêt. Puis je compris soudain que toute cette affaire de casting n'avait guère été qu'un exercice d'amour-propre.

— Eh bien, lui dis-je, quand le film sortira en vidéo, que le distributeur exigera un troisième nom sur la boîte et que les boutiques de vidéo en voudront un exemplaire à classer dans la section « Katharine Hepburn », certains de ses fans risqueront d'être déçus.

— Mais, demanda Warren pour clore la discussion, vous pensez qu'elle dira « bordel de merde » ?

— Oui, Warren.

Il était évident que seules quelques menues modifications resteraient jusqu'au montage. Je le quittai en lui faisant néanmoins une dernière suggestion, pour le plan de l'adieu à la vieille tante.

— Kate a une façon d'agiter la main en guise d'adieu très théâtrale, lui dis-je. Regardez la fin de *Vacances à Venise*.

Je lui laissai entendre que ce serait un instant très émouvant pour les admirateurs de Hepburn, « même si personne ne venait voir le film à cause d'elle ».

Puis Beatty expliqua qu'il ne comprenait pas pourquoi Hepburn ne se plaisait pas à Los Angeles, alors que ce voyage était pour elle une vraie « opportunité ». Le climat y était meilleur qu'à New York, le film l'occupait, et elle allait travailler « avec le plus grand réalisateur vivant ». Je savais que ce serait Beatty en personne qui réaliserait les scènes avec Hepburn, même si un réalisateur de téléfilms à succès du nom de Glenn Gordon Caron dirigeait officiellement le tournage. Une fois de plus, je pensai qu'il plaisantait.

— Pardon ? fis-je.

L'ironie n'était pas de mise, je m'en aperçus une fois de plus.

— D'accord, Cukor, Huston et Ford sont morts, ajoutai-je en citant les noms des quelques géants avec lesquels elle avait travaillé. Mais il reste Billy Wilder, Kurosawa et David Lean.

— Je parle de gens encore en activité.

— Et Stanley Kubrick ?

— Ouais, concéda-t-il. Mais il n'a pas fait de film depuis des années.

Je me retins de citer Martin Scorsese, Francis Ford Coppola, Steven Spielberg, Mike Nichols...

Nous nous revîmes le dimanche soir chez Hepburn. L'humeur de Kate était nettement meilleure. Elle s'était appliqué l'onguent prescrit par un des médecins de Beatty et l'état de sa peau s'était amélioré. Tout le monde se réjouissait par avance. Au moment de nous laisser partir, elle me lança :

— J'espère qu'il vous paie bien.

Cela ne fit rire Warren... que jusqu'à la porte.

Le tournage commença le lundi. Je ne l'avais jamais vue travailler sur un plateau et, instinctivement, je me tins à l'écart. Je la rejoignais chaque soir pour le dîner, qu'elle prenait en robe de chambre, sa traditionnelle serviette autour de la tête. Quelques vieux amis se retrouvaient chez elle, à l'occasion. Warren passait tous les jours, et me déclarait chaque fois qu'elle avait été excellente, assez fort pour être entendu d'elle. Comme je devais m'absenter à la fin de la semaine pour une conférence, deux jours avant mon départ, Kate me demanda de lui rendre visite sur le plateau. Je lui promis d'essayer. Warren semblait également le souhaiter... manifestement pour me montrer qu'il la traitait royalement.

Je me rendis à la Warner Brothers le lendemain midi, entre deux prises de vues. Le coiffeur et la maquilleuse s'occupaient d'elle dans la vaste loge qu'on lui avait aménagée. Elle semblait en grande forme, plus alerte qu'elle ne l'avait été depuis des mois. Norah était près d'elle, les assistants allaient au-devant de ses moindres désirs, les techniciens se hâtaient d'installer projecteurs et caméras de sorte que Miss Hepburn n'attende pas. Mais ce qui la stimulait, c'était le travail.

— Comme vous pouvez le voir, me dit-elle en pivotant sur la chaise de maquillage, on s'occupe de moi. Vous n'avez donc pas besoin de rester.

Un assistant réalisateur vint annoncer que l'équipe était prête, et Kate me signifia mon congé :

— Nous devons jouer, maintenant.

J'allai prévenir Beatty de mon départ, lui expliquant que ma présence la rendrait mal à l'aise. Il me proposa de me placer derrière le rideau noir qui masquait le plateau, d'où l'on pouvait suivre la scène sur un écran de télévision. Dans les coulisses, je trouvai un grand gaillard sympathique à l'air un peu triste qui regardait attentivement Warren diriger Hepburn. Lors des premières prises, Kate s'efforça de suivre les directives puis improvisa quelque peu. À la troisième ou quatrième, elle semblait jouer pour les techniciens qui, visiblement, approuvaient ce qu'elle apportait de plus à la scène.

Elle avait l'art de donner un sens caché aux répliques les plus banales – ici une pause, là une légère accélération du débit, expédiant d'une traite les instants forts. Elle changeait un peu de ton à chaque prise, tout en s'efforçant d'en faire le minimum, sans jamais appuyer. Une fois la scène terminée, l'homme qui se tenait à mes côtés se présenta et me remercia d'avoir contribué à convaincre Hepburn de venir à Los Angeles. Il s'agissait du réalisateur en titre, qui n'était pas admis sur le plateau quand y jouait Hepburn.

J'étais sur le point de partir quand un groupe de responsables firent leur entrée pour se faire présenter Hepburn. Warren les conduisit auprès d'elle et je vis des coulisses comment elle les séduisait : elle serrait les mains de chacun d'entre eux, riait aux propos qu'ils lui tenaient, les remerciait de toutes leurs attentions. Elle posa même pour une photo de groupe et ne tiqua qu'une seule fois, quand un jeune de la bande mit son bras autour d'elle.

Le soir, après le dîner, Warren évoqua la façon dont elle avait enjôlé les « costumes trois-pièces ». Hepburn expliqua qu'elle s'en faisait un devoir professionnel depuis que David Selznick l'avait introduite à Hollywood, soixante ans auparavant. Et quand Warren s'extasia sur ses improvisations, je lui rappelai que, dans *La Femme de l'année*, Hepburn avait improvisé quasiment toute la scène finale, dans laquelle Tess Harding, seule dans sa cuisine, tente de confectionner un petit déjeuner à l'aide de recettes de cuisine. Ce soir-là, en partant, Warren embrassa Kate sur la joue puis la regarda dans les yeux :

— Ah ! si seulement je vous avais rencontrée il y a trente ans.

— Faut-il le prendre pour un compliment, me demanda Kate après son départ.

À mon retour de voyage, Katharine avait achevé la scène qui lui était impartie dans *Love Affair*. Beatty et le reste de l'équipe l'avaient magnifiquement traitée et elle était contente d'avoir rempli sa tâche. Elle rentra rapidement à New York, heureusement d'ailleurs... car, quarante-huit heures plus tard, le tremblement de terre du Northridge secoua sérieusement la maison qu'elle occupait, renversant lampes et vases. La demeure des Beatty, où ils m'avaient invité à dîner cinq mois plus tôt, fut détruite.

Au mois de septembre suivant, Dominick Dunne brossa un portrait de Warren Beatty pour *Vanity Fair*. Il y décrivait par le menu comment celui-ci avait persuadé Hepburn de figurer dans son film. Une phrase retint particulièrement mon attention. Beatty livrait ses réflexions sur des vedettes et autres personnalités dont Howard Hughes : « Quant à Howard, il faut toujours garder en mémoire qu'il était sourd. »

Un mois plus tard, je fus invité à une projection de *Love Affair*. Beatty comme moi eûmes du mal à rétablir le contact. Le film était encore plus affligeant que prévu, à l'exception de la scène où apparaissait Hepburn (son nom figurait au générique sous la mention « avec la participation exceptionnelle de... »). Le contenu de ses répliques n'ajoutait pas grand-chose à l'œuvre – et elle prononça effectivement, bien qu'avec réticence, le stupide « bordel de merde » – mais elle avait de l'allure et faisait forte impression, en particulier au moment des adieux. Je trouvais la scène très émouvante parce qu'au lieu d'un banal signe de la main elle restait assise à l'écart en se contentant de regarder ses mains marquées par l'âge.

Pour mon anniversaire, en décembre, je reçus une douzaine de roses rouges de la part de « Warren et Annette ». Quatre ans plus tard, il assista à une réception donnée par mon frère à l'occasion de la publication de mon *Lindbergh*. Depuis, à l'exception d'une rencontre fortuite, je n'ai plus jamais eu de nouvelles de « la star de cinéma ».

Le téléphone de Katharine Hepburn continuait à sonner et les scripts à s'accumuler dans sa boîte aux lettres. Un producteur que je n'avais jamais rencontré m'appela un après-midi pour me demander d'user de mon influence pour lui faire envisager le rôle de tante March dans un remake des *Quatre Filles du docteur March*, ou Winona Ryder devait incarner le personnage de Jo interprété jadis par Hepburn. Je doutais fort qu'elle accepte un rôle de composition, même à l'approche de ses quatre-vingt-dix ans. (« Dites-leur, s'il vous plaît, que je n'ai jamais songé à entrer en compétition avec Edna May Oliver » – qui avait joué tante March en 1932.) En revanche, elle se rendit au Canada pour tenir la vedette dans un ou deux téléfilms sans intérêt. Sa capacité de concentration diminuait au fur et à mesure que s'accentuait son tremblement des mains et de la tête. Mais elle faisait toujours des projets d'avenir, se plaignant qu'on n'écrive rien de bon pour les vieux acteurs.

À chacun de mes voyages sur la côte est, sa vue me donnait un nouveau choc. Norah s'efforçait de me préparer à la dégradation de son état avant que je gravisse l'escalier. Les cheveux, toujours relevés très haut, étaient plus blancs, plus vaporeux, les yeux plus gris et le corps plus lourd, faute d'exercice. Elle avait moins de choses à raconter, sa mémoire flanchait et la conversation devenait laborieuse. Elle semblait faire de gros efforts pour garder la tête droite, la mâchoire en avant. « Si altière... ça vous brise le cœur » aurait dit Irene Selznick à sa manière abrupte. Chaque fois qu'elle se levait, j'étais abasourdi de constater qu'elle faisait une dizaine de centimètres de moins qu'à nos premières rencontres. Son énergie avait disparu, elle souffrait de vertiges et paraissait souvent déprimée.

L'année suivante, je la trouvai au service d'oto-rhino-laryngologie de Manhattan sous le nom de Phyllis Wilbourn. Norah m'avait laissé entendre que personne ne savait réellement ce qu'elle avait, mais que les visites étaient autorisées. En poussant la porte de la vaste chambre, j'entendis un médecin s'adresser à elle avec animosité, en présence d'une infirmière à l'air rébarbatif.

— Personne n'est admis ici, m'annonça-t-il.

— Lui, si, coupa Kate alors que je me dirigeais vers le fauteuil où elle était assise, vêtue de son pyjama habituel et sa vieille robe de chambre rouge. C'est mon ami.

— Que se passe-t-il ? demandai-je en espérant dissiper la pesante atmosphère.

— Ils disent que je suis une ivrogne, pleurnicha Kate, sur un ton que je ne lui avais jamais entendu.

— Personne n'a dit ça, répliqua vivement le médecin.

— Si, vous. Vous avez dit que j'étais alcoolique et qu'il ne fallait plus boire. – Elle se tourna vers moi les larmes aux yeux : – Vous me connaissez depuis longtemps, Scott Berg. Pensez-vous que je sois une ivrogne ?

J'affirmai que ce n'était pas le cas et demandai au médecin et à l'infirmière de nous laisser seuls un moment. Puis je serrai Kate dans mes bras. Elle me passa un bras autour de la taille, posa la tête sur ma poitrine et se mit à pleurer.

— Je ne sais pas pourquoi je suis ici.

Elle n'était pas désorientée et semblait même avoir l'esprit plus clair que lors de mes dernières visites. Mais elle ignorait ce qui n'allait pas et personne ne semblait le savoir davantage. Elle se sentait mal, tout simplement. Je savais qu'elle prenait des tas de médicaments et je ne pouvais m'empêcher de penser que tout cela devait interagir et contribuer à son angoisse.

— Écoutez, Kate, je n'ai pas le moindre doute, vous n'avez pas de problème de boisson… mais tant que vous prenez ces pilules, vous devez vous s'abstenir de toute boisson alcoolisée. Vous comprenez, c'est ce qui a tué votre amie Judy Garland… et Marilyn. C'est une question de bon sens.

Avec Hepburn, le bon sens, c'était encore le meilleur argument.

Elle revint bientôt chez elle, avec quelques modifications de prescription, et commença pour elle cette phase de la vieillesse où « bons et mauvais jours » se succèdent, quand ce n'est pas les « bonnes et mauvaises heures ». Norah répondait le plus souvent au téléphone, s'affolant au moindre incident.

Toujours présente dans les pensées de Kate, Phyllis Wilbourn disparaissait peu à peu de la scène, souvent clouée au lit et nécessitant toujours plus de soins. Lors d'une visite à Fenwick, au début 1995, je la vis en larmes dans son fauteuil, en train de contempler le bras de mer par la fenêtre. Je m'avançai pour la réconforter et lui demander ce qui n'allait pas.

— Je suis juste très inquiète. Rien ne sera plus comme avant.

— Pourquoi dites-vous ça ? Qu'est-ce qui vous inquiète ?

— L'abdication. Ça change tout. C'était notre plus beau roi[1].

— Pensez au bon côté des choses. De toute évidence il n'était pas heureux. Et maintenant il va passer le reste de sa vie avec la femme qu'il aime. – Elle sembla rassérénée. Gardant sa main dans la mienne, j'ajoutai : – « Je suis sûr que lui et Mrs. Simpson auront une longue et heureuse vie ensemble.

— Vous le pensez réellement ?

— Je le sais, dis-je sur un ton d'autorité propre à calmer ses inquiétudes.

Un autre week-end, je me rendis dans le Connecticut pour assister au mariage de Mundy, le fils de Dick Hepburn et Joan Levy. Les mariés étaient deux artistes peintres, le premier travaillant sur verre, la seconde sur tissage. Celle-ci avait pour robe une tunique de druidesse. Kate, relativement en forme, sans être trop ferme sur ses jambes, se déplaçait sans problème à l'aide d'une canne. Elle semblait fatiguée mais attentive et choisit un fauteuil confortable pour suivre la cérémonie. Elle remarqua un homme qui, de l'autre côté de la salle, prenait des photos d'elle, et me demanda de faire écran. Sur le chemin du retour, je demandai la raison du costume de la mariée.

— Bien montrer qu'elle est assez folle pour se marier dans cette famille, répondit Kate.

En avril 1995, un coup de téléphone de Joan Levy m'apprit que Phyllis était décédée à New York. J'appelais Kate pour offrir mes condoléances et savoir comment elle avait pris cette mort.

— De quoi est-elle morte ? demandai-je.

---

1. Édouard VIII fut roi de Grande-Bretagne et d'Irlande de janvier à décembre 1936. Sa décision d'épouser Mrs. Simpson, une divorcée de nationalité américaine, déclencha une crise gouvernementale. Il abdiqua en décembre 1936 en faveur de son frère George VI, devint duc de Windsor, et épousa Mrs. Simpson en France, en 1937.

— Qu'est-ce que ça peut faire ? Elle a arrêté de respirer et elle est morte. Voilà tout.

Kate fit front jusqu'au 11 mai. Des membres de la famille Hepburn et quelques intimes célébrèrent ce qui aurait été le quatre-vingt-douzième anniversaire de Phyllis en enterrant les cendres de la vieille compagne tant aimée de Kate dans le cimetière de Fenwick, aux côtés des Hepburn. Au cours de la courte cérémonie, alors que la pluie se mettait à tomber, Kate s'agenouilla et éclata en sanglots. Je ne l'ai jamais plus entendue prononcer le nom de Phyllis.

À la fin de l'hiver 1996, on transporta Hepburn à l'hôpital de Lenox Hill pour une pneumonie. Les communiqués de la radio et de la télévision étaient pessimistes. J'appelai chez elle et chez son frère, Bob. Ce ne fut pas plus encourageant. De fait, Kate demande-rait quelques jours plus tard qu'on l'amène en ambulance à Fenwick, où l'attendaient masque à oxygène, lit médicalisé et infir-mières prêtes à se relayer vingt-quatre heures sur vingt-quatre. *The National Enquirer* étala une photo morbide à la une, lui faisant dire : « Ne soyez pas triste, je vais rejoindre Spencer... »

Cette fois-là, elle se tira d'affaire comme d'autres fois la même année. Mais chaque accès compromettait un peu plus sa vitalité et attirait une nuée de reporters de tabloïds, qui campaient à l'entrée de la propriété en attendant l'annonce de sa mort. Les plus malins s'étaient procuré le numéro de téléphone de la maison et tentaient d'extorquer des informations à quiconque répondait.

Kate avait de plus en plus de mal à tenir une conversation ; mes visites se firent silencieuses. Elle semblait comprendre ce qu'on disait mais n'avait pas la force de parler. Elle répondait par monosyllabes aux questions directes, et parfois répondait à la ques-tion précédente ou à ce qu'on ne lui avait pas demandé. Le tête-à-tête devenait difficile, exigeant de l'invité un quasi-monologue. Je tombai une fois sur Tony Harvey. Chacun d'un côté de Kate, nous restâmes à bavarder tout l'après-midi, ce qu'elle suivait comme un match de tennis. Au bout d'un moment, nous nous aperçûmes qu'elle avait reporté son attention sur une boîte de chocolats Edelweiss que j'avais apportée de Californie. Elle prit les bouchées une par une pour les replacer de la même façon dans la boîte. Tony leva les yeux au ciel en silence et nous continuâmes notre conversation comme si de rien n'était.

En 1997, un appel de Joan Levy à Los Angeles m'avertit que l'état de Kate avait brusquement empiré. J'appelai derechef son frère Bob. D'après lui, la fin semblait proche sans qu'on y puisse grand-chose. Elle était très faible et ne mangeait pas. « L'ensemble de l'organisme refuse de fonctionner. » Je proposai de prendre un avion le jour même pour lui faire mes adieux, mais Bob me le déconseilla.

— Au point où nous en sommes, je ne suis pas sûr que vous arriveriez à temps. Et même si c'était le cas, je ne sais pas dans quel état elle sera.

Je trouvai Kate le lendemain matin dans sa chambre, assise, vêtue d'un pyjama neuf, un châle autour des épaules, vieillie mais en forme.

— Me reconnaissez-vous ? demandai-je en entrant dans la pièce inondée de soleil.

— Non, répondit-elle, la lumière dans les yeux.

Quand je sortis de l'ombre de l'entrée pour m'approcher de son fauteuil, elle leva les yeux et une grosse larme lui coula sur la joue gauche. Une des infirmières se pencha vers moi et murmura :

— Quand elle a su que vous veniez aujourd'hui elle m'a demandé de lui mettre un peu de rouge à lèvres.

— C'est quoi, cette histoire que vous êtes mourante ?

— Mais non.

La réponse lui coûta un gros effort. Puis elle sembla un peu honteuse de son état, contredit par l'animation de son regard.

Je passai la journée à Fenwick, essentiellement en compagnie du personnel, des infirmières puis, un peu plus tard, de Cynthia McFadden, qui passait régulièrement. Après ma visite matinale, Kate fit un petit somme. Tout le monde, médecin compris, se demandait à quoi s'en tenir : de quoi souffrait-elle exactement ? Comment avait-elle pu reprendre ainsi le dessus ? Sans compter que cela faisait des jours qu'elle n'avait presque pas mangé.

Quand elle se réveilla, Cynthia et les autres me proposèrent de monter passer un moment seul en sa compagnie, sachant que je devais retourner à Los Angeles. Le sentiment général était qu'elle s'en était sortie pour cette fois, mais que la fin était proche. Je la retrouvai assise bien droite dans son fauteuil, devant un repas intact. Je m'assis près d'elle en lui demandant si elle voulait manger. Elle détourna la tête comme un enfant, sans rien dire. J'étais très content de la voir, lui dis-je, mais pas dans cet état. Elle resta comme une bûche, le regard vide. Songeant que je lui faisais peut-être mon dernier adieu, je lui parlais de notre amitié, de ce qu'elle avait signifié pour moi, avec l'espoir qu'elle continuerait. Elle détournait toujours le regard, fixant désormais le feu de la cheminée. Je me penchai tout près et baissai la voix :

— Écoutez, Kate, vous et moi avons beaucoup discuté de la mort... et je sais que vous vous intéressiez beaucoup à l'association Hemlock et à tous ces livres qui décrivent comment mettre fin à ses jours. Vous en êtes peut-être là, aujourd'hui ? S'il y a quelque chose que je puisse faire pour vous... Cela dit, si vous êtes prête à partir, le mieux, c'est de continuer comme vous le faites. Ne mangez pas. Laissez-vous mourir de faim. Contentez-vous de ne pas vous nourrir.

Elle releva brusquement la tête vers moi et ses yeux étincelaient. De sa main droite elle saisit la mienne et la posa sur son avant-bras gauche.

— Je ne suis pas si faible, dit-elle, pliant son bras pour que je tâte les muscles. – Ils étaient incroyablement fermes. – Je ne suis pas en train de mourir. Je suis toujours forte.

— C'est vrai, vous semblez vraiment forte. Mais vous ne semblez pas capable de soulever une fourchette. Et tout le monde s'inquiète parce que vous n'avalez rien, même quand on essaie de vous faire manger. Vous ne pouvez pas rester forte si vous ne mangez pas. Mais si c'est parce que vous vous sentez prête à partir, continuez... Voilà ce que j'ai voulu dire.

Elle ne chercha pas à discuter, se contentant de me fixer dans les yeux... puis, sans bouger, elle ouvrit simplement la bouche. Je l'aidai à avaler la soupe, les macaronis au fromage, une glace au café qui avait fondu, jusqu'à ce qu'elle ait vidé l'assiette et les deux bols. Pendant qu'elle mangeait, je parlai de la façon dont elle pourrait se remettre sur pied. Je lui parlais du yoga en lui expliquant comment Alice Roosevelt Longworth, à plus de quatre-vingt-dix ans, se tenait sur la tête et continuait de pratiquer certaines postures.

— Peux pas, fit-elle.

J'expliquai que c'était à la portée de tout le monde, qu'on pouvait toujours s'exercer à mouvoir une partie de son corps, sans parler des exercices respiratoires. Et joignant le geste à la parole, j'effectuai quelques exercices de base. Quand elle eut fini de manger, je m'aperçus qu'il me fallait attraper mon avion. Je la serrai dans mes bras, elle tint sa joue pressée contre la mienne, puis me fixa dans les yeux jusqu'à ce que les larmes lui viennent. Je lui promis de revenir bientôt, mais pas avant quelques mois. J'allai partir quand elle prononça sa phrase la plus longue de la journée :

— Est-ce qu'on vous aime encore ?

Je l'assurai que oui, que la relation que j'entretenais depuis longtemps n'avait jamais été aussi satisfaisante.

— Bien, ajouta-t-elle. Moi aussi, on m'a aimée.

Je savais qu'elle parlait de Spencer Tracy mais je ne pus m'empêcher d'ajouter :

— Par beaucoup plus de gens que vous ne le croyez.

Quand je descendis, tout le monde voulut savoir comment je l'avais trouvée.

— Elle tient le coup. Nous mourrons tous un jour. Enfin, aucun de nous ne sait combien de temps il lui reste à vivre. Mais je suis sûr d'une chose, elle tient le coup, au moins pour un moment.

— Qu'a-t-elle dit ? demanda Cynthia.

Comprenant que notre conversation avait peut-être été intime, elle se reprit et m'assura que je n'étais pas du tout obligé d'en parler. J'expliquai pour résumer qu'elle avait mangé tout son repas… et que j'avais cru jusque-là qu'elle voulait mourir. Mais non. Et j'insistai :

— Elle tient le coup.

Durant l'année qui suivit j'achevai et publiai ma biographie de Lindbergh, un livre que je n'aurais pu écrire si, dix ans auparavant, Kate n'avait plaidé ma cause auprès d'Anne Morrow Lindbergh. Mes visites à Fenwick s'espaçaient mais nous continuions à communiquer par l'intermédiaire des membres de la famille ou du personnel. Les nouvelles étaient toujours plus sombres que ce que je constatais par moi-même. Il lui arrivait d'avoir des absences, mais elle me donnait plutôt l'impression de partir simplement en voyage dans ses souvenirs, voire dans son imagination. L'aspect de son visage, en revanche, me rendait perplexe.

Chaque fois que je la voyais, je pensais à une nouvelle de F. Scott Fitzgerald, « L'étrange cas de Benjamin Button », dans laquelle un homme naît vieux, rajeunit tandis que le temps passe et meurt à l'état de nouveau-né. Moins Hepburn était apte à se mouvoir, plus ses rides s'effaçaient. Les traitements dermatologiques lui laissaient la peau rose et tendue. Ses yeux paraissaient plus grands et plus expressifs, s'éclairant pour des détails... exactement comme ceux d'un enfant. Elle souriait beaucoup.

Je me retrouvai à New York à la mi-mai 1999, quelques jours après son quatre-vingt-douzième anniversaire. J'avais quelques heures devant moi, juste le temps d'aller déjeuner à Fenwick. David Eichler, l'ami de Kate, toujours si courtois, qui lui-même approchait les quatre-vingt-dix ans tout en en paraissant dix de moins, était monté de Philadelphie lui rendre visite. Peg également, venue de Canton[1] accompagnée d'une jeune Irlandaise et de sa guitare. Après un déjeuner de hot-dogs à la moutarde et les traditionnels macaronis au fromage, la jeune fille s'installa près de Kate et se mit à chanter en s'accompagnant de son instrument. Kate la regardait fixement, hypnotisée. À la fin de la chanson, elle lui dit, les yeux écarquillés : « Formidable, encore une. » La jeune femme s'exécuta. Peg et la chanteuse s'éclipsèrent après un autre morceau. David et moi y allèrent de nos commentaires élogieux sur la voix de la jeune femme. Comme Kate semblait ne pas comprendre, David me confia *sotto voce* : « Sa mémoire immédiate a complètement disparu. »

Il nous laissa seuls un moment, ce qui me permit de poursuivre un semblant de conversation, ou plutôt un aimable monologue qui, de temps en temps, tirait de Kate une réponse de quelques syllabes plus ou moins audibles. Mais quand j'annonçai que je devais partir,

---

1. Dans l'État de l'Ohio.

elle déclara : « Est-ce sage ? » Je ne savais pas, répondis-je. Elle demanda alors : « Est-ce indispensable ? » J'affirmai que oui.

Avant de quitter la maison je décidai de faire un saut chez Dick Hepburn, cloué au lit par la maladie. On m'avait dit qu'il lui arrivait de dormir jusqu'à vingt-trois heures d'affilée. Son infirmière, sur qui je tombai dans l'autre partie de la maison, m'annonça que j'avais de la chance : il venait juste de se réveiller.

Je frappai à sa porte et le trouvai vêtu d'un pyjama rouge, assis tout droit au bord de son lit mais immobile et les yeux dans le vague. J'avais poliment engagé la conversation en entrant... quand il me dit :

— Présentez-vous.

J'en conclus qu'il fallait m'approcher en me tenant devant lui, ce que je fis. Il me tendit alors la main.

— C'est un plaisir de vous voir Mr. Berg, dit-il. Merci pour votre visite.

Puis il retomba de tout son long et s'endormit profondément. Il ronflait quand je quittai la pièce. Dix jours plus tard, je pus à nouveau dégager un après-midi pour me rendre à Fenwick. J'eus de nouveau le plaisir de rencontrer Peg, venue cette fois avec sa petite-fille Fiona, une jeune femme au tempérament poétique chez qui on avait diagnostiqué dix ans plus tôt une fibrose pulmonaire[1] et qui survivait au fil des ans en dépit de tous les pronostics. Elle était venue avec son masque à oxygène portable, en compagnie de son mari et de leur très bel enfant. Elle espérait subir une transplantation du poumon. Je retrouvai également un grand ami de Peg, Don Smith, professeur de musique et maître de chœur, ainsi que le docteur Bob Hepburn. Autour des hot-dogs et des macaronis de rigueur, la conversation porta essentiellement sur le récent massacre de Columbine, dans le Colorado. Peg avait beaucoup à dire sur les armes (trop de lois qu'on n'appliquait pas) et l'éducation des enfants (trop de parents irresponsables). Autant de sujets qui finirent par donner un tour nostalgique à la conversation, fait inhabituel chez les Hepburn.

---

1. Épaississement fibreux des alvéoles pulmonaires provoquant une insuffisance respiratoire progressive.

L'esprit de Kate errait on ne savait où pendant que Bob et Peg racontaient des anecdotes de leur enfance. Puis Peg parla de donner au gouvernement un échantillon de son sang dans l'espoir qu'on identifie les restes de son fils Tom, tombé au Viêt-nam trente ans auparavant, parmi les corps qu'on venait d'y exhumer. Finalement la conversation roula sur l'autre Tom, le frère aîné de Peg, Bob et Kate. Ils évoquèrent d'un ton neutre les circonstances de sa mort, qui remontait aux années 1920. Je jetai un coup d'œil à Kate qui s'était détournée et fixait le feu. Elle avait le visage en larmes. Je pris un mouchoir en papier et lui essuyai les yeux.

Les autres convives partis, je restai seul avec Kate à commenter les histoires qui étaient remontées à la surface, cet après-midi-là : la maladie, le massacre, les morts. Je n'attendais pas de réponse, je remplissais juste le silence. Puis elle se mit à parler.

— La vie, dit-elle tranquillement mais avec difficulté, comme s'il lui était difficile de desserrer les dents, … pas facile.

Une des aides-soignantes entra dans la chambre pour annoncer :

— Nous allons sortir jouer, n'est-ce pas ?

Kate eut un large sourire :

— Oui.

Elle m'avait dit des dizaines de fois durant toutes ces années qu'elle ne craignait pas la mort – qu'elle appelait « le grand sommeil ». C'était mourir qui l'effrayait. En la regardant ce jour-là, je compris qu'elle n'avait plus rien à craindre. Elle avait accompli son parcours sans trop souffrir et en sortait relativement épargnée. Bien sûr, comme tout le monde, elle avait eu sa part de déceptions et même de tragédies. Mais elle approchait la ligne d'arrivée sans avoir eu à subir, pour l'essentiel, le naufrage de la vieillesse. Les jours se suivaient désormais dans une monotonie indistincte, mais elle s'avançait vers le centenaire bien soignée, sans trop de douleurs et entourée de gens qui l'aimaient.

Après plus de quatre-vingt-dix ans de combativité – sur les terrains personnel, professionnel, sentimental et physique – Kate abdiquait avec sérénité, semblait-il. Je l'avais souvent entendue dire : « La vie est dure pour tout le monde, et c'est pourquoi la plupart des gens finissent par s'en faire les victimes. » Elle avait vécu l'essentiel de son existence comme une combattante, se frayant un chemin à force d'énergie, chevauchant la vague et parfois la précédant. « La loi naturelle consiste à se fixer, à s'installer, avait-elle dit un jour, je l'ai violée. »

Parce qu'elle a vécu longtemps, bien au-delà de son époque, la plupart de ses admirateurs oublient ou ignorent qu'elle a violé d'autres lois au cours de son existence. Pour commencer, en refusant de vivre comme une femme dans ce qui était un monde d'hommes. Elle a géré sa carrière comme n'importe quel acteur indépendant, sans chercher la protection d'un studio, d'un directeur ou d'un agent. Elle a mené sa vie personnelle dans le même esprit d'indépendance. Elle répondait par réflexe à tout interdit : « Ah, oui ? Eh bien regardez. » C'est ainsi qu'elle devint une héroïne, un modèle que les hommes et les femmes de tout âge admiraient.

À la fin de l'interview que j'avais conduite pour *Esquire*, lors de notre première rencontre en 1983, j'avais demandé à Hepburn pourquoi, à son avis, sa carrière avait perduré quand ses compagnes retournaient à l'obscurité au bout de quelques années ou, au mieux, au bout de dix ou vingt ans. C'est l'une des rares questions qui lui demandèrent quelques secondes de réflexion : « Question de chevaux dans le moteur. »

Plus tard, je lui avais montré le papier terminé (au demeurant jamais publié), avec ma réponse personnelle à la même question : « Katharine Hepburn est une source d'inspiration parce qu'elle parle au cœur d'une manière particulièrement intelligente. La raison de son charisme, ce demi-siècle écoulé, tient avant tout à ce qu'elle a donné des images d'elle-même évoquant des valeurs humaines intemporelles : le courage, l'indépendance, la vérité, l'idéalisme et l'amour. L'amour, c'est elle. »

— Mon Dieu ! avait protesté Kate, l'amour, ce n'est pas moi. Ça, c'est Marilyn.

— Non, répondis-je. Marilyn Monroe, c'est le sexe, un objet de luxure... et une victime. Vous m'avez dit qu'à l'époque où vous l'avez rencontrée elle vous avait fait penser à « une malheureuse feuille emportée par le vent ».

— Alors, Garbo.

— Non. Garbo, c'est le mystère... et aussi une victime.

— Eh bien, je ne comprends pas ce que vous voulez dire.

— Eva Lovelace, Jo March, Terry Randall et leurs aspirations artistiques ; Alice Adams et ses ambitions sociales ; Linda Seton, Tracy Lord, Tess Harding, Pat Pemberton, Bunny Watson, anéanties par l'amour ; Rosie Sayer, Jane Hudson, Lizzie Curry, à la recherche désespérée de l'amour ; Mary Tyrone, Christina Drayton, Ethel Thayer et même Éléonore d'Aquitaine, toutes nostalgiques de leurs amours passées... ne voyez-vous pas que, utopistes, partisanes, aventurières ou intellectuelles, elles restent fidèles à elles-mêmes tout en sachant se métamorphoser et se donner à quelqu'un d'autre ? C'est ce que je veux dire par amour.

— Bon. Je ne discuterai pas avec vous.

— Eh bien, c'est une première.

— Il faut toujours que vous ayez le dernier mot, n'est-ce pas ?

— Ouais.

Quand j'avais fait connaissance de Kate, elle plaisantait souvent sur le fait qu'elle ne vivrait pas assez longtemps pour voir l'an 2000.

— Ne soyez pas ridicule, lui disais-je. Lillian Gish a dépassé les quatre-vingt-dix ans et vous êtes plus coriace qu'elle.

— Oh, non. Il n'y a pas plus coriace que Lillian. Elle a fait toutes les cascades des films de Griffith, affronté les tempêtes et marché sur la banquise. Elle était là depuis le début. Elle a ouvert la voie. S'il y a quelqu'un de coriace, c'est elle[1].

Miss Gish mourut à l'âge de quatre-vingt-dix-neuf ans, en 1993... Quant à Katharine Hepburn, elle put vivre ce que le monde entier célébra comme l'avènement du nouveau millénaire.

---

1. Lillian Gish, 1893-1993. Elle joua dans tous les grands films de Griffith, au temps du muet (*Naissance d'une nation*, *Le Lis brisé*...). Sa carrière faillit s'effondrer avec l'avènement du parlant, mais après avoir fait beaucoup de théâtre, à Broadway, elle fit sa rentrée en 1943 (*Duel au soleil*, *La Nuit du chasseur*...). Elle obtiendra des rôles jusqu'en 1987.

Le 1<sup>er</sup> janvier 2000 ne fut néanmoins pour elle qu'un jour comme les autres. Quand jadis nous évoquions cette date, elle n'imaginait pas en être réduite à une telle inactivité. Au début, cela me peinait de voir son corps se délabrer. Puis je finis par me réjouir de sa longévité. Je trouvais du réconfort dans la grâce et la dignité avec laquelle elle jouissait des détails quotidiens de l'existence – le lever du soleil au-dessus du phare de Fenwick, un bon repas, un bon feu, la famille et les amis, un sommeil réparateur bien au chaud sous une pile de couvertures, une brise rafraîchissante, le bruit des vagues. J'admirais son aptitude à écouter le Chant de la Vie.

# 11

## L'ombellifère

Lors de ma première visite au 244 de la Quarante-Neuvième Rue Est, après avoir sonné, m'être vu intimé l'ordre de passer aux toilettes et avoir gravi l'escalier pour la seconde fois, j'avais découvert Katharine Hepburn dans un environnement de somptueux arrangements floraux. Toute une théorie d'énormes bouquets – anthuriums, oiseaux de paradis, marguerites d'Afrique, lis, glaïeuls, agapanthes – en nombre suffisant pour fleurir un hall d'hôtel, sans compter deux cache-pots arborant chacun une amaryllis rouge monstrueuse. « Une grande pièce comme celle-ci exige de grandes fleurs, avait-elle jeté dans la conversation. Ce sont les seules que j'aime. »

Un peu plus tard, après ma première visite à Fenwick, les vastes corolles exotiques avaient laissé la place aux fleurettes. Il n'y en avait plus que pour elles, iris nains, saintpaulias, violettes du Cap, dendrobiums pourpres et autres jasmins de Madagascar... « Je n'aime pas vraiment les grands bouquets, m'avait-elle affirmé d'un ton péremptoire. Les petites fleurs sont bien plus belles. » Une semaine, elle vouait une passion aux roses blanches pour les fustiger la suivante. « La rose est la plus surfaite des fleurs », prétendit-elle un après-midi avec une parfaite sincérité. « Vous êtes un peu sévère, Kate, lui avais-je dit. Les roses font de leur mieux, j'en suis sûr. »

Une seule fleur resta au-dessus de tout soupçon, sans contestation ni reproche : la Queen Anne's lace (dentelles de la reine Anne), une ombellifère, *Daucus carota* de son nom savant [en français, tout simplement la carotte sauvage], connue en Grande-Bretagne sous le nom populaire de cow parsley (persil à vache). D'après *The Oxford English Dictionary*, Queen Anne's lace est « le nom populaire de différentes plantes ombellifères[1] portant des grappes de petites fleurs blanches ». Aux yeux du profane, ce qui distingue cette plante des autres est sa grande ombelle aplatie, parfois de la taille d'une assiette à dessert, en fait un nuage de petites fleurs (l'ombelle) formé à partir de ramifications de la tige centrale. Un champ de carottes sauvages donne l'impression d'une mantille étalée sur le sol.

— L'avez-vous jamais réellement regardée, m'avait demandé Kate lors de notre première promenade aux alentours de Fenwick. Je dis bien réellement examinée, de près, en l'étudiant ?

Je ne l'avais pas fait. Après en avoir cueilli un bouquet, elle s'était lancée dans une leçon de choses inspirée.

— Regardez, c'est extraordinaire, s'enflammait-elle en rassemblant les tiges afin de former une seule grande efflorescence plane.

— C'est magnifique, avais-je opiné.

— Mais vous n'avez pas vu le plus beau. Retournez-en une.

Je découvris une authentique merveille de la nature, la face cachée de la carotte sauvage, un extraordinaire réseau de petites tiges – des « pédicelles » me précisa Kate – s'intriquant en un filet complexe et résistant d'une délicate simplicité, à la parfaite symétrie. Cette architecture d'innombrables croisillons constituait un ensemble plus grandiose que chacune des parties. « Comment peut-on regarder cela et ne pas croire en Dieu ? » avait demandé Kate tout en effleurant du doigt la fragile infrastructure des solides petits filaments aux ramifications encore plus ténues.

---

1. La famille des ombellifères ou apiacées (plantes à racine pivotante et fleurs en ombelle) comprend entre autres l'angélique, l'anis, la carotte, le céleri, le cerfeuil, la ciguë, le panais, le persil. La Queen Anne's lace correspond à ce qu'on appelle en France la carotte sauvage plutôt que l'angélique dont les grandes ombelles sont plus arrondies que les fleurs préférées de Hepburn.

Je l'avais regardée, un peu étonné, pour comprendre (comme je devais le constater bien des fois par la suite) que ses paroles devaient être prises à la lettre.

— Oui, avait-elle expliqué, comment peut-on regarder ceci et ne pas croire en une puissance supérieure, en une force divine à l'œuvre, en un Dieu qui a créé cela, tout cela, comme il a créé l'homme.

Ce jour-là, j'avais entrepris Kate sur la religion, comme j'aurais l'occasion de le faire à plusieurs reprises au cours des vingt années suivantes. En fait, ce n'était pas son sujet de prédilection. Elle s'était toujours sentie plus à l'aise avec les problèmes concrets qu'avec les questions abstraites ou métaphysiques. « Je crois, disait-elle en restant vague sur ce qu'elle croyait, ou plutôt je ne crois pas que l'homme est l'être suprême. » Son goût pour la spéculation mystique allait rarement au-delà.

— Et Jésus-Christ ? avais-je demandé. Croyez-vous qu'il ait été le fils de Dieu ?

— Je crois qu'il a existé, avait-elle répondu sans hésitation. Et je pense qu'il a été un être humain exemplaire sur cette terre… et que si davantage de gens mettaient en pratique ce qu'il a prêché, le monde serait meilleur. Mais on a commis beaucoup de crimes en son nom. Était-il le fils de Dieu ? Honnêtement je n'en sais rien…

— Et le paradis, et l'enfer ?

— Je n'y crois pas vraiment. Je crois dans le présent. Je pense que nous devons nous conduire de façon à pouvoir espérer pour demain quelque chose de mieux qu'aujourd'hui. Je suis persuadée que mes actes d'aujourd'hui affecteront mes comportements de demain… Et un jour je mourrai, poursuivit-elle. Ce qui ne m'effraie pas. Ce sera bien, très bien… un long et merveilleux sommeil. Mais jusque-là… j'ai bien l'intention de m'épuiser à vivre.

— Un long et merveilleux sommeil, avais-je répliqué, dubitatif. Est-ce que ça signifie que vous pensez vous réveiller un jour… et revenir à la vie ? Croyez-vous en la réincarnation ?

Elle avait éclaté de rire, avec pour toute réponse un regard suggérant que j'étais complètement fou.

Kate ne parlait jamais en termes abstraits. Sa sagesse n'avait pas un tour philosophique. Lors de ma dernière longue conversation avec elle, le soir du mariage de son neveu Mundy, alors que nous étions seuls et qu'elle semblait étrangement perdue dans ses pensées, je ne pus résister à l'envie de lui demander :

— Que pensez-vous donc de tout ça ? Je veux dire, de la vie. A-t-elle un sens ? Que faisons-nous ici-bas ?

Kate me tira de l'embarras d'avoir aligné des questions aussi banales en répondant sans hésitation :

— Nous sommes ici pour travailler dur et pour aimer quelqu'un. – Puis elle fit silence. Mais ce n'était pas fini : – Et aussi pour s'amuser, ajouta-t-elle. Et avec un peu de chance, si vous restez en bonne santé… pour que quelqu'un vous aime de retour.

Elle était fière de sa réponse. Je contemplais cette femme en face de moi, de près de quatre-vingt-dix ans, les yeux larmoyants, dont le tremblement de la tête s'était encore accentué ce soir-là. Elle me regarda fixement et me lança :

— Ne me dites pas que vous allez encore discuter, Scott Berg ! Juste une fois, pour l'amour de Dieu, vous pourriez admettre que j'aie raison… et renoncer à avoir le dernier mot !

Je me levai, allai jusqu'au canapé, lui embrassai le front et remis une bûche dans le feu ainsi qu'un morceau de bois de flottage qui éclata en un petit feu d'artifice d'étincelles de toutes couleurs. Je retournai m'asseoir et, sans échanger un mot de plus, nous avons laissé le feu s'éteindre.

Dick Hepburn mourut en octobre 2000. Kathy Houghton m'informa qu'un service à sa mémoire se tiendrait dans la petite église de Fenwick. Je décidai d'y assister, pour honorer la mémoire de Dick et voir Kate. Celle-ci n'était pas à la veille de mourir, mais elle ne parlait pour ainsi dire plus. Pendant la cérémonie, elle resta dans la chaise longue installée depuis peu dans le salon, Peg à ses côtés.

Après avoir entendu une série de vibrants hommages dans la petite chapelle non chauffée, l'assistance s'ébranla vers la maison Hepburn, où l'on avait préparé de quoi se sustenter. Kate était toujours là, tranquillement assise en compagnie de Peg dont je pris la

relève pendant l'heure qui suivit, recevant pour Kate les condoléances de la procession qui s'égrenait devant elle. Quand nous
nous retrouvâmes seuls, Kate demanda la raison de ce défilé. Je lui
expliquai que Dick était mort. Ce à quoi elle répondit avec une
véhémence inattendue : « Vous êtes mal informé. » Sa capacité à
nier l'évidence m'avait toujours émerveillé.

Je me rendis compte du même coup que son entourage, moi
compris, avait fait de même à son égard. Norah avait retenu ses
larmes en découvrant que Miss Hepburn ne l'avait pas reconnue,
ce jour-là. Je parlais en mois et non en années quand j'évoquais la
dernière fois où nous avions tenu une véritable conversation, un
échange de plus de deux phrases. J'avais admis avec désinvolture
la réduction de son activité physique aux allers et retours en
ascenseur entre sa chambre et la chaise longue du salon. Peg me
raconta qu'en mon absence, cet après-midi-là, elle avait demandé
à Kate dans quelles circonstances nous nous étions connus. « Lors
d'un bal, avait-elle répondu, à Philadelphie. » Cela nous fit rire,
Peg et moi, et nous nous sommes demandé à quelle date elle avait
placé cette rencontre imaginaire. Cela faisait des années que les
cheminées de Fenwick étaient restées tristement éteintes, depuis
que des bouteilles d'oxygène étaient stockées près de Kate.

Je m'efforçais (sans toujours y parvenir) de voir Kate à chacun
de mes voyages sur la côte est. Mes visites étaient invariablement
précédées d'une nouvelle alerte médicale quand ce n'était pas par la
rumeur de sa mort. Le 11 septembre 2001, elle regardait la télévision ; elle sembla comprendre l'attaque dont Manhattan avait été la
cible. « Mais nous ne sommes pas à New York », avait-elle observé
avec soulagement.

Son état se stabilisa peu ou prou pendant les vingt mois qui
suivirent. Mais quand je l'appelai à l'occasion de son quatre-vingt-
seizième anniversaire, elle fut incapable de parler au téléphone. Son
entourage me demanda d'un ton qui ne laissait augurer rien de bon
quand je viendrais la voir.

J'arrivai à Fenwick dix-huit jours plus tard, le 30 mai 2003, et
l'état de Kate me parut alarmant. Ses yeux s'écarquillèrent quand
j'entrai dans le salon pour m'asseoir à ses côtés ; ils paraissaient
pourtant rétrécis, sans leur éclat habituel. Elle me signifia par un

petit sourire qu'elle m'avait reconnu, mais semblait épuisée et malheureuse. Une canule à oxygène lui passait par les narines. Son amaigrissement spectaculaire laissait penser qu'elle ne mangeait plus.

Hong, qui avait pris depuis longtemps la place de Norah dans la maison, et Norah elle-même, qui passait le plus de temps possible à Fenwick, affirmaient que Miss Hepburn n'avait ingéré que du yaourt liquide et des boissons nutritives pendant les semaines écoulées. Elle acceptait de temps en temps un petit bout de toast à la confiture, qu'elle gardait à la bouche pendant deux minutes pour le laisser tomber ou l'avaler tout rond. Je pensais à la conversation que j'avais eue avec elle quelques années auparavant, à propos de la possibilité de hâter son départ définitif en refusant de manger ; je me demandais si elle se posait la question à chaque nouvelle bouchée. À moins que s'alimenter ne lui fût devenu une épreuve insupportable ? Quand je voulus m'en enquérir, Hong et Norah me proposèrent d'en parler avec Erik Hanson, toujours circonspect.

Je l'appelai de la cuisine et appris ainsi qu'on avait récemment découvert à Kate une grosse tumeur dans le cou. On avait envisagé plusieurs options. Mais vu son âge et sa faiblesse on avait décidé de laisser la nature suivre son cours. Comme je demandais à Erik le pronostic des médecins, il me dit simplement :

— À tout moment. Peut-être demain... mais avec Kate, qui sait ? En tout cas nous ne parlons pas en années.

Sans plus se cacher, les infirmières lui administraient des calmants contre la douleur. En disant adieu à Kate cet après-midi-là, je retins sa main plusieurs minutes en lui disant, pour la première fois, tout ce qu'elle représentait pour moi. Et je lui murmurai à l'oreille qu'elle pouvait « se laisser aller » quand elle le voudrait, que, si elle était fatiguée, elle pouvait simplement s'endormir – dans la journée, quand un ami ou un membre de la famille se tenait à son côté, ou la nuit quand une infirmière veillait à son chevet. Je ne me faisais pas d'illusion sur la portée de mes paroles. C'était juste ma façon de lui dire qu'elle ne serait jamais seule, qu'elle avait suffisamment fait la preuve de sa force et de son courage.

Dans les jours qui suivirent, elle ne réussit plus à aller au-delà de la chaise de sa chambre. Elle absorbait de plus en plus difficilement les liquides. Je me tenais au courant de son état par téléphone. Le dimanche après-midi 29 juin 2003, Cynthia McFadden eut la gentillesse de me passer le coup de fil que j'attendais avec angoisse. Après nous avoir montré pendant près d'un siècle comment vivre, Katharine Hepburn nous montrait comment mourir.

Je pense souvent à Kate, et je le ferai le reste de mon existence. Ces derniers temps, je dois le reconnaître, j'ai pris un certain plaisir à ressasser le même rêve éveillé. Il fait très doux en cette nuit de juin. C'est ma première soirée festive de l'été. Je suis en veste blanche au Merion Cricket Club de Haverford, en Pennsylvanie, aux abords immédiats de Philadelphie. Un orchestre entame un air endiablé de Cole Porter. Soudain apparaît une éblouissante jeune femme, fraîche émoulue de l'université Bryn Mawr, aux grands yeux lumineux et aux pommettes saillantes. Une légère brise agite ses cheveux auburn. Nos regards se croisent. Je remarque ses longues jambes. Et elle se dirige droit sur moi…

# Table

Note de l'auteur .......................................................... 7

1. Une entrevue particulière .................................... 9
2. Ce qui fait la différence .................................... 15
3. Lever de rideau ............................................... 30
4. Une star est née .............................................. 65
5. Le temps de l'arrogance ................................... 98
6. Retour en grâce .............................................. 121
7. Subjuguée ...................................................... 147
8. Devine qui est venu dîner ................................ 188
9. Mademoiselle ................................................. 237
10. Voyages avec « ma tante » ............................... 269
11. L'ombellifère ................................................ 312

*Cet ouvrage a été imprimé par*

**FIRMIN DIDOT**

GROUPE CPI

*Mesnil-sur-l'Estrée*

*pour le compte des Éditions Robert Laffont*
*24, avenue Marceau, 75008 Paris*
*en mai 2004*

*Composé par Nord Compo*
*à Villeneuve-d'Ascq*

Dépôt légal : juin 2004
N° d'édition : 44903/01 – N° d'impression : 68364
*Imprimé en France.*